Hommage du
Ministère des Affaires culturelles
du Québec

le grand khan

DU MÊME AUTEUR

Lorenzo (roman)
Journal poétique
Joli Tambour (théâtre)
Les Mongols :
   — **La Jument des Mongols**
   — **Le grand khan**

   (à paraître)
   — **Les Enfants d'Irkousk**

*La publication de cet ouvrage
a été rendue possible
grâce à une subvention
du Conseil des Arts du Canada.*

jean basile

le grand khan

les éditions estérel

à Yves Douris

Quelques-uns réclamaient surtout des Canadiens, subissant peut-être à leur insu le charme d'un accent si léger qu'on ne sait pas si c'est celui de la vieille France ou de l'Angleterre.

Marcel Proust

Ce lit est vide comme une drôle de tombe, j'y suis pourtant veillant, pestant, je pense que le monde est petit et que je suis petit moi-même, tout aussitôt, tandis que mon genou gauche remonte, que je suis grand et qu'il est beau, je m'émerveille de retrouver, ce soir encore, la musique de mes seize ans, feutrée, grinçante, je me revois soudain si las de tant de minuscules jaillissements, d'un seul coup je suis enseveli sous mille brassées de fleurs noires, confiné à mon envie de m'assoupir pour de bon, il est de nombreux mondes, quelle blague de se croire vivant sur une sphère unique quand il en est mille et une peut-être et que la dernière visitée, couic, comme Schéhérazade, un bon coup de hache, dégagez, mon coeur stoïque battra longtemps, je suis le siège d'étonnement naïf quand j'imagine, ainsi replié sur moi-même de plus en plus comme un colimaçon, ce qui est, que je ne connais guère, lu seulement, que j'entrevois dans les limbes brouillés de ma cervelle : un mort au Viêt-nam, jaune ou blanc, un bonze imbibé de la glorieuse essence Texaco, le râle d'un soldat du Christ (je pense à ces splendeurs de chairs roses), le maquisard Viêt-cong toujours ressuscité d'entre les fins roseaux, je revois les Juifs, souvenir plus inquiet d'un passé fabuleux qui me hante, je suis l'un de ceux que Rossif a décrits dans « Le Temps du Ghetto », tout est si calme ici, si tendre, nos érables qui s'étendent, nos femmes, nos pins en-sommeillés, nos eaux, nos maïs à tête d'argent, nos buildings, nos trente degrés sous zéro Fahrenheit, nos adolescents, on devient vite fasciste et me comprendra qui connaît la douceur de ce nid sis entre le Pacifique et l'Atlantique, disons vrai en cet instant perplexe où le repos me guette, n'ai-je point fait un rêve brutal de croix gammée, je revois Jérémie au visage maquillé entre le boxeur et l'archange, tout m'investit et tout se refuse, je n'aime plus cette plan-te, encore un peu je dors, continuons, je soupire, je m'allonge pour constater par mes pieds que le fond de mon lit est froid, l'hiver, même en automne, finit toujours par entrer dans ma chambre, je plonge sous l'oreiller, Judith est là avec sa jupe en tweed et ses talons plats, nous nous aimions bien tous les trois, moi si pauvre, mais eux si brillants, si charmants dans leurs déguisements de satin, de dentelles, de guirlandes, jouant sur une boule aux équilibristes de Picasso, soudain pris d'une angoisse d'enfant, je jette mes couvertures par-dessus mes oreilles, je sais qu'un jour je comprendrai mais quoi, quelque chose d'autre que ce que je vois dans l'heure présente, couché que je suis, puis assis, puis couché dans le trou de mon lit parce que dehors ne me séduit pas, assez d'images généreuses, je n'aime pas le monde quand bien même je l'essaie dans l'éprouvette de mon raisonnement tortueux, je me relève vingt fois pour noter une phrase, je provoque les axiomes éternels sans résultat autre qu'un vague sentiment d'importance, soyons franc pour dire qui je suis : je m'appelle Jonathan, six pieds deux pouces, presque aussi maigre qu'un cure-dent, rien qu'à me présenter je fais peur au monstres, je ne suis pas un roseau pensant, grossier si j'ai mes élégances, je me propose nu, laid, égoïste, vaniteux, peut-être sans talent, je sens le fauve quand je transforme mes draps en tente de toile et que je m'enferme dedans, j'aime fuir mais j'irai malgré tout lentement, posément car dans ce pays situé sous des latitudes blanches, il n'est pas de bon ton de faire tout en trois mots, pourquoi aller si vite si les distances sont immenses et si l'avion ne fait en somme que rapprocher d'un point ce même point puisque la terre est ronde, qu'importe je serai, tout est silence, le prince de ma steppe et de ma chambre, de la rue Prince-Arthur, le grand Khan, tant pis si la planète est grosse, j'arrive à peine à jongler avec une orange, je ne pousse pas comme un champignon, et tant pis pour la complaisance, je me nomme immobile panique, je veux avoir un solide coup de dent, ne serait-ce que pour un hot dog, lorsque le sommeil me prend, je n'ai pas été philosophe mais je ronfle.

Quant à ma pensée du réveil, j'entends Judith qui se plaint : tout est laid, noir, rien ne va en ce monde sans extases d'oiseau, les ténèbres rien que les ténèbres et, prenant à témoin le ciel dans un long, lent, mouvement de bras qui n'appartient qu'à elle, la voilà transformée en île dramatique, aussitôt recouverte de tout un océan de misères, ses courts cheveux tourmentés par ses mains devenues des serpents. Elle dit : « Pour aimer une femme aussi vieille, il faut bien être un peu pédéraste, après tout je pourrais être sa mère ». Moi : « Tout au plus sa grande soeur ». Elle : « Pédéraste et révolutionnaire, c'est trop de deux, un seul suffit; en tout cas je lui conseille de ne pas me confondre avec la Passionaria ». Je dis : « Tu exagères ». Judith : « Je suis toujours comme ça quand j'aime ».

Mais comment ? Le temps présent n'existe plus comme une entité sereine, éternelle, apaisante et je vois bien que je serais le château fort bientôt attaqué par la bande des souvenirs déplaisants ou vers l'avenir, comme un harpon crochu des tribus du grand nord, moi le lanceur de prémonitions idiotes mais fulgurantes. Or revu ce que nous étions quand Armande animait de sa langueur acide d'amandier l'appartement de la rue Peel où nous vivions, nous les trois « J », en quelque sorte les éléments de ses grâces et de ses disgrâces, Jérémie la terre, Judith l'eau, moi aussi évanescent que l'air, tous ensemble formant le feu jaillissant selon les heures sous forme d'artifices ou de flammes rampantes, il ne restera rien, trop tôt, qu'une bombe de glace explosant dans les airs en mille diamants de locutions, de paraphrases, d'allitérations cette gerbe grammaticale n'étant, somme toute, que des mots et des mots. Le Jonathan d'autrefois, ivrogne, vélléitaire, se résorbera dans un opus magistral; déjà je ne suis plus le même à la pensée de cette ligne que ma main tracera : le Jonathan à l'oeil sec, la grande asperge des amours secrètes, de Saint-Exupéry, Camus, Gide, Mauriac le père, Fournier, ces images reçues, retenues pour resurgir, Jérémie nageant, son corps long s'introduisant avec une souplesse de loutre dans les ondes, ou les seins dérisoires de Judith, entrevus lors d'une inspection adolescente dans le secret d'un vieux moulin, l'étonnement qui s'ensuivit, ou cette image de moi : un enfançon assis à croupetons, boudant selon les apparence mais ressentant alors sans raison une amertume immense, une brindille à la main comme un sceptre, louchant un peu à regarder attentivement l'armure minuscule d'un hanneton.

Montréal est toujours ce grand corps qui reste; dans cette lutte entre elle et moi, il y a bien des moments de grâce mais aussi quelle drôle d'idée qui est la mienne d'avoir toujours un peu la tête en fête et de ne se pouvoir empêcher, au beau milieu d'une pavane, de se lancer dans des figures de rigodon : levé à dix heures, sorti à onze, le café bu comme un petit morceau de Brésil amer, pour profiter du soleil du matin, je vais ainsi à pied à l'écoute en mon for intérieur des quatre chants sérieux de Brahms et le dernier surtout « O Tod, O Tod, wie bitter bist du », dans ma tête résonne la sublime voix de Kathleen Ferrier et, peu à peu, croyant que c'est Armande qui chante, leurs deux voix soudain confondues me parvenant, message personnel, du paradis où elles habitent, ces sons pour s'engloutir dans mon oreille ayant dû traverser, à force de leurs petites ailes, des couches et des couches de nuages superposés de teinte bleue et blanche; comme tout est simple au sortir du sommeil quand les sens sont émoussés. Ces rues enfilées sur un rythme traînard tant que le beau temps dure et même jusqu'à un automne avancé, me conduisant tout doucement au but, cet antre d'oubli où ma vie se résorbe en un travail journalistique; j'aime ainsi musarder longtemps, longtemps, retardant l'heure de mes devoirs, traverser Saint-Laurent au coin de Prince Arthur, acheter quelques fruits, les manger en traversant le carré Saint-Louis, son bassin, sa statue de plomb argentée, toujours un Hongrois endormi sur un banc, puis la rue Saint-Denis et ses maisons bourgeoises aux escaliers en tire-bouchon, puis le Select au coin de la rue Sainte-Catherine, arrêt facultatif pour y avaler à la hâte un autre café, puis l'ancienne université, puis le carré Viger l'été et ses grosses fleurs rouges dont j'ignore le nom mais leur aspect vaguement tropical, la petite fontaine gueule de lion, tout cela bouleversé par le métro qu'on creuse, des palissades élevées, les troncs des arbres protégés par des treillis de bois, puis la préfecture de police et la maison du graveur Gaucher, quotidien tout cela mais par certains côtés étrange.

Ce sont mes après-midi de bureau que je note, qui m'inquiètent : on prêche ici les politiques de l'ère nouvelle et l'on y invente pour soi seul une petite actualité, depuis les gisements de pétrole hystériques

par Montréal plaque tournante sur le chemin ouest-
est de l'héroïne, mais plus fort que tout la trépidation
des télétypes qui dévident placidement leur long ruban, le vrombissement des linos au-dessus de ma tête,
les rotatives en dessous qui vomiront de dix heures à
minuit les avant-dernières nouvelles, ses cylindres
d'acier soigneusement polis, habillés chaque soir d'une
robe de plomb nouvelle ornée de caractères à l'envers,
les billes, les pistons, les engrenages, les taquets, les
crans, les butées, les courroies de transmission, la géné-
ratrice de courant et ses cathodes importées d'Angleterre, le chemin d'acier qui saisit le papier et l'entraîne
après que cet engin a fait d'un rouleau blanc des
feuilles noires journalistiques dans un grand bruit de
dents de fer qui mastiquent, tout cela que j'entends,
qu'on appelle la symphonie des machines mais qui, à
mon oreille, n'est qu'un bruit malfaisant car je vois
le silence comme un jardin paradisiaque ou, sinon,
je passerais mon temps à acheter des quarante-cinq
tours yé-yé chez Kresge.

Je retrouve Judith à six. Elle dit : « On a beau
avoir tous les autres et même tenir de grandes théories, avec ou sans beaucoup de mal, mais les avoir
finalement à force de diplomatie et de mensonges,
mais qu'importe de mentir quand on veut quelque
chose, hein; hélas, il y en a toujours un, un seul, qui
ne marche pas, qui s'enfuit quand on s'approche et
c'est évidemment celui-là qu'on aime et celui-là qu'on
veut; j'ai aimé trois garçons dans ma vie mais aucun
d'eux ne m'a vraiment aimée, comme je voulais qu'ils
m'aiment, bon ». Cela énoncé sur un ton de douleur
secrète, il faut entendre Victor, Jérémie et Adolphe,

les deux premiers ses amours de treize ans et de vingt ans, sensuels tous les deux mais sans être charnels, appartenant plutôt à sa mythologie, quant au troisième c'est l'objet d'autres billevesées dont elle me farcit les oreilles. Elle dit : « Sans Adolphe, sans la présence d'Adolphe, sans la tendresse d'Adolphe, je crois bien que je serais morte. » Rien chez elle ne signale la présence de l'Eve à grande faux, son teint est frais, elle saute, elle court selon les apparences, ses talons hauts, nouvelles acquisitions, claquent sur le trottoir dans une mélopée charmante. Elle dit : « Quand il n'est pas sous mes yeux, j'ai des angoisses qui me prennent, je le vois perdu, enlevé, écrasé, trituré par une foule en colère; je sais que c'est un réflexe ridicule de mère poule, que ça l'agace et moi avec, mais je ne peux pas m'en empêcher; je me fais la leçon, je m'astreins à l'impassibilité mais tu verras, dès qu'il va arriver, je me précipiterai dans ses bras en poussant de gros soupirs, je commencerai aussitôt à le lécher, c'est ignoble; j'ai tort mais tout compte fait je préfère encore me laisser aller. » Moi : « dans le fond, seul de nous trois Jérémie est un animal d'hiver, il sait prévoir comme va nous le prouver aujourd'hui sa présence, le grand froid ne le surprendra pas. » Judith dit : « Tu as raison, plus il gèle plus Jérémie bande; Anne mettra ses enfants au monde en septembre. »

Si encore tout cela était clair, facile à expliquer : un simple décor non déformé par un cristallin soupçonneux, mais des pierres les unes sur les autres placées de cette sorte, non par un souci esthétique mais dans un but pratique d'abriter de la pluie par exemple, Judith, Jérémie ou moi bêtement, des animalcules en vie dans un bouillon de culture qui s'appelle l'existence, je n'aurais pas à m'inquiéter; le parvis de Notre-Dame-du-Bon-Secours ne serait qu'un parvis, l'odeur des choux et celle des pommes de terre fermentées que des odeurs, les maisons en démolition et celles en construction ce qu'elles sont, et non pas le décor d'une âme et, si scrutant le haut de la petite côte de la rue Saint-Paul pour en voir surgir la Cadillac noire louée pour la circonstance, ornée de ruban de satin bon marché, comme on regarde la crête d'une butte d'où émerge à l'horizon d'un champ de bataille les premiers casques ennemis, nous n'attendions Judith et moi qu'une voiture de louage sans trop nous inquiéter de ce qu'il y a dedans. Ni monstres, ni princesses, elle est autre s'il y a émotion, ce n'est que Jérémie et Anne qui sortent; nous rions de leur déhanchement dans la marche qu'ils font jusqu'à l'autel, nous deux, entrés à leur suite, vite à genoux selon les rites de l'Eglise romaine, faut-il prier ou rire, prions, prions.

Personne ne prétend ici avoir une conception hygiénique du mariage, et qui de nous, Jérémie le premier, y aurait pu penser il n'y a pas si longtemps quand Anne, ici présente, prenait sous la dictée les lettres d'affaires d'un patron bien aimé et qu'Armande régnait debout ou couchée, dans ses rêves ou en état de veille, quelque chose comme un sacrement qui vous lierait vraiment, c'est-à-dire avec de grosses chaînes, pour la vie dans ce monde et, qui le sait, dans l'autre pareillement. Mais tout cela est vrai, il faudra bien s'y faire, Armande est morte célibataire, Anne épouse Jérémie, ni Judith ni moi n'avons rien à dire mais la trahison est aussi pour nous si elle est.

Adolphe nous rejoint tout couvert de sourires, de nous trois seul joyeux extérieurement si bien que Judith lui dit que ce n'est pas un enterrement, ni elle ni moi ne l'avons vu venir sans pour cela feindre l'étonnement mais dans l'oeil de Judith je distingue de l'ire, quant à Adolphe il en est à une joie romantique de fleurs d'orangers, d'encens, de voile de tulle d'organiste et son instrument qui s'en donne à coeur de cymbales et de flûtes célestes. Judith dit : « Tu vas voir, à l'instant même où le prêtre les unira pour de bon, en passant à leur index respectif l'anneau, toutes les fleurs faneront ». La voilà qui essuie une larme peu secrète tandis qu'un souffle de vent léger qui entre par la porte mal close fait frémir les bateaux accrochés au plafond de cette église dédiée aux marins. Je dis : « Jérémie n'est-il pas, malgré tout, un beau marin comme Billy Budd ou Jemmy Legs ». Judith : « Ne me parle pas de marins. Passe encore pour Jérémie de revêtir une jaquette mais cette Anne en robe blanche même courte, je trouve ça indécent et devant nous qui savons tous très bien quel lac de ruses, quel génie dans l'invention l'ont conduite jusque là; tout ce qu'elle mérite c'est une traîne de mariée en papier de toilette. » Adolphe dit : « Avec toutes ces bougies ce serait dangereux. Judith dit : « Evidemment tout le monde n'est pas expert à jouer avec le feu. » Tout cela chuchoté main devant la bouche avec mille précautions de crainte qu'un mot mal contrôlé n'échappe, retentisse comme un coup de gong et que ce mot, sorte de Sésame ouvre-toi, n'en entraîne à sa suite un déluge d'autres. Puis la cérémonie terminée, Jérémie plus Anne se lèvent, tous deux s'engagent dans l'allée et, passant près de nous, nous font de grands signes pour les suivre. Judith dit : « Ce n'est pas un vrai mariage, il n'y avait pas de témoins, c'est curieux ça me frappe sans prévenir. » Je dis : « Alors ce sera une sorte de cérémonie commémorative. »

Le soleil encore chaud et doré nous ménage sur le minuscule parvis quelques confettis de lumière, Judith extirpe de sa poche de dentelle un sac de riz, offrande hypocrite aux pigeons qui se précipitent, Anne se secoue les cheveux en riant sans daigner voir que c'est elle que Judith vise. Jérémie dit : « Vite, vite, allons, allons juste un dernier baiser et en voiture. » Je dis : « C'était une belle cérémonie. » Personne ne répond et des baisers mouillés courent d'une joue à l'autre sans compter pour rien l'argile fendue de nos sourires. Jérémie dit : « Quand même, j'ai un peu l'impression de vous abandonner. » Judith sort ses kleenex. Je dis : « Demain il n'y paraîtra plus. » Jérémie : « Ainsi va la nature humaine. » La portière claque dans un bruit d'enfer. Judith dit : « Je ne voudrais pas dire une autre platitude mais avec lui ce qui part c'est un peu de notre jeunesse. » Adolphe dit : « Et moi alors. » Mais Judith, ne disant rien, devrait savoir que dans le fond il la surveille; pourtant sa voix nous provient comme un lointain bruitage d'un transistor qui sommeille, qu'on entend comme par surcroît, qu'on n'écoute pas, qui agace un tout petit peu, trop peu pour que cela vraiment nous gêne, nous faisons comme s'il n'existait pas; il est jeune, il est beau, c'est vrai, et Judith l'aime, il a toutes les qualités pour plaire mais il n'a pas le poids du souvenir la seule chose qui compte dans les moments suprêmes, tout ce qu'il est, son petit visage maigre et ses yeux gris derrière ses verres, sa mèche charmante, ses mains aux doigts carrés ne nous occupent pas plus qu'une quiche lorraine; elle est trop fraîche encore la deuxième génération qui se dresse, son université, ses amis, ses idées révolutionnaires, son désir de nous dépasser, son admiration pour Judith même si en elle se trouve une larve de haine, tout cela en cet instant où Jérémie nous quitte, et pour toujours peut-être, tout ce qu'il est, tout ce qu'il dit, est une chose proche du rêve, ni lui, ni nous ne nous comprenons et qui pourra jamais faire tomber la barrière, un voyou du moins comme Judith en pêchait au temps du Saint-John, du Rialto ou de l'Eldorado aurait sans doute eu l'idée de se taire. Je dis : « Allons manger. » Judith dit : « Tout va sentir la merde. »

Mais non point le célèbre portrait d'un Adolphe grimpant, quatre à quatre, les escaliers de bois qui conduisent le long du coteau au faîte duquel se dresse la masse de briques de l'université de Montréal et son grotesque observatoire-minaret en forme de sexe, mis en retard par une réunion politique et cela quatre fois par semaine si bien qu'il est là plutôt un ectoplasme qu'un élève, ou l'image de Judith, amoureuse-mégère et peu apprivoisée, qui pour ce faire le morigène, celle dont Victor disait « qu'elle nous enterrerait tous », voulant signaler là sa propension à détruire tout ce qui l'entoure; il faut élire plutôt la représentation d'un cellier où peu de monde se presse lorsque nous, arrivant, descendant en procession lente et pensive les trois degrés qui conduisent à l'estaminet, les serveuses en robes de lainage longues, les cheveux coiffés en chignon sous une sorte de coiffe blanche, le tablier brodé devant et retenu derrière par un noeud qui bouffe, viennent à notre rencontre dans un mouvement concertant et ce n'est rien, les visages s'effacent autour de nous, que fonte sombre d'un poêle en forme d'alambic ou bien meubles, telle est la décoration, venant de Kamouraska, de Rivière Ouelle, de Tadoussac, de la Malbaie, de Montmagny, de Saint-Vallier et de Berthier-en-bas : les coffres, les bahuts, les armoires à une porte, à deux portes, à quatre portes, les plus rares, les bureaux et les secrétaires, les tables de toilette, les consoles, les cabanes, les berceaux et puis aussi de Beaumont, de Lotbinière, des Iles-aux-Coudres et d'Orléans, de Maskinongé, de Nicolet ou Adolphe fit son séminaire de Neuville et Berthier-en-haut, les tabourets, les escabeaux, les bancs, les chaises, les berçeuses, les buffets, les vaisseliers, les pétrins, les garde-manger, les horloges, les rouets, les lustres, les manteaux de cheminée, les meubles de couvents pas très ornementés, les styles ruraux, Louis XIII, Louis XIV, Louis XV, rocaille, des meubles signés François Baillargé, François Malépart de Beaucourt ou le plan de l'orfèvre Amiot, plus près de nous un coffre à huit panneaux, une armoire à deux vantaux à chantournements ornés de coquilles et à belle mouluration d'esprit Régence, les spirales de la traverse inférieure ont sauté, les montants aux angles arrondis sont interrompus au centre et suggèrent des montants chanfreinés, la corniche saillante décorée, rais-de-coeur et de denticules manifestement restaurés, un autre à fronton cintré, puis une encoignure ouverte, des chaises d'assemblage à piétement tourné, à traverses reliant des balustres, cette autre à pied galbé, les montants en pied-de-biche, et nos chères berceuses où il fait bon se reposer, au dossier à triples traverses ornées de dents-de-loup ou de coeurs, le siège en cuir ou en osier, les tables dont celle où nous nous asseyons très basses et qui blessent aux genoux, recouvertes d'une nappe carreautée, une commode dont le fond est plus luxueux, trois tiroirs à ressaut, panneaux galbés et sa ceinture ajoutée à rocaille ornée de feuilles d'acanthe, de spirales et de fleurs stylisées, au plafond un lustre de bois tourné, le fût agrémenté de cordons et de perles dorées à la feuille, les bobèches manifestement remplacées et tout cela en pin, en noyer, tendre, en merisier mais plus rarement délabré.

Ce n'est pas ceci ou cela qui m'agace des choses que je vois par le petit côté comme un rêve tellement confortable puisque les choses sont comme les êtres, qu'on peut toujours en y mettant le prix les posséder, mais plutôt ce changement qui nous est advenu, trois moins un puisque Jérémie est parti dans son petit monde indéfinissable, que me reste-t-il et pour combien de temps encore, je vois Adolphe qui est coi, Judith qui le regarde, organisons ce silence entre eux, dès qu'ils parlent je n'ai plus rien à voir, trois océans nous séparent, il faut bien que je m'habitue à n'avoir d'yeux que pour mes yeux tout en me ménageant peu à peu une retraite inviolable mais où je serai bien et heureux, contempteur isolé, par là même admirable, d'une manière d'être qui n'est pas celle de grand-papa, ni des papes de la Renaissance

(il en est de fabuleux mais l'eussent-ils été sans tia-
re ?), ni du surréalisme et tous ses nus en marche.
J'ai peur que Judith parte, elle partira pourtant sans
doute il le faut, j'écrirai alors le roman que je sais :
ce ne sera ni le rire est le propre de l'homme, ni Racine peint les hommes tels qu'ils sont et Corneille tels
qu'ils devraient être, ni cent fois sur le métier remet-
tez votre ouvrage, ni le plus faible de la nature; autour
de moi ce public mangeur modestement sans rien
voler de ce qu'il lorgne et qui n'est pas son assiette, je
dirai la violence du Septentrion, l'incohérence des
nuits de glace lorsque le ciel est haut et que les fumées deviennent blanches, je lâcherai des rats et puis
des chiens, ma pornographie sera moderne et impli-
cite, j'imaginerai des lâchers d'isotopes vengeurs, je
coucherai avec Saturne ou Diamant sous mon oreiller,
importun je serai (peu importe) si au lieu de nouer
des tresses et de joindre les mains, tant pis car j'écrirai, compte tenu de cette situation fort banale et alimentaire que les femmes américaines portent leurs
ovules en bandoulière et nous les hommes enveloppés
d'un diapré voile de sperme. Victor disait : « Il faut
rendre la vie impossible ». Il n'a pas dit comment, je
ne l'ai trouvé encore; dans ce bruit de mastication
(je sais par exemple que Judith m'appelle et, devant
mon silence, qu'elle fait marcher son index d'une cir-
culaire façon sur sa tempe, mais passons) ces visages
que je considère, serviettes nouées autour du cou, je
crie à Judith « attention, je ne te laisserai pas partir »,
à tous que l'univers ne serait plus le même et bien-
heureux celui qui se flanquerait alors une balle dans
la tête car j'ai la culpabilité charmante et tout suicide

est optimiste. Je me réveille lentement, seul je ne suis pas, que je le sache, tout m'entoure comme une larve son long fil de soie, la solitude est encore une bravade et le soliloque intérieur impossible alimenté par des regards furieux et un jus de tomate, des pommes de terre sautées, des épinards, les choses retrouvées, les gens aussi, sont si cocasses. Judith dit : « C'est un jeune fasciste, je le sais ». Adolphe s'élève contre, se rebelle, se rebiffe, il fait danser son steak sur son assiette. Il dit : « Et mes couilles, elles sont fascistes ? ». Elle dit : « Parfaitement car, faisant fi du sens pratique, elles se situent au niveau de l'idéologie; j'ai lu Mao-Tsé-toung, tu sais ». Je dis : « La tourtière est infecte. » Adolphe : « Avec beaucoup de ketchup. » Judith : « C'est exactement ce qu'il nous faut, par macération nous devons tous en commander. » Je dis : « Nous pouvons toujours imaginer que c'est Anne la viande mâchée ». Judith dit : « Tout au plus son hymen de jeune épouse ». Adolphe dit : « Judith a le tour pour grandir jusqu'à l'épique du fumier ». Judith : « C'est exactement pour cela que je t'aime. »

Or sachant de Judith qu'elle est un de ces êtres douce en privé et odieuse dès qu'elle est en public, et soupçonnant Adolphe d'en faire autant par phénomène d'imitation ou pour ne pas être, devant moi, en reste, je me remémore aussitôt quelques bribes de tendresse perçue entre eux subséquemment, ils parlent de tout, babillent d'oiseaux réfugiés pour l'hiver dans la cheminée de Judith et piaillant, eux les prenant pour des souris d'abord et avec une sorte d'effroi me le racontant, insistant sur le temps nécessaire pour élucider ce mystère de cheminée plus sifflante que chantante et les longues minutes passées par eux devant, s'interrogeant main dans la main de la parole et du regard sans souci du ridicule de cette situation romanesque et, par là même, prouvant qu'en certain temps dans leurs coeurs mutuels peuvent exister des instants de grâce de paix et de tendresse, Judith alors prétendant que ce ne sont que des moineaux vulgaires et Adolphe des mésanges à tête noire dite l'amie des bûcherons, oiseau très familier en hiver comme il est marqué sur les pochettes d'allumettes de la série merveilles de la nature canadienne, Judith disant que ce n'est pas joli un oiseau, qu'une souris est plus douce, il n'est qu'à en tenir dans sa main une seule fois pour faire la différence, tous deux devant moi revivant les minutes de cette conjointe exquise observation, je me tais, ne voulant pas me mêler de cette affaire; j'observe Adolphe, je vois dans son oeil droit plutôt de la colère, dans son gauche comme une pointe de peine, m'apercevant par la même occasion qu'il est affligé d'un très léger strabisme convergent sans doute visible seulement, comme les éclipses de lune ou de soleil, en certaines occasions et cela donne à son visage comme un air, puisqu'il aime les oiseaux, maladroit et touchant de martin-pêcheur ambulant; je suis la lutte entre les yeux, c'est l'oeil droit qui semble commander le geste de la main et cette façon qu'il a de se lever subitement, de dire qu'il doit partir, mais c'est l'oeil gauche qui mène, il est sentimental, naïf, il a vingt ans, il est étonné en fait de voir que son énormité, qu'il croyait être ultime parce qu'il était incapable d'aller plus avant dans l'horreur par lui-même, ait appelé une autre énormité plus insolante que la sienne dont il est la victime, alors qu'il croyait avoir marqué son point, il s'en va de son pas dansant.

Je dis : « Tu vas finir par le rendre fou ce garçon » Judith dit : « Et moi alors, tu crois qu'il ne me rend pas folle. » Je dis : « Tu l'es déjà. » Judith : « C'est pire, la folie joue par addition. » Je dis : « Pourquoi faut-il toujours que tu essaies de briser ce que tu aimes. » Judith dit : « Si ça tient le coup, c'est solide ; j'en suis le bel exemple, car il ne me ménage guère ; sa politique, ses amis, ses réunions, son Patriote, il ment tellement que je ne sais jamais ce qu'il fait. » Je dis : « Du moins, tu sais ce qu'il pense. » Elle dit : « Ce n'est pas difficile et ne me donne aucune satisfaction ; regarde ce que j'ai trouvé et c'est la première fois que je fouillais ses vêtements. »

Judith n'a rien du démon et ses pensées sont tout, sauf vraiment ténébreuses. Ce magazine en photos, « Mars » ou « Trim », est bien plutôt ici pour la réjouir et non une découverte furtive, accusatrice d'un Adolphe plus ou moins innocent qui lit en se cachant « Speaking of Sailors » et d'autres, les conservant dans sa commode sous une pile de tricots, celui-ci justement acheté dans le kiosque à journaux de la rue Peel, pas encore celé en place sûre quand la main curieuse de Judith. Je dis : « Mais ces marins, ce sont Jérémie simplement, comment ne le vois-tu pas, c'est un hommage récurrent. » Judith : « Jérémie récurrent, si tu veux, mais pas dans la poche d'Adolphe. » J'imagine assez bien comme un enfant qui n'aurait pas connu son père, officier au long cours noyé dans un naufrage en mer australe et plutôt supposant que

cette tragédie est à l'usage du monde, au vrai qu'il
vit avec une belle indigène pour échapper à lui et à sa
mère, Adolphe dans ces pages le retrouvant plus jeune
sans doute, mais l'uniforme faisant le reste, d'autant
plus aimable et voilà le transfert c'est-à-dire un peu
comme si son père, ici représenté, devenait en même
temps une sorte d'image de lui-même un jour, partant,
quittant l'Université, ses problèmes, Judith, devenant
lui-même le père et le fils, se retrouvant entier dans ce
beau et jeune voyageur, bien de torse, mais les jambes
faibles, qui orne la couverture du magazine déployant
un sourire charmant sur une dentition artificielle, d'une
main une barque en plastique et de l'autre les rames
et lui toujours au recto et dans les deux pages qui
suivent, toujours marin et toujours semi-nu, dans des
poses curieusement suggestives, aux éclairages sereins
que l'on sait agencés dans l'atelier superbe d'un vieux
photographe américain éjecté d'Hollywood pour acti-
vités plutôt pro-communistes, à la page huit, l'enseigne au lieu du matelot, casquette sur la tête, veste
au bras et torse encore nu, les alchimistes des biceps
veillent, les jambes à l'air, mais les pieds couverts de
chaussettes, quant à l'autre, debout de dos, on voit
courir sur ses fesses un peu de poil dans l'attitude hié-
ratique du surmâle du Wisconsin, et sur une autre
page encore « It Could Never Happen, » l'effigie en
dessin d'un matelot assis, le capitaine à genoux par
devant lui cirant les chaussures, me voici, dans la
mesure où je puis prétendre au titre de Monsieur Univers, en jaune, en noir, et surtout celui-ci portant,
comme moi, deux mésanges sur la poitrine, le magazine se fermant sur l'étude charmante d'Etienne inti-

tulée « Waterfront » qui consiste en deux jeunes pêcheurs de homards en gilets rayés et treillis, il faut ce qu'il faut quand on veut sentir le poisson. Je dis : « Dans le fond ce garçon cherche à qui ressembler pour te plaire.» Judith est debout derrière moi. Elle dit : « Celui que je préfère. » Je dis : « Attention, tu vas tromper Adolphe. » Elle : « S'il ne me trompe que comme ça. » Je dis : « Ce peut être un commencement. » Elle : « Aussi, je veille. »

Et cet homo americanus que j'espère, comment le découvrir maintenant à la place d'Adolphe : l'étudiant de McGill, de Sir George, Jérémie, ou ses ancêtres, ou bien leurs descendants dans cette revue de rêve, les voyous de Judith, qui sait Judith elle-même, ou enfin moi-même trop peu musclé, pas assez débardeur, ou trop poète au teint clair et un peu décadent, ou aussi bien, parlons d'usine ou de ferme, le trayeur de vache, le jeune draveur aux bras puissants et aux cuisses de marbre, le mécanicien de Vickers ou celui, couvert de goudron, qui nettoie comme dans la nuit de l'Imperial Oil les immenses tines, tout ceci devant enfin, et par l'esprit faute de mieux, pour faire un bien ridicule portrait-robot de ce que j'aimerais être pour pouvoir trouver mon alter ego féminin, mais je n'ai que des mots, il me faut inventer de nouveaux jeux, découvrir de nouvelles musiques, même croire qu'il y aura ici un jour une révolution et, la phrase dite, je la regrette. Comme c'est difficile, dans le fond, de se prévaloir du vrai pour inventer la vérité même.

J'appelle pour le féliciter le patron du restaurant qui nous salue, se courbe comme le fier Sicambre les cheveux jusqu'à terre tout content que l'on apprécie sa cuisine et sa décoration. Judith dit : « C'est tout à fait charmant chez vous malgré les meubles canadiens. » Il rougit et se vexe, comme nous sommes des clients, il part sans nous dire rien pour défendre son aménagement que d'habitude certainement on lui vante. Je dis : « Tu ne peux pas t'empêcher d'être déplaisante. » Judith : « Je ne dis jamais ce que je pense. »

Je sais qu'il y a, mensonge ou vérité, des jeux biens plus cruels. Ainsi, quand elle me parle mal d'Adolphe sans que je lui demande, c'est une façon de me dire qu'elle l'aime et moi le défendant contre elle, ma façon de lui faire sentir qu'elle vieillit, qu'elle change et qu'elle sera bientôt, par son esprit, sa grâce d'autrefois un peu garçonnière, dépassés tous deux désormais, une ruine mais superbe, ce qualificatif de superbe n'étant pas suffisant pour qu'elle puisse s'entendre, sans regimber, appeler ruine; mais aussi bien, c'est peut-être cela qui devient grave, plus grave que nos mensonges, les sortes de silences qui se dressent entre nous comme une muraille infranchissable, d'un côté de laquelle elle est, et de l'autre où je suis, alors qu'avant nous ne craignions ni l'un ni l'autre l'escalade; sans doute le vertige du temps commence de nous harceler sans que nous puissions vraiment le savoir, quand Judith parle d'Anne qu'elle déteste et dit : « C'est une mijaurée », il a donc fallu pour ce faire qu'elle y réfléchisse et ce mot de « mijaurée » est, somme toute, une insulte bénigne en regard de ce que d'instinct elle inventait pour l'usage d'Armande qu'elle aimait; dans le fond, il me semble que, devant moi, Judith ne veut plus que

« paraître », comme on dit dans le monde, afin que je me fasse une opinion, non sur ce qu'elle est vraiment, mais sur ce qu'elle veut être, cela lui étant vraisemblablement plus aisé, plus facile pour l'heure. Je dis : « Crois-tu que le départ de Jérémie va nous rapprocher. » Elle dit : « Ce que je reproche à Adolphe, ce n'est pas d'être un benêt ce qu'il est certainement, en tout cas d'une intelligence et d'une sensibilité très modeste, mais que sa personnalité entière, par je ne sais quel mystère, me retient comme l'indignité d'un fils retient une mère et cela me dégoûte non de lui, ce qui devrait être, mais de tous ses congénères : dix ans de différence, après tout, ce n'est pas un monument, mais j'ai l'impression qu'un désert nous sépare ou, plutôt, me sépare de lui ; je le comprendrais encore s'il ne m'aimait pas et d'autant plus que je ne fais rien ni d'aimable, ni d'attirant pour qu'il m'aime à l'instar de ces vieilles beautés qui se rajeunissent pour que leur gigolo puisse leur donner le change et leur faire croire, sans qu'elles se rebiffent trop, qu'ils les aiment. Au vrai tout cela n'est pas ragoûtant quand on aime. » Je dis : « Mais ça te plaît. » Elle : «Oui, par obstination. » Je lui dis : « Ne le fais pas prisonnier. » Judith : « Es-tu bête, est-ce qu'une bonne femme comme moi qui a connu plus de ramasseurs de tabac, autant dire des vagabonds, peut bien faire quelqu'un prisonnier ; est-ce que je pourrais l'estimer, et plus encore l'aimer, s'il était prisonnier ; non, non il est libre comme l'air ; c'est lui qui ne veut pas me quitter. » Je dis : « Tu te plains qu'il ne soit jamais là. » Elle dit : « Il peut bien être où il veut, à condition de ne pas me conter de mensonges et, le cas échéant, de me choisir quand je le lui demande, ce qu'il ne fait jamais, de telle sorte qu'il me met dans cette position de penser qu'il n'a vraiment de plaisir que s'il n'est pas avec moi, acceptant seulement ma présence comme un repoussoir à d'autres vies qui n'existeraient pas sans moi et dont je n'ai même pas le bénéfice d'en être plus ou moins la créatrice. » Moi : « Tu ne crois pas ce que tu dis. » Judith : « Je ne dis pas ce que je crois. » Je dis : « C'est pareil. » Elle : « Pas tout à fait, dans le fond, je vais te dire, je suis avec Adolphe un peu comme toi avec ton livre, je le commence et je ne le commence pas. »

Or comment reprocherais-je à Judith de savoir si peu comment elle est éprise d'Adolphe, et de quelle façon tarabiscotée Adolphe l'aime, qu'elle use pour décrire ce sentiment passablement complexe du mot Amour, le mettant dans sa diction même entre guille-mets et aspirant le « A, » quand moi-même, sans doute, je ne saurai jamais, tant il y aura de recoupements à faire sur des événements contradictoires et apparem-ment isolés, comment j'ai pu aimer, que ce soit Jérémie, Judith, Victor plus que moi-même et enfin, con-fondant les itinéraires, aller de par la ville et croiser en chemin, mais assagies, pacifiées comme par une brume volontaire de l'âme, les silhouettes défuntes.

Ou ceci qui finit la journée : à l'occasion d'un concert de l'OSM à la Place des Arts, dans le foyer des mezzanines admirant, d'abord de loin, une masse éclatante, tourmentée, de marbre éteint et blanc, le voyant un peu comme une forme d'Arp et, soudain approché, découvrant que ce n'est qu'un cygne vaguement stylisé, la tête se confondant avec une aile levée, ne le trouvant plus de ce fait à mon goût, presque déçu qu'il puisse prétendre, entre ce que j'ai pu voir et ce qui est, à une parenté avec toute une littérature de parcs anglais à la Turner, de lacs entourés de ruines romantiques, de Walkyries, de châteaux en Bavière; je suis à l'écoute de Ravel et son célèbre concerto pour les cinq doigts, cette pensée me vient que la musique dans cette enceinte est une chose étrange où chaque note n'existe que l'une contre l'autre comme des irréconciliables ennemies, que le chef d'orchestre dans son armure de soie noire a ici, à mon instar et sur un autre plan, l'ingrate tâche d'en sortir, grâce à son armée de violons, de tubas, de cors anglais et le reste, un semblant d'harmonie ; de ce même concerto Victor disait que Ravel eût mieux fait de ne pas l'écrire non qu'il faille un singe pour le jouer, mais le comparant à une toccate et fugue pour orgue de Bach; j'admets que l'extrémité aiguë de la voix d'un ténor ou le grave d'un contralto au timbre rarissime, pour l'auditeur que je suis, me situe à la limite du danger, concentrant en moi le plaisir d'assister à l'exploit accompli dans des conditions difficiles et ce sentiment obscur et gratuit d'un mystère effleuré mais jamais conquis, comme du temps où, alors que nous venions d'apprendre dans un livre l'existence des mystères d'Eleusis, nous suppliions Victor de nous dire ce que c'est et ne trouvant jamais tout ce qu'il inventait, pour nous faire plaisir ou pour se débarrasser des importuns que nous étions, assez « mystères d'Eleusis » en regard des merveilles auxquelles nous nous attendions; ainsi va donc ma vie et, possédant un des bras manquants de la victoire de Samothrace ou un doigt, un seul, de la Vénus de Milo, me gardant bien de les rendre au musée qui conserve le reste, je ris sous cape en pensant que je suis le dépositaire d'une partie de ce qui s'appelle la beauté.

Puis, d'un seul coup, éjecté de mon siège par les bravos, je me retrouve face à face avec cette gueule de baleine au milieu de l'esplanade vide ; rien ne peut empêcher que je sois l'objet d'une tristesse indicible, cherchant ici et là quelque chose à quoi je pourrais me raccrocher, mais ne décelant rien, aux alentours, qu'une sorte de ville morte, qui peut-être n'a jamais connu la vie, ses masques et ses fifres, ses vertus et ses vices; tout est laid.

Victor disait : « Quand je quitte une ville, elle décède. » J'imagine fort bien un Montréal qui n'a jamais vécu et que, moi la quittant, elle sera doublement morte : cette bâtisse blanche devant moi et, derrière, l'Hydro-Québec au faîte éclairé de jaune et portant le lys bleu, toutes les rues et toutes les maisons se transformant en sarcophages égyptiens sans momie, moins que cela qui du moins permettrait une affabulation poétique, une grande plaine de neige et le souvenir d'hommes et de femmes gelés se promenant dessus, glissant comme des fantômes sur des patins à glace l'hiver et l'été à roulettes, mais pour l'instant de toute façon selon l'humeur itinérante de mon cerveau, une ville sans âme et ressenti cela si violemment que je comprends fort bien, mais à retardement, la Judith et le Jérémie d'autrefois trouvant que la rue Saint-Laurent ressemblait à un port aux termes de la colonisation à peu près. Planté là, cherchant ce que je pourrais bien écrire, les trois mots qui commenceraient mon roman alors que je n'ai pas été capable de composer pour Jérémie un vague épithalame au cours duquel, entre les fleurs de rhétorique habituelles, j'aurais bien pu glisser l'image de ma peine et même de mon ressentiment. Cette image d'une ville morte grandit notablement en moi dans un désir teinté d'effroi : d'abord les maisons, puis les hommes, sentant confusément que mon travail est de la faire vivre sous peine de me retrouver un beau jour tout seul, moi aussi, sur elle transformée en iceberg et ce que je serai alors, un marcheur de long en large sur un territoire minuscule, un faiseur de grands saluts à la mer, aussi ridicule qu'un pingouin ; c'est un crime, mais l'idée de crime je la connais fort bien depuis mes soirées au System à voir pour un dollar, plein de délectation au point qu'il me faut parfois interrompre mon plaisir trop puissant en allant fumer un bout de cigarette aux toilettes, des films de guerre, jusqu'au Saint-Sacrifice de la messe, cela faisant de moi une sorte moins constipée de chrétien, la nuit, en fait d'exercice de style pour dormir, quand je m'habille en fantassin et que j'ai mitraillette au poing pour détruire tout ce qui ne me plaît pas sur terre ou poussant le bouton qui provoquera la mort d'un quelconque mandarin, oubliant qu'il n'y a plus de mandarins depuis l'avènement de la Chine populaire en Chine et voulant les tuer, les ressuscitant au contraire ; mais aussi si le hasard ne s'y met pas, il n'est pas que d'observer la couleur des fumées et d'analyser, nez au vent, le contenu des odeurs, comment découvrir le nombre d'or d'une cité ou d'une vie pour espérer même réussir. Je me vois bien plutôt comme un joueur de Las Vegas devant son appareil à sous, répétant, jour après jour, tout au long de son existence, le geste célèbre d'abaisser la manette, j'attends anxieux qu'apparaissent enfin dans les fenêtres les trois citrons ou les trois trèfles, moins heureux de me voir recouvert de métal en rondelles vomi par la machine, et riche d'autant, que satisfait d'observer une fois dans ma vie la chose attendue depuis si longtemps, accomplie au-delà de toute espérance enfin récompensée de ma patience.

Il faut donc parler avec extase des jours et des jours et, nanti des pouvoirs suprêmes de la parole, reprendre pas à pas l'ancienne c arte de nos trajets terrestres et marins, en signaler les étapes de paix, mais aussi les naufrages, les récits, les îlots de fantaisie, les étiages, nos miraculés, nos cadavres, reprendre Armande de son petit orteil jusqu'à la pointe de ses cheveux, retourner Jérémie comme un gant, développer ses muscles non plus sous les formes rebondies d'un homme, mais comme une planche anatomique, refaire de Judith un mâle et la nommer Josua, imaginer enfin les nouvelles mille et une nuits nordiques dans une ville et port du Bas-Canada située sur la côte du lieu dit "île de Montréal", cette île formée par le confluent du Saint-Laurent et de l'Ottawa, non loin d'une colline qui lui a valu son nom, 80,000 habitants il n'y a pas cent ans, issus pour la plupart de colons français et parlant français, d'abord chef-lieu de ce Bas-Canada, devenant en 1843 la capitale de tout le pays, évêché catholique, université fondée en 1821, collèges français et anglais, séminaire catholique, écoles latines, deux académies classiques, société d'histoire naturelle, d'agriculture, d'horticulture, institut mécanique, bibliothèques, une ville assez belle quoique d'un aspect sombre, vaste cathédrale catholique, églises anglicanes, couvent des soeurs grises, collèges, casernes, théâtre, hôpital général, séminaire Saint-Sulpice, maison de ville, nouvelle prison, colonne de Nelson, pont tubulaire sur le Saint-Laurent appelé Pont Victoria, bateau à vapeur pour Québec et les Etats-Unis, chemins de fer, commerce actif et florissant par le Saint-Laurent surtout en pelleterie, ce commerce étant fait par les compagnies réunies du nord-ouest et de la baie d'Hudson, Montréal fondée en 1640 par les Français sous le nom de Ville-Marie ayant appartenu d'abord aux Sulpiciens prise par les Anglais en 1760 puis par les Américains en 1775 remise peu après aux premiers, ayant pris depuis quelques années de rapides accroissements, le siège du gouvernement y ayant été établi en 1843, mais à la suite d'une émeute dans laquelle le palais du parlement fut brûlé reporté à Québec, brûlée en 1852 la ville aussitôt rebâtie plus belle qu'auparavant, ainsi que nous la découvrions hier encore tirée d'un passé fabuleux, assis à croupetons des trois « J » sur le tapis du salon de Jérémie, feuilletant par hasard sa dernière trouvaille dans l'espèce de dictionnaire d'histoire et de géographie de Bouillet édité en 1866, pour ainsi dire préhistorique, et tout cela ni plus ni moins que nos ébats joyeux qu'il faudrait rebâtir.

Je comprends, quand j'entre dans cet appartement désert prêté par Jérémie pour le temps de son absence, ce que je ressentais jusqu'alors inconsciemment, non pas devant la chambre que je ne connais guère, mais dans le salon qui me paraît plutôt petit ce soir et très ordinaire, un salon comme il y en a tant de Montréal-Est à Westmount, si ce n'est le sofa tendu de reps, la grande peinture de Victor qui ne séchera jamais faute de siccatif, l'icône, les tapis, une cuisine laissée par la main d'Anne nette, le stéréo que j'allume machinalement.

Déjà mes soirées ne sont plus pareilles, j'imagine tous les meubles dans dix ans, sans femme, inhabitée pour ainsi dire, comme la maison des sept nains dans « Blanche-Neige », sous un linceul friable de poussière : c'est donc ici que je me saoulais et que nous récitions des vers, des phrases en prose aussi, des adjectifs, des adverbes, des locutions, des mots, tout ce que la parole humaine comporte de grâce et d'amour. Victor disait : « Ce ne sont pas les hommes qui changent, mais les objets. » Mon regard erre de-ci de-là des rideaux grands ouverts jusqu'à la bibliothèque et, derrière le nylon des voiles, les grands buildings du centre de la ville sont encore là, mais la vue se restreint, car on construit toujours de nouvelles maisons dont la situation plus proche encombre l'horizon, Jérémie bientôt déménagera ; je vais m'étendre sur le lit, les pieds hors de la couverture, je ne suis pas tout à fait chez moi ici quand Jérémie en est absent et mon corps maigrelet ne remplace pas avantageusement le sien sur le matelas confortable où, aux côtés d'Armande, il reposait, elle-même maintenant sous sa petite couverture de pelouse en gazon ; dehors un marteau-pneumatique fait du bruit, eux aussi tentent de réparer les canalisations, toute une équipe d'hommes, aux casques ronds et imperméables jaunes, faisant des gestes lents pour faire éclater le trottoir d'asphalte en écailles; or ce concert de mouvement imaginé et de bruit trop réel prend forme d'une sonate piano-violon dans ma boîte crânienne; c'est ici le château du Grand Meaulnes et moi je suis celui en gros sabots.

Je n'ai pas d'inquiétude, je suis possesseur d'un stylo, je n'aurais pas besoin de dégarnir pour écrire les ailes des oiseaux qui ornent ma poitrine, un petit phallus d'or et de plastique offert par Jérémie, l'ordre que je m'en serve, la plume au milieu de laquelle se trouve un minuscule coeur et la pointe acérée comme une lance de guerre nègre, mais j'écrirai demain, tout à l'heure peut-être, juste quelques syllabes sans oser compléter les mots. Je me dis dans mon berceau de mousseline que Montréal est un terrain de chasse comme un autre, que je pourrais bien y installer mon Safari de la rue Saint-Jacques au boulevard Métropolitain et voyant ceci comme dans un kaléidoscope, tournant l'appareil optique d'un centième de tour, tout changeant, puis, examinant avec une attention plus grande les modestes ou les grandes variations, voir par exemple la Place Ville-Marie sur la gare Windsor ou au contraire le Reine Elizabeth et le CIL de quelques milles distants et des bâtiments comme des visages et des gestes, tout se mêlant dans un grand mouvement, ou bien commençant par le détail, pour imiter le peintre de fresques

fétichiste des pieds et finissant celui du cent troisième personnage étant bien obligé de dessiner le reste;
pourtant ce n'est pas cette image ou cette autre,
saisie séparément, qui me bercent, mais leur éternelle succession qui me donne l'idée du kaléidoscope qui
ne serait, sinon, rien d'autre qu'une lanterne magique,
parlant de Montréal, ce n'est d'elle que ce que mon
oeil perverti par les verts ou les jaunes, alors que
d'autres sont sensibles aux bleus ou bien à l'indigo,
ou encore moi les ronds, les rosaces triangulaires, toutes formes convergentes vers un centre fictif qui est
l'angle de réfraction des miroirs, et d'autres au contraire tout ce qui est divergent; de quelque manière
que ce soit, pour eux comme pour moi, une immense
illusion d'optique, rien de cela n'existant dans le fond,
que des formes élémentaires rencontrées tous les jours,
jamais vues, inexistantes en dehors d'une imagination
de dément qui veut à tout prix concrétiser ce qu'il
ose appeler son rêve, et la prose en contraste, haute
comme un pont, ou rampant comme la Rivière des
Prairies, fraîche et pure comme les gratte-ciel d'émail
ou bien petite et compliquée comme les dernières
maisons de style colonial aux fenêtres ornées de fronton grec et à porche de balustrade, l'appartement de
Jérémie plein d'ombres et de recoins et ceux du
Cartier sec et droit comme une carrière de marbre.

Je me revois adolescent apportant, trop fier inté-
rieurement pour ne pas mettre sur les traits de mon visage une timidité ostentatoire, mes premiers essais littéraires pour que Victor les lise, me fasse des compli-
ments, lui et moi discutant longuement d'une phrase,
moi disant que je lui trouve peut-être une sorte de

ronronnement, Victor magnanime me disant « c'est très simple » me suggérant de la couper en mettant un "pif pof" au milieu du développement, qu'alors je n'aurais plus à craindre Chateaubriand, moi réfléchissant sérieusement sur la chose, pensant un peu qu'il se moque de moi mais son air sérieux, le ton me chuchotant le contraire et, penchant par vanité pour la seconde explication mais est-ce de la vanité plutôt qu'une inconsciente sagesse. Je suis un rêveur impénitent; ce que je fais, au vrai, c'est de tenter de saisir cet instant précis où, de l'état de veille, je vais tomber dans le sommeil, sachant que je n'y arriverai jamais mais, du moins, je m'y efforce et, chaque fois, je vais un peu plus loin, sans me décourager de voir la frontière qui recule, autour de moi comme des présences attentives, ces meubles, ces objets que je connais trop bien, me voilà blotti comme Schéhérazade dans un divan plein de coussins, je vois bien que ma vie jusqu'alors ce n'est rien qu'une chose rythmée par l'éveil et par le sommeil comme une grande inévitable respiration. Victor disait : "Chaque chose rêvée est comme une chose faite, il suffit de l'exploiter." A y penser, ce qu'il pouvait être embêtant. Je prends ma plume à coeur d'or et une grande feuille de papier que sa blancheur défend; il y a ici de très belles choses et j'aime bien par exemple que l'air le plus populaire soit dédié à l'alouette que moi aussi je plumerais, tout est simple dans le fond et le conseil est bon. J'écris "Montréal pif pof vaut bien une messe"; demain matin je me demanderai si c'est à "pif" ou à "pof" que j'ai commencé à tomber, comme un grand poisson noir, dans les eaux du sommeil mais non, je me suis défilé encore invoquant pour échapper à la chose littéraire ce que Victor nous disait : "Jeanne d'Arc aurait-elle brûlé plus mal si elle n'avait pas été pucelle." Et Judith éclatant sur cette phrase en sanglots. Moi, personnellement, je préfère au Victor raisonneur ce Victor polisson. Béni sera le jour où je pourrais tout faire en roupillant.

Mais le passé aussi touchant soit-il (exquise en soi une possible évocation faite de souvenirs magnifiés par une mémoire oubliant l'événement mais fidèle à un plan de conduite générale élaboré dans mon berceau peut-être, un germe de vie choisi en tétant mon biberon ou suspendu par les lèvres au sein velouté de ma jeune mère) ne saurait couper tous les ponts vers un avenir, sous peine de se tuer lui-même; aussi bien il faut que je m'explique, cher lecteur : l'avenir devenant à son tour passé fatalement, le tout participant à une ronde immense que l'on appelle à tort ou à raison ma vie. L'image que Jérémie se fait de moi vieux déjà avant l'âge, et sans doute l'ayant toujours été, comme si la jeunesse était une qualité propre à certains et non pas un état commun, une aristocratie en somme, et d'autant plus odieuse qu'elle est, selon lui, la plus belle, pire encore parce que je le crois, plus sec et noir que jamais, le dos un peu voûté, l'oeil perçant, la main crochue, le grand nez suspendu dans le vide, laid suivant les canons de la mode et même laid tout court si cela existe, il faut bien, enfin, que je la trouve ma beauté sinon pour l'usage fabuleux que je saurais en faire, de tous du moins pour ma petite tranquillité. Ma beauté imaginée d'autrefois : moi le grand écrivain, assis sur mon trône d'or, entouré de ma cour de jeunes filles, autant de souvenirs dont j'aurais préféré qu'ils m'assaillent moins souvent mais je n'en suis pas sûr, cette image dont nous avons tant ri et qui nous servait d'excuse, Jérémie et Judith pour leur faiblesse à mon adresse et moi comme une bonne raison à une lâcheté voulue, comme si l'opprobre ressenti me faisait dépasser le monde où j'évolue. Mais transformant dorénavant mon personnage futur, j'envisage ce que j'appelle "mon destin" sans morosité extraordinaire, confiant dans une sorte de fatum romain, mot qui plaît à Judith, éternelle Camille en puissance toujours prête à revêtir la toge, ou dans le bon génie de la lampe d'Aladin sortant de sa cachette sombre et allant bien finir par me visiter un de ces matins, esprit de feu et de lumière plus apte à séduire Jérémie par son aspect traditionnel, un peu mélo, un peu toc, de brocart et d'émeraude.

Je suis, en vérité, coincé dans une terre sans flamme, ne trouvant de ressource ni dans ce que je vois ni dans ce que je sens, tâchant de retrouver, sous les visages nus des plaques d'émail des buildings ou parfois même des gens, à travers la terne apparence des pierres ou des briques des anciennes maisons, dans les escaliers de la rue Saint-Denis ou les arbres du carré Dominion, ce que je peux, modestement sans être dupe des vitrines ni de l'apparence des gens, cela qu'il faudra bien finir par appeler un coeur mais ne le trouvant pas, or l'entendant quand même battre une seconde ou deux mais trop vite et trop bas, de surcroît à un moment où je ne m'y attends pas pour saisir vraiment ce que sa timide voix murmure, je finirai par croire qu'il n'existe pas; essayons aussi de retrouver l'enchantement que Victor tentait de me conter naguère, mais tout ment : le corps de Jérémie absent du campus de McGill, son âme ne l'habite plus guère et disparaîtrait complètement si je ne m'efforçais, par simple exercice de mémoire, à en perpétuer l'autel baroque et fier, les myosotis de Judith ayant une autre dimension plus affective peut-être, et, pourquoi pas, les immenses promenades que je fais ne seraient-elles rien qu'une fuite devant l'instant où il faudra, enfin, me mettre en râlant à ma table et l'horrible stylographe à la main inventer plus ou moins des histoires.

Disons-le en rougissant, rien à ce faire ne m'encourage, ni l'alcool, ni même la marijuana fumée une fois dans l'espoir d'un miracle qui ne se produit pas, le corps comme suspendu en l'air sans parvenir à se poser où que ce soit, un pied devenu aussi gros qu'une montagne, ou un triple-piano à la flûte faisant un long bruit de cymbale et ce rire sans arrêt ainsi perchés, sans qu'il y ait de quoi. Adolphe dit : "J'ai perdu mes lunettes." Moi : "Mais elles sont là." Je les désigne du bout du doigt et nous voilà hilares rien qu'à l'idée de cette plaisanterie nouvelle : de voir qu'Adolphe cherche ses lunettes qui sont là : je nous regarde assis autour de la table de cuisine dans l'appartement de Judith qui nous sert à ce genre nouveau d'ébats, elle emplissant d'un air grave une cigarette Du Maurier à demi vidée auparavant de sa mixture innocente, puis remplissant de l'herbe brune la cavité ainsi formée, tassant ensuite avec une allumette comme on fait d'un pétard, puis le bout fermé en papillote blanche, allumé aussitôt, qui passe de main en main, tout cela un peu ridicule ce prétendu cérémonial qui rappelle le collège, Judith les yeux mi-clos, très vite voulant nous faire accroire qu'elle s'y connaît et pénètre sans difficultés dans le paradis des drogués, Adolphe et moi qui l'observons étonnés, incrédules ensemble, faisant une petite moue, n'osant rien dire, un peu honteux de ce que nous ne ressentons pas, finissant sans relâche la demi-cigarette de conserve jusqu'au moment où Adolphe dit qu'il s'envole aussi et j'en vois le plaisir, moitié dupe de la légende assassine, moitié conscient de me laisser enfin aller sans plus d'effroi au balancement de ce hamac invisible du rêve, sans inquiétude de savoir où mon vol finira, un jeu où le plaisir n'a de proportions comme la blancheur du jasmin, que dire : minuscule; de surcroît, au moment où l'ennui nous gagne, c'est le rire qui intervient encore, mais il me faut considérer cette merveille que les extrêmes se touchent dans une curieuse harmonie de presque songe, soit qu'Adolphe cherche ses lunettes, que je bâille ou que Judith s'éveille pour dire une incongruité d'un air moins inspiré que vague et tout d'un coup une vision de fable, un jeu un peu mesquin quand même, peut-être parce que cérébral : ne sommes-nous pas ici, tous les trois, confortables, tandis que Victor court les vraies mers et que Jérémie s'initie aux dangers authentiques du mariage.

Le petit salon blanc, aux deux murs perpendiculaires tandis que le troisième est courbe percé de fenêtres sur l'appui desquelles quelques bégonias poussent, le grand cercle bleu de Tousignant tranchant sur la moquette orange, la panoplie d'instrument de musique hindoue, une clarinette arabe, une manière de guitare petite, des grelots et la musique japonaise de théâtre No, là où Judith vit, ou croit vivre, comme à San Francisco, l'Etre adorable dans ce décor saisit d'étonnement la première fois, moins peut-être qu'il n'y paraît, tout imprégné qu'il soit encore des bonnes leçons du séminaire de Nicolet, mais de miasmes point dans cet exotisme de bazar, et bien anodins les poisons que voudrait bien y distiller une Judith qui aime à se croire sorcière, que je vois, moi, tout bêtement comme une petite mère.

Je sors. Je me sauve bien loin. Je me demande surtout dans cette nuit qui est trop douce, trop suave et la vie quand même trop facile alors que les Chinois du Viêt-cong en sont réduits par la faim à manger en ragoût les bonnes grosses cuisses dodues des morts américains, dans ce quartier que je connais si bien, à l'est du campus de McGill encore hanté de petites maisons fantômatiques dont les escaliers extérieurs, les pignons, font place, peu à peu, à des blocs appartements de vingt étages, cafétéria, sundeck et piscine, les étudiants de l'université McGill qui se promènent en groupe, sifflant des airs de Bob Dylan mais rêvant de vivre comme Frank Sinatra parlant, riant fort, un peu niais, touchants quand même et témoins d'une immense bonne volonté de vivre heureux et l'étant peut-être dans une aise qui, à leurs yeux, n'aura jamais rien d'injuste ni de sordide, futurs médecins, chimistes, ingénieurs, pasteurs même, sans omettre les littérateurs, les géographes, les historiens, les anatomistes à l'instar d'Adélaïde. Je pense à elle dans ces parages rencontrée, au hasard de nos pas mutuels, elle sortant d'une dissection commentée, toujours un peu scatologique et souriante le coeur sur la main, fière de son second orteil parce qu'il est plus long que les autres, qu'elle prétend être patricien, toujours nouvel Hamlet féminin, si peu princesse des ténèbres, un morceau de tibia nouvellement disséqué dans sa poche et un crâne entier dans la main, plus disgracieuse que moi si possible, une sorte de bâtarde issue de Simone Weil remplie par Saint-Simon, ou bien des couples silencieux trop sérieux pour être gracieux, enlacés mais sans grande tendresse, les bouffées de musique par les orifices des fraternités, le bruit d'une bouteille de bière qui se fracasse par terre projetée d'une quelconque fenêtre, un hêtre ici pour qui l'on a ménagé un petit espace entre deux rangées de balcons, le seul laurier rose de Montréal, un peu plus haut, qui fleurit complaisamment dans une caisse de bois mais ne sent pas bon, là encore quelques fleurs dans une boîte, des gens assis qui parlent, nouveaux végétaux nocturnes au milieux de pelouses laissées à l'abandon, un vieux quartier qui meurt, qui pourrit lentement comme sont morts doucement, je l'imagine, les villages français de Nouvelle-Orléans. Pourtant ces buildings m'obsèdent; j'entends si bien leur chanson, comme j'entendais, enfant, celle d'un ballon de baudruche, rouge ou jaune, lâché presque volontairement vers le ciel à la première inattention de mes parents et qui montant, montait, montait et disparaissait, entraîné par un courant d'air chaud jusqu'au fond du ciel, moi seul dans cet instant pouvant le regretter, mon ballon, et, par une sorte d'instinct revanchard, souhaiter alors au bord des larmes ne faire plus à la face des hommes que des facéties immondes ou bien pousser quelques jurons.

Finissons-en. Je veux bien régner ce soir puisque cela, pour une fois, est facile, non pas comme la reine des abeilles sur un empire bruissant et plein d'ailes, mais sur nul autre que moi-même moins empereur que Gengis Khan, mes hordes intrinsèques obéissant à mon plus petit commandement, non pas précisément fier de l'être mais content de le pouvoir être, y puisant une joie, cette nuit, infiniment profonde et fraîche, n'ayant personne à rencontrer que d'imprévus, plus de travail, plus d'amis, libre comme l'air, respirant les odeurs que je veux, rejetant les bruits qui m'assomment pour ne retenir, dans une oreille bien dressée, que ceux dont ce soir je me délecte, les yeux presque dedans, faux aveugle marchant dans des rues pleines de lumière qui m'appartiennent désormais.

Portrait idyllique de l'écrivain dans sa plus sublime ordonnance : je m'assimile aux choses que j'aime, me voilà tour à tour arbre, maison, cette phrase que je retrouve, je ne sais où au fond de ma mémoire, d'un concerto de Vivaldi revu et corrigé par Bach pour petit orchestre et quatre clavecins, à laquelle s'ajoutent, et pourtant parfaitement distinctes malgré la superposition, quelques images des "Enfants Terribles" de Cocteau dans la version filmée autrefois par Melville, c'est alors que je m'aperçois que je vole vraiment, mieux entraîné par un démon familier que par le chanvre, un dieu peut-être qui n'est qu'une machinerie de théâtre mais qui autorise malgré que je plane sur cette ville qui m'ignore, à laquelle je ne dirais jamais "à nous deux", que je tâche de connaître et, si la moindre chose s'irise et me plonge dans une indicible perplexité, nul rire fol ou sardonique n'en vient rompre la tremblante harmonie quand j'y installe bon gré mal gré Jérémie et Judith, même si, marchant secrètement à côté d'eux, je semble les oublier vite et je vois bien, maintenant que je suis seul et d'autant plus sans doute, que leur souvenir est encore un enchantement. Ai-je trois ans, vingt ans, trente-trois ans, cent ans, suis-je encore foetus replié sur moi-même dans le ventre chaud de ma mère ou à moitié vivant, prévu, dans ce spermatozoïde à longue queue vibratile soigneusement caché, nourri dans les testicules de mon père.

Qu'Adélaïde m'aime, moi, me paraît de l'effronterie; j'imagine que mon âme est une petite chose noire qui entre en ébullition et se rétracte dès que le mot amour apparaît sur la blanche matière et molle de ma cervelle que le dernier des Mohicans ne pourrait la manger même en sauce sans risque d'indigestion, ni un Pied Noir, Montagnais ou Micmac, tous Indiens qui, dès lors, reviendraient prudemment au seul usage décoratif des scalps de visages pâles; cette érudition venant de Gustave Aymard dont Victor nous lisait les histoires bien que nous protestions car pour ce faire, il devait interrompre la déclamation de "l'Etre et le néant" de Sartre, pour nos jeunes têtes bien plus ténébreux et bouleversant. Je trouve enfin qu'Adélaïde est admirable de m'aimer contre ma volonté de sa tour d'ivoire; plus je suis froid, elle davantage sûre de son amour, croyant pour me séduïre devoir me tenir au courant de ses intimités passées, dans l'espèce d'orgelet persistant aux termes de son adolescence et maintenant un eczéma notoire aux fesses, qu'elle réduit à force d'onguent, tachant les draps de lit de sa prophylactique émulsion ainsi que j'ai pu voir, un soir, allant chez elle tard dans la nuit ainsi qu'il m'arrive trop souvent, bien que je ne ressente pour elle aucune affinité première, mais sa maison est une sorte de havre où je puis faire le gros dos, me taire ou dire merde, sans qu'elle paraisse me trouver autre chose que sublime, assez laid vrai-semblablement mais dans ma manière, non pas comme chez Judith le type même de la médiocrité.

Mais l'appartement d'Adélaïde : sur le mur deux planches d'écorchés, l'un de face, l'autre de dos, sur le mur opposé le Rembrandt par Rembrandt à deux cent cinquante-trois mille dollars quant à l'original mais ici une reproduction, le peintre au temps de sa vieillesse casqué comme Minerve, dans des rouges et des bruns, pour plus amples détails voir le catalogue du Metropolitan de New York, le chesterfield de coton bleu, la table directoire sur laquelle repose une lampe dont le pied est Napoléon, une table basse, des bougeoirs, le thé qu'elle sert accompagné de bis-cuits au gingembre qui se transforment, à peine trem-pés dans le bouillant liquide d'ambre, en une purée gluante qui se colle au fond de la tasse d'où il n'est pas possible de la déloger.

Mais ce que nous faisons : nous parlons de Freud, de Pavlov, assis chacun aux deux extrémités du cana-pé, elle souriante, on ne peut plus aimable, terne à for-

ce de se vouloir équilibrée pour compenser les excès
haïssables d'un être aimé peu sage, moi tremblant de
peur chaque fois qu'elle se déclare par autre chose
que ses médianoches, goûters, ou, pire, que sa main
posée, d'abord négligemment, sur le dossier ne s'égare
et grignote tranquillement la place pour venir, sans
que je m'en aperçoive, sur mon épaule se placer, cela
devant provoquer, à coup sûr, un immense bond de
surprise révoltée dont le résultat serait que je ne
pourrais plus venir ici même me reposer, perdant
d'un seul coup tout le bénéfice de mes phrases dites
et redites à des hauteurs insoupçonnables pour l'inspiration destinées à marquer où j'entends me situer et
les distances qui nous séparent, et qui doivent nous
séparer, n'ayant pas envie de jouer avec elle la farce
de Titus unijambiste et de Bérénice estropiée; mais
enfin, c'est le droit princier de mon être disgracieux
de ne supporter que les belles dans le but de réaliser
ainsi la synthèse impossible toréador-taureau, eau-feu,
laideur-beauté, comment lui dire sans la blesser que
je la trouve aussi laide que moi à en verdir, elle qui
croit, à ne pas en douter, que les laideurs sont faites
pour s'entendre et même pour s'accorder, elle, en
moi le but de ses désirs sous la forme estimable d'un
mari inespéré, fidèle sans trop de peine, ne profitant
pas pour la tromper de sa visite dominicale à la messe
ou aux vêpres, sexuellement bien doué comme par une
compensation naturelle; en réalité faire l'amour les
yeux fermés sans se toucher, elle sur le dos, moi sur
elle allongé en équilibre sur la pointe des pieds, faisant des tractions, combinant son plaisir et ma culture
physique, non merci, je ne veux même pas y penser.

Mais de nos mots il n'est rien de vraiment intéressant qu'on puisse dire. Elle dit : "Chaque fois que je croise quelqu'un, je le regarde non plus comme un être humain, mais comme un objet à disséquer, au début je trouvais ça épouvantable." Je dis : "Et moi." Adélaïde : "Ce serait une catastrophe si jamais tu finissais sur une de mes tables, tu es trop maigre; on ne travaille bien que sur des sujets bien en chair." Moi : "C'est charmant." Adélaïde dit : "De toute façon, tu finiras au cimetière comme tout le monde; à part quelques extravagants qui s'imaginent, dans leur candeur, qu'en nous léguant leur corps ils font avancer la science, mais en réalité n'aidant qu'à recaler les étudiants aux examens, nous n'écorchons que des clochards." Moi : "Qui te dit que je n'en serai pas un." Adélaïde : "Je ne répondrais plus de rien." Je dis : "D'accord pour un jeune clochard, comme les aime Judith, mais pas un vieux, tout puant, mal rasé, c'est dégoûtant." Adélaïde : "C'est une manière de voir; vieux ou jeunes, beaux ou laids, on est tous remplis de merde comme des frères et, qui plus est, les morts comme les vivants." Je dis : "En somme, l'égalité par la merde." Adélaïde : "Personnellement, je trouve ça sympathique, mais tu sais à force d'ouvrir des cadavres quand on n'est pas Vinci ou Gilles de Rays, on n'est pas porté à l'émerveillement."

Si c'est à ma maigreur que je dois d'être, je considère cela comme une potion difficile à digérer; il en est d'autres plus amères sous des apparences plus sucrées, qu'elle m'aime en secret, sans autre visée que cet amour tacite, acceptant de ne point être aimée, se sacrifiant comme elle a dû lire dans les livres, peut-être vraiment dégoûtée ainsi qu'elle le prétend de l'amour physique par les cadavres qu'elle tripatouille toute la journée, même cela je ne puis finalement l'accepter; dans le fond, je n'aime pas être aimé, je préfère choisir ceux que j'aime, sans souci de savoir si je suis payé de retour, m'en désintéressant au contraire, ainsi du moins je sais qu'il n'y aura rien là-dedans de faux et d'autant plus beau et tarabiscoté, sans coquetteries, sans bouderies, sans fauxfuyants, sans mensonges, sans illusions, sans drames pour la galerie, sans réconciliations sur l'oreiller. Je dis "Tiens, ce soir la lune est pleine." Adélaïde : "Pleine de merde."

Cela est clair que je ne ressens rien pour elle; suis-je injuste, cruel; pourquoi boire son thé sinon pour m'entendre dire qu'elle veut lire mes oeuvres en primeur, je le sais,et pour ce plaisir de me voir assurer que mon oeuvre future est belle et qu'elle est la première capable de vraiment l'apprécier; devant elle, je puis me rassurer, elles ne seront pas vaines ces épouvantablement longues soirées à penser à la gloire, la fortune, réglant comme Sarah Bernhardt mes funérailles nationales, mes livres au programme des collèges classiques, les lettres d'inconnus quoique je sache et que je me dise "à quoi bon", me trouvant ridicule d'avoir déjà un personnage mais sans lui est-ce que je pourrais écrire; tout cela exprimé devant une âme compréhensible et pour finir ma visite, mendiant des comprimés jaunes d'Elavil qu'Adélaïde me donne chichement mais avec régularité, dont j'use avec une espèce d'angoisse en ce qu'ils sont, si j'en crois le mode d'emploi, utilisés en cas de paranoïa bénigne, le substantif me choque mais l'adjectif me ravit; et dire que ce petit soleil ingurgité ne sert à rien, tout au plus à me donner une somnolence agressive qui me fait dormir de six heures de l'après-midi jusqu'à 11 heures le matin, passées.

Or où suis-je sinon sur terre! Non pas une terre poétique grâce à laquelle les plus humbles sentiments deviennent des grands mots bien sonnés, où le vocabulaire simplifie à l'extrême toute une ambiance magnifiée, un décor facile, une figuration ordonnée, pour se réfugier dans le sens confortable d'une phrase à la cadence impérative; vivre dangereusement je le peux après tout: c'est me battre avec les choses qui me jouxtent, les percevoir autrement, par un côté qu'ignore le grand public, que je classifierai plus tard en familles nouvelles, Fabre d'une métropole déserte, chaque jour un peu plus cénotaphe et peuplée de gisants sur lesquels les scalpels d'Adélaïde n'auraient même pas de prise, je pense; n'être rien m'ennuierait pas en ce qui me concerne, mais que les choses qui m'entourent soient alors divines et, quand je vais au cinéma, ne pas quitter, à l'instant où j'en sors, Kim Novak, Grace Kelly, James Dean ou Marlon Brando, pour me retrouver brutalement avec des comédiens, TNM ou Stella, qui paraissent sortir de chez Woolworth, plus à l'aise dans un magasin à rayons, où l'ascension au paradis se fait par des escaliers mécaniques tout encombrés de femmes à chapeaux, que sous les cintres de l'Orpheum où l'orgiaque théatral demande un peu plus de courage; il m'en faudrait de ces bras blancs, de ces dos étroits, de ces regards troublants, de ces mains qui montent

vers une gorge et l'étranglent, de ces voix qui sortent
du ventre, de ces joues admirablement raccordées au
menton, de ces décolletés plongeants; mais où sont-
ils hors ma mémoire et je ne les vois pas chez
Murray's, Honey Dew, Birks, Mappin's, sur la rue
Sainte-Catherine ou, me reposant assis sur la banquette de béton qui ceint l'entrée des cabinets publics
sur le carré Phillips, eux, se manifester devant moi
pour prolonger le film après que le mot "Fin" a
paru sur l'écran.

Le chant de Victor, quand je le regardais peindre
ses tableaux qui devenaient tout blancs et noirs vers
la fin de nos relations, avait ceci de beau qu'il était
à deux voix : une main droite ailée qui tissait, l'air de
rien, des gammes évanescentes, des trilles, des syn-
copes, des quadruples croches imprévisibles qui se
posaient en taches sur la toile et une main gauche
réfléchie, tendue et grave, immobile dans l'air comme
une antenne. Qu'il aille se faire foutre, Victor, et tout
le romantisme qu'il traîne derrière lui pour nous salir
encore; ses phrases et ses idées, ses proverbes chinois,
ses clairs obscurs, ses entendus silences, tout ce qu'il
distillait et que nous distillons toujours par manie;
tout change, même les mythologies mais l'évoquer
c'est bon, comme fredonner un fox-trot désuet ou
une antique romance du temps de la colonie. Je
suppute : son voyage entrepris jusqu'où l'a-t-il conduit ? Peut-être sous une tente dans le pays de
Maghreb où Laurence d'Arabie et Fayçal à l'armée
anodine autrefois se douchant le matin, tout nus, dans
le désert et, comme eux, Victor, entre deux coups
de brosse, recevant joyeusement les grands seaux

d'eau que lui lance sans facétie un camarade au nez busqué puis repartant plus loin toujours plus loin, figure de proue à dos d'une chamelle, son beau visage buriné, sa main forte, son gros poignet orné d'une gourmette d'or s'attardant sur les seins d'enfant encore de race Kabyle, demain envoyée par lui comme danseuse du ventre dans ce cabaret de la rue Sherbrooke, sous l'enseigne de Fazia Amir. Il aimait mes secrets mais Jérémie était son préféré et, pour le peindre, il eût voulu être, non pas Suzor-Côté, mais Renoir; de cela je ressentais une jalousie intense pour le séduire rien que je n'eusse pu inventer, est-ce ainsi que je nous revois : moi allongé par terre, faussement nonchalant, paresseux presque si ce n'est une légère crispation, étendu de tout mon long depuis la pointe de mes pieds jusqu'au bout de mes doigts projetés loin au-delà de ma tête, ne disant mot, simulant le sommeil pour échapper au danger qui me guette, le désirant mais ne pouvant pas comprendre ce désir, fasciné par ce grand corps debout, à cheval au-dessus de moi, deux grands pieds de chaque côté de mes aisselles, distinguant les chevilles poilues et grosses, les mollets fort dodus, les cuisses, puis un fouillis de pantalon tyrolien en cuir, de chemise bouffante, la large boule des épaules qui barre l'horizon, une tête penchée, les yeux, la bouche cachée par des mèches de cheveux et de cette bouche sortant un petit jet sporadique d'une salive fluide qui me mouille le front et les joues tandis que Judith et Jérémie, sans trop d'effort pour me tenir, ne savent pas très bien s'il convient de pleurer ou rire, moi, dans le fond plutôt content mais me persuadant que c'est là le

jeu le plus cruel, l'observant, les yeux mi-clos, trouvant Victor immensément grand alors qu'il est de
taille plutôt moyenne, fort et sain, un produit des
produits Kellogg's, de sucre et de lait, mais conservant,
malgré cette nourriture placide, un frémissement
inattendu et fort clair, tout lui, entre le muscle
pour le bras et une sorte d'oeil interne, dompteur de
mes jeunes années, virtuellement présent dans cette
affiche publicitaire d'un quelconque cirque américain, Morton peut-être, qui vient ici une fois l'an
amuser les enfants et moi-même, où l'on voit un homme botté, un fouet à la main, l'air terrible s'il en est,
dans une cage à ciel ouvert où des tigres et des lions
baissent la tête d'un air patelin, moins terrifiés par
le fouet que fascinés par une présence extra-terrestre.
La nuit est noire. Victor disait : "Les Martiens sont
parmi nous." Je le croyais sans peine puisque c'était
un peu lui le Martien, et tout à fait quand il nous
lisait Bradbury d'une voix d'homme des cavernes,
qu'il nous disait pour commentaires à nos points d'in-
terrogations que les Martiens avaient, comme moi, de
petits bras maigres et de grosses têtes, m'enlevant
ma double illusion.

Montréal peut, la nuit, prendre en certains endroits une allure un peu nostalgique et dangereusement humaine dans ce désert, déjà, de la rue Sainte-
Catherine entre les rues Metcalfe et Peel, et celui du
carré Dominion habité seulement par le bruit sec
des drapeaux qui claquent au vent; tout est fermé
hormis Peppe's et Bens, depuis longtemps le Monterey et le bal espagnol, se sont éteintes dernièrement les
lumières de la Sun Life dont la colonnade à chapi-

teaux corinthiens prend à travers les arbres des allures de faux parthénons tardifs, le portier de l'hôtel Windsor sommeille appuyé au chambranle de la porte, deux taxis attendent de peu éventuels clients, les calèches, dont usent les touristes pour visiter une ville et leurs chevaux blasés, dorment dans les remises ne laissant subsister de leur existence anachronique mais réelle qu'une vague odeur de crottin qui semble provenir de leur cousin en race chevaline, de bronze, au centre du jardin, se manifestant dans la nuit en un geste immuable et inutile de protestation; personne sur les bancs, tout clochard ramassé dès les premières minutes après minuit par des policiers bienveillants qui lui offrent, au lieu d'un banc de bois sis à la belle étoile, le doux lit d'un cachot. Je marche lentement : je vois deux agents que j'inquiète, qui m'observent, je passe devant Wilfrid Laurier et les saints, perchés sur le toit de Marie-Reine-du-Monde, me donnent à coups de crosses, de mitres, d'ailes, leur bénédiction, le boulevard Dorchester est vierge de voitures à cette heure, il flâne entre le canyon des maisons, à droite à gauche prenant mon temps, j'admire la traversant sans crainte cette voie désormais inutile, je me retrouve devant l'exposition des peintres du dimanche qui sont ici tout l'été exposés, les vitrines sont éteintes mais, en collant mon nez contre la vitre, je vois des couleurs et des lignes, quelques masses sombres ou claires, ici et là, un paysage lointain, un visage de femme, je ressens une manière de tristesse devant tant de temps, de désirs, d'amour en chambre dépensés pour provoquer des commentaires, et que je fais moi-même, déplaisants, les vilains mots, les vilains rires, les plaisanteries sarcastiques, dont le seul antidote est de se prendre pour Gauguin et Van Gogh, simples et beaux cette herbe, ces pelouses tondues, ces fleurs de serre sans odeur, ces plantes vertes en pots, ces grands arbres asphyxiés qui déploient, malgré les gaz et le manque de bonne terre, une tête harmonieuse qui paraît se briser quand il fait du vent, dont les feuilles croissent, oubliant qu'elles sont couvertes de poussière, je connais ici chaque tronc, chaque plante, chaque brin d'herbe, je sais quand meurt chaque sorte de fleurs que les jardiniers remplaceront au fur et à mesure qu'avanceront les saisons, je connais les êtres qui s'y réfugient et se reposent ici comme en surplomb sur une ville qui les rejette, les façades roses du palais cardinalice autrefois recouvert de vigne vierge qui se colorait de pourpre l'automne, sectionnée maintenant car l'archevêché n'aime pas les insectes qu'elle porte, le grand "V" qui ouvre la seconde moitié du jardin au centre duquel trône un arc de triomphe haut sur pattes comme le sont les baldaquins hindous, la guinguette, le kiosque à musique devant lequel certains soirs d'été des folkloristes amateurs font leurs danses carrées, les bancs pour les hommes d'affaires du Reine Elizabeth, du Laurentien, ces autres perpendiculaires aux premiers en alignement concave presque cachés par des massifs de troènes, comme protégés par deux canons de la dernière guerre dans cette allée un peu honteuse où ne s'aventurent guère ni enfants, ni mères de familles, réservée par tradition aux vagabonds dont l'un que je connais est passionné par le socialisme et l'Egypte, c'est là que le square s'arrête sur une déclivité en belvédère qui annonce la proximité du fleuve plus bas, le quartier noir, le Harlem, le Rockhead Paradise, aux spectacles pornographiques une fois sur deux interdits par la préfecture, où je me rends parfois pour voir les nègres issus par quel biais de Halifax, de Moncton, de Saint-Jean, boire de la bière en écoutant du jazz et eux assis comme des poules sur leur perchoir, les genoux au menton, ou à de petites tables riant pour rien de leurs voix de gorge, mal à l'aise dans leurs pantalons serrés d'où saillent leurs mollets de gallinacés sereins, leurs chaussures trop pointues, je descends jusqu'au port l'eau cachée par une longue théorie de wagons, les buildings du centre de la ville me surplombent maintenant, sur la carcasse qui sera dans six mois l'hôtel Champlain une lumière curieusement oubliée, dramatique, je pense à Jérémie s'amusant à Paris et moi prisonnier dans cette nuit nordique, je me prends à trouver obscène cette ville, ses gratte-ciel et ses petites maisons, ses pelouses vertes, l'hôtel de ville Tudor de Westmount, la côte de Liesse et la côte des Neiges, McGill, la Montagne, les bas quartiers, la haute ville, le port, le System, tout ce qui est inclus y compris les Tarzans dans cette plaine marécageuse emprisonnée entre la Rivière-des-Prairies et le Saint-Laurent, l'ennui me pèse comme une bête morte que je porterais, homme sauvage, de la clairière où je l'aurais tuée, à mon antre chez moi, son sang me poissant les mains et le visage, sa langue pend sur ma poitrine et par terre traînent ses entrailles, je sens l'odeur fétide qui se dégage de son pelage tout me manque de ce que je suis : Judith et Jérémie et moi-même dans mon état premier, inutile et perdu dans la taïga citadine, Toungouse que je suis proche cousin des libres Orotchons et non pas descendant d'un quelconque pygmée Alacalouf conservé soigneusement dans l'autoclave d'un prêtre catholique.

Partir ? Mais où, comment ? Tout manque, l'argent, le courage, la beauté qui serait mon excuse auprès d'une vieille femme très riche dont je serais le brillant secrétaire, meuble Louis XV qu'elle pourrait ouvrir ou fermer à son gré, ou le livre acquis par Hollywood qui me rendrait d'un seul coup fabuleusement argenté et célèbre, je pourrais alors dire au revoir à l'Institut des marins sans chant de matelot, à Joe Beef à qui il manque d'être taureau, toute la rue Saint-Paul et ses marchands en gros de pommes de terre, carottes, choux-fleurs, tomates, radis, concombres et autres crudités de Floride, dire au revoir au marché Bonsecours, à cette senteur de feuilles pourries pire que celle du Pirée, de Hambourg, du Caire réunis sans nul doute ici dans ce que la pourriture a de plus ignoble, j'entrevois la coque blanche d'un steamer, la cheminée d'un petit remorqueur; un geste suffirait, grimper une passerelle, se cacher au fond d'une cale comme un rat ou, comme un enfant de Jules Verne, me retrouver un beau jour au Japon accueilli par des geishas énormes tenant, en guise d'ombrelles, des cerisiers en fleurs, ou chez les Zoulous du Mexique, moi aussi. Je ne veux pas retourner dans ce faux chez-moi qu'est l'appartement de Jérémie absent, mes pieds patriciens comme ceux d'Adélaïde ne sauraient me traîner davantage dans la ville, explorant jusqu'au petit jour les maisons habitables, rue par rue, n'en trouvant que très peu, voire aucune.

Frappant, refrappant, tambourinant sans trop de souci de l'heure, je me dis enfin que Judith, au lieu de se confire dans ce silence provoquant qu'elle allonge à souhait pour me faire de la peine, pourrait bien apparaître aussitôt, le premier coup donné sur le battant clos de contreplaqué et, se souvenant de « Pépé le Moko » ou du « Cheik blanc » vus dernièrement à la cinémathèque de la rue McGill, m'apparaître le teint bistré, du kohl autour des yeux comme une fatma de style mauresque et non comme je la vois, silencieusement apparue dans l'encadrement de la porte, selon l'horreur de ses nuits solitaires, des pieds à la tête cosmétiquée par Elisabeth Arden, le visage couvert de cold cream, les cheveux hirsutes dépassant d'un bonnet de nuit vert, à la main le loup de coton noir qui protège ses yeux des lumières incidentes, la cire dépassant des oreilles : une sorte d'Alice au pays des merveilles revue par l'auteur des « Mystères de Londres ».

Je dis : « C'est moi. » Autant crier elle n'entend pas, et reste la bouche ouverte, il faut lui faire des signes pour qu'elle pense à retirer les boules de ses oreilles, qu'elle considère incrédule un instant de les trouver là, qu'elle tient dans chaque main entre le pouce et l'index d'un air tout à fait dégoûté comme si c'était des vers de terre ou une pincée de fumier. Elle dit : « Je le vois bien, tu en fais une de ces têtes, ce n'est pas une heure pour déranger le monde, enfin, entre, veux-tu une tasse de café, tu ressembles à un noyé. » Je dis : « Adolphe n'est pas là. » Elle dit : « Qu'est-ce que tu me demandes. » Je dis : « Je ne te demande rien, je constate simplement, compte tenu de ta personnalité nocturne et de ses accessoires, qu'Adolphe n'est pas là. » Elle dit : « Non, non, il n'est pas là; fatigué, tu es fatigué. » Je dis : « Un peu triste, déprimé, ça arrive. » Judith : « Allons bon, c'est bien ma chance, moi aussi, je n'arrive pas à dormir; ces nuits blanches me tuent. » Je dis : « Dostoïevsky ». Elle : « Quoi Dostoïevsky. » Je dis : « Nuits blanches, c'est un titre de Dostoïevsky. » Elle : « Ne commence pas à m'embêter avec ce patatouf de Dostoïevsky tu sais bien que je préfère Tolstoï. » J'entre dans le salon, elle me suit me contemple debout sur une jambe l'air très intéressé tandis que je m'affale sur un coussin. Judith dit : « Autant te le dire tout de suite; j'ai mis Adolphe à la porte; ou plutôt c'est lui qui est parti. » Moi : « Tu te contredis. » Judith : « Avec toi il faut toujours être logique : pourtant c'est vrai, je l'ai mis à la porte et il est parti. » Moi : « Je te l'avais dit : Dostoïevsky ». Elle : « J'ai senti qu'il voulait partir alors je l'ai mis à la porte. Ce n'est pas du Tolstoï, peut-être ? » Je dis : « Oh ! je t'en supplie pas de casse-tête chinois. » Judith : « Ce n'est pas chinois, c'est humain; ça m'abrutit quand même. » Je dis : « Je m'emmerde, tu es abrutie, tu ne pouvais pas attendre la nuit prochaine. » Judith : « La nuit prochaine aussi si tu veux, c'est une question d'habitude, la vie à deux. » Moi : « Qu'avez-vous aujourd'hui ? » Elle : « On a regardé la télévision, un film, « A taste of Honey »; c'est tout à fait larmoyant, ça me rappelle ma vie, tous ces malheurs sur une pauvre tête, j'adore, comme le journal d'« Anne Franck », une question de mauvais goût, je pense. » Moi : « Et moi, est-ce que je t'attendris et est-ce que je te fais pleurer. » Elle : « Tu parles comme le Docteur Knock, si tu veux une consultation, tu ne me fais ni rire ni pleurer; tu n'es pas assez bon ou alors les malheurs ne s'abattent pas à un rythme satisfaisant sur ta tête. » Moi : « Une question d'optique. » Elle : « Un jour le gros bout, un jour le petit bout, les capitaines au long cours ont bien de la chance. » Moi : « Ne sois pas indécente. » Elle : « Mais c'est toi qui parles d'optique. » Moi : « C'est toi qui parles de gros bout. » Elle : « Alors je suis une fameuse opticienne. » Je dis : « Sais-tu pourquoi je suis revenu ? » Judith : « J'imagine; tu as de la chance, justement une copine vient de me ramener un excellent gin d'Angleterre. » Je dis : « Ce n'était pas pour ça. » Elle : « Ou on pleure ou on boit du gin. » Moi : « On pleure. » Judith : « On ne va pas s'apitoyer sur notre sort, on boit du gin. » Moi : « Ce sera pire après. » Elle : « Oui mais on oubliera mieux. » Moi : « Peut-être. » Judith : « Tu ne vas pas quand même me dire que tu étais venu pour me voir. » Moi : « Franchement. » Elle : « Franchement. » Moi : « Non. » Elle : « Alors gin. » Moi : « Tu es chouette quand même. » Elle : « Je suis abrutie, question de chance, tu tombes au bon moment. » Moi : « Tu es trop indulgente. » Judith : « Quel dommage que nous ne soyons pas des étoiles de mer; on leur coupe un bras, il repousse éternellement. » Je dis : « Nous ne sommes pas des étoiles de mer, nous, quand on nous coupe un bras, nous sommes tout simplement manchots. » Judith : « Pour l'amour ce serait merveilleux, on sectionne, ça repousse. » Elle dit : « Même Dalila avait ce genre de problème, alors moi. »

Elle s'immobilise et gonfle au maximum sa poitrine tandis que son ventre se creuse, elle se raidit dans cette position, tend les bras au ciel poings fermés et se meut lentement en prenant garde de ne pas plier les genoux en direction de la cuisine comme un robot téléguidé par la puissance soviétique vue d'Amérique, elle chante l'air de Saint-Saëns, j'entends le bruit que font des verres de cristal qu'on heurte, celui d'une bouteille qu'on décapsule, le cliquetis des cubes de glace qui tombent dans un seau, je ferme les yeux que je garde ainsi clos quand elle revient, je m'amuse à deviner le moindre de ses gestes et moi, plus immobile qu'une pierre, elle s'assoit à mes côtés, me souffle dans l'oreille, m'arrache un cheveu puis deux sans que je sourcille, elle enlève ma cravate, déboutonne ma chemise, en écarte les pans légèrement, elle dit que mes mésanges sont toujours là et qu'elles ont encore toutes leurs plumes, elle rit un peu et d'un ongle coupé court elle en suit précautionneusement les contours, je dois me contracter les muscles du sein pour ne pas rire, chatouillé malgré moi par le doigt agile sous lequel se plient et se déplient comme des petits ressorts les poils noirs de ma maigre poitrine, eux-mêmes presque vivants, parasites comme du gui sur un chêne, se nourrissant de moi, le menton contre mon cou je les observe, petits vampires filiformes, tributaires de mon sang. Judith dit : « Si nous faisions l'amour ensemble. » Moi : « Es-tu folle, pourquoi. » Elle : « Pour nous venger. » Moi : « De qui ? » Elle : « De nous-mêmes. » Moi : « Je ne suis pas doué pour l'inceste. » Elle dit : « Moi oui, j'ai toujours rêvé avoir une ribambelle de frères, j'aurais été amoureuse de mes frères, je les aurais aimés et je les aurais persécutés. » Moi : « Ces deux dernières propositions doivent-elles aller de conserve. » Elle dit : « C'est obscène de vieillir. » Moi : « Victor disait que c'était ignoble de ne pas vieillir. » Elle : « Il changerait d'avis s'il me revoyait. » Je dis : « Dans le fond, vieillir ce n'est qu'une question d'adaptation sexuelle. » Judith dit : « J'ai reçu une lettre d'Anne. » Moi : « Tu ne pouvais pas me le dire. » Judith : « Elle est dactylographiée, je pensais qu'elle t'en avait envoyé une copie. » Moi : « Evidemment, quand on est sa secrétaire, il est normal que ça finisse par des lettres ronéotypées. »

Or l'alcool me rend généreux et fou. Je dis : « Le torchon brûle. » Elle dit : « Ça n'a pas une grande importance dans le fond. » Je dis : « Ça s'arrangera. » Elle dit : « Je ne bois pas pour réfléchir. » Elle se tait, se tortille, rampe un peu jusqu'au mur contre lequel elle s'accote, elle me fixe l'air hébété, les commissures de sa bouche tombent et sa lèvre inférieure pend. Elle dit : « Je vais être malade, ça vaudra mieux, qu'est-ce que je tiens, décidément l'alcool n'est pas mon fort, je me demande bien comment tu peux faire. »

Les mots se perdent dans une sorte de hoquet oppressé qui la fait respirer comme une femme enceinte se préparant à un accouchement sans douleur, moi debout, les jambes écartées pour maintenir mon équilibre, je la regarde sans bien comprendre ce qu'elle dit et moins encore les gestes qu'elle fait, je passe les mains sur mon visage, mon front est chaud, mes mains aussi parties à l'exploration de mon visage, je découvre mon nez qu'il est long, mes oreilles d'éléphant, mes pau-

pières doivent être noires, dès que je ferme les yeux
tout chancelle, je ne suis pas malade, je trouve ça
plutôt bon cette gymnastique immobile qui m'entraîne de droite à gauche, devant derrière, dans un mouvement de roulis qui sans raison se ralentit ou s'accé-
lère. Je dis : « Tu es mûre pour dégueuler. » Je suis
tout sauf mélodramatique; tout ce que l'on veut regardant ici Judith blêmir et moi-même, je crois que j'ai
envie de rire, ridicule, lamentable, imbécile au dernier
degré, sans talent, sans espoir de talent, sans sens du
drame, plus que léger, futile, incapable, ignorant, paresseux, profiteur, désinvolte et paternaliste, mais je
ne suis pas de cette race d'écrivains qui ont des scru-
pules, des idées noires, des complexes, une bonté fon-
cière, une âme à exprimer comme dans les romans
français du dix-neuvième siècle, au cinéma ou sur
une scène de Broadway où l'on joue « The Sound of
Music », je n'écris pas d'article que tout le monde
refuse, pas de nouvelles que je ne fais lire à ma concierge émue de tant de confiance, moi pleurant sur
son opulente poitrine, je me fais la barbe le matin, je
ne ressemble pas à un beatnik, la drogue m'ennuie,
je ne me saoule qu'en privé, mes seuls excès sont en
moi-même, je n'ai pas de maîtresse-fiancée vendeuse
chez Eaton, qui croit à mon talent, me le dit soir et
matin, chaque fois que par ennui mutuel mes spermatozoïdes et ses ovules cohabitent, confondant son
plaisir et mes aspirations personnelles, j'attends debout et solitaire, non pas seul puisque je suis avec
moi-même, s'il le faut un jour je vendrai mes fesses
et celles des autres avec, quant au grand livre j'aurai
mis le mot fin; Judith se lève et court, une main devant

la bouche, jusqu'aux toilettes, elle ne sait pas comment on digère l'alcool, comme on digère n'importe quoi des ortolans ou une fricandelle, elle revient avec un drôle d'air. Elle dit : « Tu as gâché ma nuit, j'étais bien mieux avant que tu n'arrives. » Je rigole doucement un peu méchant et un peu bête mais bouger ne servirait à rien. Elle dit : « Fais ce que tu veux, moi je vais me coucher. » Elle gagne sa chambre en me faisant un petit au revoir de sa main et grimaçant à cause de sa bouche amère. Je dis : « Tu ne trouves pas que c'est affreux qu'il n'y ait jamais eu un véritable moment d'intimité entre nous. » Elle est déjà au lit n'entendant pas peut-être la phrase historique qui vient de me sortir, qui m'étonne par sa profondeur même, que ne devrait pas dire un affreux bonhomme ivre mais bien un jouvenceau à peine pubère dans une tragédie grecque.

Sa voix me parvient désormais curieusement lointaine. Elle dit : « S'il y a une chose que je déteste. » Un long silence suit, j'en profite pour siffler le reste de la bouteille. Je dis : « Non. » Judith : « Viens ici, je veux te faire l'aveu d'un secret qui m'obsède. » J'y suis. Moi : « Et quel est ce secret. » Judith : « Non pas si loin, viens plus près, assieds-toi sur le lit, ce que je vais te dire, oh là là, personne ne le sait et je ne le dirai à personne. » Moi : « Même pas à Jérémie. » Elle : « Surtout pas à Jérémie, j'ai trop honte de moi, ce secret m'humilie. » Je dis : « A un homme saoul on peut tout dire, ça lui rentre par la bouche pour lui sortir par les oreilles. » Judith : « Ce n'est pas le moment d'être pornographique, s'il-te-plaît réponds d'abord à ma question, suis-je laide et vieille. »

Moi : « Je ne sais pas, je n'ai pas mes jumelles. » Judith : « Objectivement. » Moi : « Objectivement, non, tu es plutôt pas mal et pas vieille. » Judith : « Si tu me mens, je me tuerai. » Moi : « Si tu ne veux pas me le dire ton secret, je m'en vais. » J'amorce une fausse retraite, stratégique, inutile, en tout cas désuète, me prenant dans les draps, tombant, ne me relevant qu'à grand peine et une énorme bosse qui pousse déjà au front, sans compter le genou que j'aurai déboîté peut-être, mais je ne ressens rien de douloureux vraiment. Judith : « Heureusement qu'en dessous de moi il n'y a pas de locataires. » Je me traîne jusqu'à la porte en haletant en direction, à mon tour, de toilettes qui sont là, devant moi, accueillantes, que j'ignore pour aller m'étendre sur le tapis du salon la tête sur un barreau de chaise. Je dis : « Ton secret je m'en fous, plus encore, je ne veux pas le connaître, il me donne la nausée ton secret. » Judith est devant moi à genoux. Elle dit : « Non, je veux te le dire même si c'est humiliant, il faut donc que quelqu'un le connaisse. » Moi : « Fais vite, j'ai envie de dormir. » Judith : « N'écoute pas, dors si tu veux, ça ne fait rien du moment que je peux le dire. » La voir là à genoux devant moi m'étonne et m'inspire, cette position accapare mon esprit et cette question de determiner ce qu'il me faut faire, ne sachant trop, de prime abord, si je dois lui dire de se relever ou lui donner un grand coup de pied dans la tête; tout disparaît, je n'entends plus qu'un murmure apaisant comme une source fraîche qui me coulerait dans les narines irriguant, au passage, les yeux, tous les sinus, la nuque, le bulbe rachidien, la gorge et les oreilles. Judith dit : « Tu es tout rouge, je vais te mettre une compresse froide sur la tête. » Moi : « Mais non, fiche-moi la paix, je vais très bien, tu ne comprends donc pas que c'est toi et tes espèces de secrets qui me donnent des maux de tête. » Judith : « Je m'en fiche si tu as mal à la tête mais je ne veux pas que tu t'endormes tout à fait, un peu si tu veux mais pas tout à fait. » Je soupire, je gémis, je sanglote, je la supplie de se taire. Judith dit : « Hier, j'ai habillé Adolphe en fille, c'est comme ça qu'il ressemble le plus à un garçon. » Je dis : « Bravo, tu as bien fait, c'est très érotique, parfait, envoie une photo à Pauvert. » Judith : « Mais je déteste les garçons qui ressemblent à des filles. » Moi : « Pas du tout, les mâles tu te les envoies mais les garçons-filles tu les aimes. » Judith : « Je t'interdis d'appeler Adolphe un garçon-fille. » Moi : « Dans l'état où je suis, on ne m'interdit rien, je vois tout, j'entends tout, je suis en transe chamanique. » Judith : « Tu es saoul comme un cochon mieux vaut dire. » Moi : « Lis tes classiques d'anthropologie, ce sont deux états voisins. » Judith : « Après tout si tu veux, ça m'est égal si tu m'écoutes. » Elle parle comme hurlent les loups, en appuyant sur les voyelles, et les sons me rentrent en vibrant dans le conduit de mes oreilles. Elle dit : « Voilà un an maintenant que je connais Adolphe, n'est-ce pas; eh bien ! nous n'avons fait l'amour que deux fois ensemble; des caresses, oui, des baisers et tout ce que tu veux, mais faire l'amour ce qu'on appelle faire l'amour, quelque chose de vrai et de définitif, deux fois en un an, je trouve que c'est peu quand on aime. » Je dis : « Deux fois seulement avec tout ce que tu le paies; tu sais ce que Jérémie

pensait d'Adolphe, que c'était un faisan. » Judith :
« L'opinion de Jérémie sur Adolphe ne compte pas,
dès qu'il est en présence d'un joli garçon, les étincelles
lui sortent des trous de nez et il se transforme en dragon, tant il veut conserver le monopole du charme
pour lui tout seul. » Moi : « Et quelles raisons te donne Adolphe. » Judith : « Il me dit qu'il n'est pas pré-
paré psychologiquement; mais je ne suis pas folle; je
sais bien que s'il ne fait pas l'amour avec moi, il doit
le faire ailleurs; en somme il ne me désire pas mais
je suis sûre qu'il m'aime, je trouve ça atterrant. Je
dis : « Et peu commode, mais tu sais, c'est un enfant
de Nicolet et Nicolet ne prépare jamais ses enfants
psychologiquement; ton Adolphe est un emmerdeur,
de surcroît c'est un complexe ambulant, il n'y a qu'à
regarder sa face de rat pour pouvoir éclairer sa lanterne. » Elle ne me répond mais se lève, entreprend
de tourner en rond dans la pièce, soufflant machinalement ou passant le tranchant de sa main çà et là pour
enlever une hypothétique poussière, le haut de son
crâne frôle le carillon chinois en bambous secs taillés
de différentes longueurs qui pend du plafond comme
le sexe multiple d'un animal exotique que l'on aurait
castré pour lui subtiliser cet appareil mélodieux et
étrange, elle revient vers moi, se penche. Elle dit :
« Ça me rend très triste, tu sais, furieuse par instant
mais ma colère tombe dès qu'il est là; c'est une vraie
histoire de bonniche mais je m'y accroche, j'y tiens,
sa gentillesse de chat m'est nécessaire; c'est amoureuse
que je connais une certaine continence alors que ce
devrait être le contraire, tu vois on est toujours puni
pour tout. » Je dis : « On n'est pas puni pour tout,

ne sois pas bête. » Elle dodeline du chef peu convaincue de ce que j'avance. Elle dit : « Tu parles toujours pour ne rien dire. » Je dis : « C'est pour mieux te rendre service mon enfant; tu ferais mieux plutôt que d'Adolphe, t'occuper d'orphelins quitte à leur passer la main de temps en temps entre les jambes. » Elle : « Mais Adolphe est moralement un orphelin. » Je dis : « Moi aussi. » Judith : « Non, toi tu es un père de famille sans enfants. » Je dis : « C'est la même chose. » Judith dit : « Comme tout est étrange. » Je dis : « Fiche-moi la paix maintenant, tu m'as dessaoulé avec tes trucs et j'ai un horrible mal de tête. » Elle dit : « Pardonne-moi, je ne voulais pas te faire de la peine, de la peine physique s'entend pour l'autre tu es assez grand pour te la faire toi-même. » Elle regagne sa chambre, je demande si c'est pour de bon, le sol est dur à mes épaules, je soupire profondément en la voyant passer la porte, petite, un peu voûtée soudainement, clopinant, les mains jointes par devant, elle se retourne, ses grands yeux bruns me regardent un moment, je lui tire la langue, elle hausse les épaules en souriant, elle ressemble à une photographie publicitaire en couleur. Elle dit : « You are just like a big sister for me. » Que répondre à cette constatation, abandonné que je suis par mon esprit poétique, sinon n'importe quoi un mot qui sonne bien qui éveille des échos fût-il seul. Je dis : « Kierkegaard. » Elle dit : « Comme Chopin à qui il ressemble sur le portrait que j'en ai, c'était un fort mauvais musicien. » Je dis : « Merde. » Elle disparaît en chantonnant.

Mais la drogue, l'alcool, même la présence de Judith et de la force érotique qu'elle contient par ses multiples aventures, si le présent est d'ores et déjà une histoire qui s'est passée en vain, rien ne me donne l'impression au matin d'avoir plus ou moins vécu ardemment dans un autre monde; le seul souvenir me restant d'une nuit dit-on extraordinaire mais qui ne recèle rien d'important, où l'on pense mais ailleurs, ce n'est ni les lèvres sèches, ni l'amertune dans la bouche, ni cette humeur blanchâtre qui loge en petit triangle dans les coins intérieurs de l'oeil mal ouvert et se refusant de voir, une fois pour toutes, de nouveau comme hier, la lumière du soleil que déverse un orient éblouissant, mais le fait d'avoir déplaisamment joué un rôle pour rien, disons Polyeucte dans la peau de Georges Dandin ou Phèdre transformée, c'est plus plausible, en Mégère par l'effet d'un esprit cocasse et malin; ce qu'il me faudrait ce matin c'est une immense chose à faire, noble pas forcément, attendue depuis un très long temps et subitement, à force de patience, voilà le grand, le beau jour qui survient : un départ en vacances par un train matinal plus que de coutume, au fond très banal pour tout le monde mais extraordinaire pour moi, ajoutant ainsi au plaisir de la chose à faire celui d'être enfin comme tout le monde, courant dans la même direction, partageant les mêmes angoisses, jouissant de même, et dix fois plus, de sa propre jouissance augmentée de toute celle des autres, être enfin, comme on dit, plaisamment dans le bain. Si j'écrivais à Jérémie une lettre pleine de douleur, tout au long de laquelle je me plaindrais beaucoup, mon habileté inventant, par exemple, que l'amoncellement de pierres de cette ville est un mur qui se dresse entre mon stylo et moi, lui disant, par surcroît, que je viens de finir un merveilleux poème et que mon impatience à ce qu'il le lise est telle qu'elle ne saurait souffrir aucun retard, sinon que je le flanque à la poubelle moi avec, surtout le flattant beaucoup, m'humiliant presque, pas tout à fait, il faut de la mesure en tout, à demi à genoux et lui qui dans sa condescendance me relève avant que le geste soit vraiment fait, m'inventer des malheurs irréels, jouer le faux écrivain, le tout enveloppé de fariboles grotesques, peut-être alors m'enverrait-il un billet pour Paris où je le rejoindrai, illuminant par ma seule présence Anne qui me gêne en ce qu'elle complote contre moi, c'est évident, et lui remplit la tête de fadaises dont je suis l'objet, je prendrai l'autobus pour Dorval où je fumerai assis sur les coussins de simili-cuir noir un énorme cigare de havane, écoutant sur l'aire de l'aéroport le délicieux gargouillis des haut-parleurs annonçant par ordre d'importance des trois grandes civilisations du monde les avions en partance, ou buvant un café dans les restaurants à côté des toilettes Men-Hommes-Caballeros en prenant tout mon temps, un peu plus même afin d'être en retard et entendre mon nom susurré par une speakerine qui s'adoucit la voix afin de persuader le voyageur en retard que je suis, donc important, de gagner au plus vite l'appareil en signe de sa grande bonté, je verrai bientôt dans mon grand oiseau blanc, enfin, Montréal sous moi, à mes pieds qui trépigneraient de joie à la seule pensée de dominer enfin cette verrue immonde qui m'enferme dans les raies de ses mille rues sans emploi. Mais j'hésite à donner à un Jérémie trop content cette joie que serait ma demande travestie en signe d'allégeance, escomptant que la mienne, ma proposition, agrée, en sera d'autant moins grande, éventuellement complètement gâchée rien qu'à voir son sourire entendu, Paris alors, ni plus ni moins que Montréal, me semblerait une ville sans odeur, ni couleur, un nouveau sarcophage peinturluré à l'intérieur mais dont moi, voyageur de seconde classe, je ne serais admis qu'à en admirer le granit extérieur platement lisse, d'autant plus en rage que je connais par instinct les merveilles qui se trouvent derrière que l'on me cache par exprès, pour une simple question de caste, alors que j'en suis le plus digne mais qu'ils prennent garde, un jour je saurai me défendre et mes crocs sont empoisonnés depuis le temps qu'ils retiennent leur secrète liqueur. Adolphe disait : « Dépossédé du monde, dépossédées mes fesses, c'est le monde qui est dépossédé de moi; il est vrai qu'il ne s'en plaint pas mais je lui en ferais voir de belles. »

Il est dix heures déjà et le monde travaille, j'ai l'impression que le jour se lève à peine et qu'il est dès potron-minet malgré les camions dans la rue Notre-Dame qui passent, leurs moteurs immenses font vibrer les vitres de la maison; déjà Judith s'agite dans la cuisine, rôtit du pain, infuse le thé, dispose sur l'assiette bleue et blanche, au décor exotique, le citron coupé en lames minces, je guette le diable qui caché derrière une plinthe, cafard infernal à la tête cornue, qui me met de si mauvaise humeur, presque en colère, si la position allongée le permet, et me remplit la tête des jurons les plus épouvantables comme si j'y pou-

vais trouver les assises d'une si ennuyeuse journée,
inventons un fabuleux mélange et comparons : Montréal à un étron, le Saint-Laurent comme une cataracte
de pisse, Outremont comme des aisselles puantes, Ville
Mont-Royal comme des pieds maladorants, Lachine
des crottes de nez, Verdun la cire des oreilles, le
pet de Ville d'Anjou, le rot de Longueuil, et le reste ;
Adélaïde a raison, tout est excrémentiel et moi-même
je respire tout cela avec délice sans songer même à
me tourner dans le sens contraire duquel vient le
vent, à l'aise quand bien même étranger à toute cette
corruption ; je me lève d'un bond et cours à la fenêtre,
je me penche pour prendre l'air, le pan de ma chemise
flotte au vent, ai-je enlevé mon pantalon dans un moment d'abandon strictement personnel et peut-être
pornographique involontairement dans mon sommeil :
l'Hôtel de ville est toujours là, à gauche, avec sa
façade bonne enfant sous ses apparences faux Louis
XIII, vaguement renaissant par ses toitures pointues et
son porche à colonnes soutenant un balcon inutile depuis qu'il n'y a plus de roi de France débonnaire guil-
lotiné par la grâce du ciel, charmant et trop beau ce
balcon donnant sur un parking pour un simple maire.
Ciel j'ai froid aux fesses. J'aimerais bien que Jérémie
ait un enfant, que Judith se marie, que Victor revienne,
qu'il fasse les mêmes gestes : fermer les yeux pour
rire, faire jaillir un muscle d'un endroit où on ne
l'attend point, donner un baiser puis une gifle, se tenir
debout comme un marin, qu'il dise les mêmes phrases
dont nous nous souvenons « il est moins facile d'avoir
une âme que deux, » « d'abord semer le désarroi venir
ensuite avec une fausse solution, » que je ne sois plus

cette larve exceptionnelle pour devenir, comme par enchantement, un adolescent sage, bon et blond, premier à la messe et aux vêpres, ne voyant de Dieu que des grognements et le nom, et placé dans la horde à mon rang, esclave heureux d'être humilié, léchant de son mieux les pieds très vagues de son maître.

J'entends une voix qui dit tranquillement « je vois ton cul », on est décidément bien grossier ce matin, ce doit venir non pas de l'âme mais de l'atmosphère comme dit Arletty dans « les Enfants du Paradis » de son accent traînard « atmosphère... atmosphère », je me retourne, je vois Judith tenant un plateau dans ses mains avec tout ce qu'il faut dessus dont la théière fumante, elle arbore le sourire de la femme au foyer satisfaite, mais consciente de ses intentions gentilles, je me retourne. Elle dit : « Je vois ta queue maintenant, tu devrais porter des caleçons ». Les pans de ma chemise sont très longs, je me les noue entre les jambes, me voilà revêtu d'une espèce de pagne très seyant qui bouffe un peu sur le côté, j'attrape ma ceinture dont je ceins ma flexible taille, je suis couvert d'une barboteuse d'enfant, vague compromis d'une tenue brahmane et d'un justaucorps fin quinze cent. Je dis : « Les écrivains heureux n'ont pas de caleçons. » Elle dit : « Tu ne seras jamais sérieux. » Moi : « En tout cas, je fais mon possible. »

Nous mangeons, heureux comme des enfants ou presque, assis sur le tapis à croupetons, satisfaits de nous retrouver là, ayant échappé tous deux cette nuit à un vague danger ignoré dans sa forme réelle mais présent, tout est simple et vrai, même ma nudité scandaleuse ou le sein de Judith que je vois à travers la chemise de tulle en nylon transparent, rien de cela ne compte entre nous qui sommes tellement étrangers l'un à l'autre ou si proches c'est selon, sans attirance ni répugnance extrême, comme Adam et Eve innocents du temps où le paradis était encore sur la terre ; mais je hais cette gymnastique à laquelle je me force pourtant : de me perdre et de me retrouver moi-même en bas, en haut, en long, en large, parfois tout cela en même temps, écartelé comme un seul homme peut l'être, Jérémie a sur moi l'avantage d'être glissant comme on imagine que l'est une baleine, c'est cela qui le sauve, cette viscosité suprême, absent, présent, partout, en même temps, ubiquiste dans ses pensées et dans ses gestes.

Judith ce matin a un accent traînant, elle est belle, faire l'amour n'ôte pas à certaines femelles cette aura qu'on concède aux vierges. Je dis : « J'ai fait ce matin une méditation. » Judith : « Sans résultat j'espère ». Je dis : « Tu n'as pas l'impression que Jérémie est là entre nous présent ». Judith : « Oui, c'est le genre de type qui est encore plus grand mort que vivant. » Je dis : « Nous étions trois, nous sommes deux, qui de nous restera, nous nous rétrécissons. » Faut-il voir entre nous une bataille suspecte, un corps à corps mythologique et monstrueux où le plus faible devra tôt ou tard lâcher prise, ou bien tous les trois nous mourrons un jour de notre belle mort, contents si nous avons fait souche et que sur notre tête, comme les bois d'un cerf, se greffe un arbre généalogique, à moins que nous ne disparaissions, nous transformant en engrais qui nourrira les arbres par une espèce de transmutation de cellule en cellule dont je ne connais pas le processus interne mais qui fait, incontestablement, que le corps même de l'homme est éternel de telle sorte que, quand nous mangeons des salades, c'est encore nous que nous mangeons, cannibales inconscients, que nous digérons sous de différentes espèces, que ce mal est sans remède, de gré ou de force je suis donc responsable de tout jusque sans doute les ellipses tortueuses des nébuleuses et des planètes. Je dis : « Vois-tu Jérémie est le plus heureux, il a fait une fin et qu'importe qu'elle soit laide ou belle. » Judith ne répond pas, quand elle mastique une biscotte, le petit bruit que font ses dents sur la matière croustillante et inerte me remplit les oreilles comme un grésillement de minuscule crécelle. Je dis : « L'envies-tu » » Judith a la bouche pleine pour si peu devrait-elle arrêter sa ruminante mastication. Elle dit : « Envier quoi. » Je dis : « Il est sorti d'un cercle. » Judith : « Je ne vois pas. » Moi : « C'est physique pourtant. » Judith : « Ah ! » La voilà qui mâche de plus belle, elle déglutit, grimaçante, le bol alimentaire, je suis le chemin qui le mène glissant, grâce à la pellicule de salive, de la bouche à l'estomac, recevant pour lui seul un flot de suc qui le régénère, le duodénum et plus bas, se transformant pour finir en cette masse de chair décidément imbécile que j'ai là devant moi. Je dis : « Enfin crotte. » Judith : « Crotte quoi. » Je me tais, puis je ris très fort en me tenant les côtes pour faire plus littéraire, elle fait semblant de rire avec moi en faisant « ahahah » comme si j'avais dit quelque chose de si hilarant qu'il n'était pas possible de lui trouver un équivalent en drôlerie sur terre. Je dis : « Ce sont des choses que l'on ressent, que l'on n'explique pas. »

Judith : « Parce que tu crois que Jérémie est heureux, toi. » Je dis : « C'est bien un de tes raisonnements de tout ramener au bonheur. » Judith : « Avec ce chandelier qui le flanque, je ne lui donne pas trois mois. » Moi : « Elle n'est pas pire qu'Armande. » Judith : « Si, elle est pire puisqu'elle est là. » Victor disait : « Nous vivons tous dans un ordre, déplaçons une épingle et tout doit être remis en question. » Je dis : « Tu sais, je crois que je ne serai jamais le grand homme que je voudrais être. » Judith : « Evidemment, tu ne travailles pas. » Moi : « Ce n'est pas une question de travail, c'est vous deux, Jérémie et toi, qui ne me l'autoriserez pas. » Judith se lève. Elle dit : « C'est toi qui feras la vaisselle ; qu'est-ce que nous faisons là dedans, cesse donc de parler toujours par énigme, il n'y a que toi pour faire d'un rien un épouvantable mystère. » Je dis : « C'est quand même triste à la fin, songe à ce que nous étions, indépendants les uns des autres et pourtant tributaires de ce qui maintenant me paraît l'harmonie. » Elle dit : « Si tout était brisé comme tu dis, crois-tu que tu serais là à me casser les oreilles ; toi seul es parfait et toi seul es fidèle ; quoi que l'on fasse, Jérémie ou moi, c'est vis-à-vis de toi comme si l'on trompait sa femme, éternels infidèles. »

Je dis « tu vois, » mais moi-même je ne décèle pas ce qui autour de moi ayant été sûr autrefois est devenu suspect : je suis là, Judith me parle, m'engueule et Jérémie de son lointain exil ne m'écrit pas. C'est donc qu'il pense à moi. La solitude ne m'entoure pas, elle est en dedans de moi-même, comme Montréal est en dehors de moi, vilipendée mais nécessaire autant qu'à un vieil homme impuissant sa jeune et fringante maîtresse. Le téléphone sonne je tends l'oreille, Judith parle à mi-voix comme s'il était important que je n'entende pas une conversation qu'elle me racontera tout à l'heure, ou dont elle remettra la relation jusqu'à demain peut-être pour que la nuit puisse lui apporter quelques mensongers commentaires.

Que ferais-je si Montréal n'était pas là, où du moins je puis m'engloutir et me perdre, objet peut-être foetus dans sa mère, sans yeux sans bouche et sans oreilles, parlant, voyant, écoutant, et pourtant ne manifestant pas d'autres menaces contre moi-même que ses lisses façades d'émail bleu, ses escaliers en tire-bouchon, son thermomètre sur l'édifice de la Hudson Bay qui monte ou qui descend, dont le sommet indique selon le temps, rouge la pluie, vert le vent, et blanc la neige, Saint-Joseph, la Vierge, Saint-Jean-Baptiste, sur la façade de Notre-Dame, mais laide statuaire et par là même réconfortant dans ce que j'ai en moi d'horriblement velléitaire, les coins que je connais, où je ne vais que seul pour n'en pas déranger l'atmosphère par l'intrusion d'une Judith ou d'un Jérémie toni-truant, la nostalgie agressive de certaines soirées d'hi-ver, à la fermeture d'Eaton ou de Morgan, quand la foule se retrouve dans la boue, glacée, transie d'un seul coup après la chaleur des bouches d'air, les gens désolés et tremblants, ou bien le contraire, la moiteur d'un soir d'été où les jeunes garçons vont la chemise flottant au vent, bras nus, tatouages à l'air, les cheveux collés sur leur front, suant et les filles en sandales, re-vêtues de Bermudas de toile légère, le parc Lafontaine, Jeanne-Mance, les petites rues dans l'est plus chaudes ou plus froides, c'est selon la saison, que les grandes avenues de l'ouest, les grosses femmes se balançant et les enfants jouant, criant, tandis que leur père boit une bière, le distributeur routier de la rue du Parc et de Pine Avenue, le rang de peupliers, les affiches multi-colores, Saint-Hubert Bar B-Q le meilleur en ville, bleu-orange-blanc, Esso sur son ovale scintillant, Wherever you go trust Texaco, le panneau peint mo-destement de Wilkinson The World's finest razor blade et White Rose sur fond pourpre deux fois en coin, le stade des Alouettes si près de l'appartement de Jérémie d'où l'on entend l'été, alors que les fenêtres sont ouvertes, toutes les foules hurler de huit heures à dix heures à l'apparition des majorettes empailletées et moi de même, enfin, je puis hurler et le ferai à ma manière, sans l'excuse d'un ballon ovale et les grands pieds écrasés de footballeurs ballerines: Judith, j'ai de la peine, je veux faire des pâtés de sable, j'ai besoin de me moucher, j'ai soif, j'ai faim, j'ai sommeil, donne-moi la main pour traverser, je suis un enfant mal fago-té dans un Disneyland pour adultes, l'autoroute des Laurentides m'effraie quand elle devient comme un serpent de feu drainant et irriguant l'américaine ville.

Judith est sur le ventre, allongée sur le lit et bâillant devant le récepteur téléphonique qui pend au bout du fil sans qu'elle s'en soucie occupée à parfaire une grimace angélique. Je dis: « Au moins raccroche le téléphone si tu as fini de parler.» Elle gigote, ga-zouille, ressemble à une Armande qu'elle parodierait sans obtenir plus qu'un succès d'estime. Judith dit: « Cet être adorable me prend dans ses bras et m'em-brasse il est vrai qu'il te salue aussi. Il vient à quatre heures il repartira à cinq pour une réunion plus ou moins indépendantiste.» Moi: « Au Tropicana.» Judith: « Ne sois pas insolent, non, sur la rue Panet, important me dit-il.» Moi: « Il n'aura pas le plaisir de me voir.» Judith: « Au contraire, il veut te parler». Elle pouffe s'époumonne. Judith: « Sans doute une affaire d'hommes.» Moi: « Il ne me verra pas.» Judith: « Je lui ai dit que si.» Moi: « Non.» Judith: « Si; c'est grave peut-être.» Moi: « Raison de plus; son fonctionnement m'est indifférent. » Elle se cale dans les coussins et arbore un câlin sourire. Judith : « Il faut que tu le voies, mon petit Jonathan, je t'en supplie; tu me raconteras tout après. » Moi : « Tu peux faire une grande croix dessus. » Judith : « Si tu acceptes je te lirai la lettre d'Anne que je viens de recevoir ce matin, c'est du genre joyeux, je t'assure. » Moi : « Ça m'étonnerait. » Judith : « Oui, oui, à s'en lécher les babines, elle a des ressources la petite. » Sans attendre ma réponse qui ne serait pas négative, m'évitant ainsi l'humiliation d'un oui, ou ne voulant pas prendre de risques, elle plonge la main dans son corsage, en retire d'entre ses deux seins le papier annoncé qu'elle déplie, replie en commençant cette fois par un coin, puis le roulant comme une énorme cigarette, mais creuse, dans laquelle elle souffle un petit air de trompette, accompagnant ses simagrées d'un clin d'oeil complice adressé au texte plus qu'à moi qui attends, bras ballants, qu'elle se décide, sachant que la hâter par une quelconque maïeutique ne fera que retarder l'instant qu'elle prépare comme s'il s'agissait de la révélation, elle donne une chiquenaude à l'objet qui roule sur le lit, je la vois s'abattre entre les oreillers pour se relever aussitôt ayant accouché d'une feuille couleur thé, pliée en quatre, tenue

d'un air dégoûté par deux doigts de princesse d'Angleterre peu contente d'avoir à manipuler son papier
de toilette souillé, elle gonfle sa poitrine pour tousser
fort, s'apprête dans une pose à me chanter la mort
d'Iseult de Wagner.

Lettre d'Anne à Judith marquée strictement confidentielle. « Ma chère Juju, ce voyage de noces dépasse toutes mes espérances. Je trouve en Jérémie non
seulement un mari, ce qui serait bien, mais aussi un
ami ce qui est mieux, excuse mon style publicitaire.
Je nourrissais, comment te le cacher à toi qui la première devais bien t'en douter, quelques inquiétudes
sur une alliance que je désapprouvais presque moi-
même et que j'avais prise à la fin, orgueilleuse que
j'étais, pour un pari. Douceur, quiétude, paix, mon
Jérémie n'est pas le vôtre. Ne sursaute pas; ce n'est
pas moi qui l'ai changé, ni personne, et moins encore
lui que quiconque. C'est lui qui m'a changée, je pense,
de telle sorte que je puis dire que Jérémie n'est pas
celui que je croyais être le vôtre. C'est sans doute
pour cela que tu n'es plus pour moi ce que tu étais et
pourquoi je t'écris. Je ne t'ai jamais détestée, non. Je
ne sais pas ce que c'est que la haine comme, d'ailleurs,
j'ignore tout sentiment violent. Je te voyais vivre une
vie qui m'était étrangère; Jérémie était complice, lui
comment le juger puisque déjà je l'aimais, c'est donc
toi que je jugeais. Assez mal, je dois dire. Bien entendu, je vivais dans un autre monde que le tien. Con-
formisme peut-être moins cependant que tu ne le crois
peut-être. Mon mariage avec Jérémie m'a valu de me
faire traiter de folle par toutes mes amies. J'épousais
un noceur et, comble d'horreur, je ne savais pas alors

que les noceurs font les bons maris. Maintenant tout s'éclaire. Rien n'est facile pour la néophyte que je suis mais je commence à voir sous la curieuse façade que vous présentiez à moi tout autre chose que des facéties. Charmant. Est-ce bien moi qui parle? Votre vie que je trouvais scandaleuse, j'en souris presque désormais. Jérémie m'a beaucoup parlé de toi. A toi qui es femme comme moi, je puis te le dire, notre voyage de noces se sera passé presque exclusivement à parler. Il employait des termes si étranges qu'au début j'ai été jalouse je te l'avoue. Par exemple, quand il parle de l'affection qu'il a pour toi, il dit « amour » ou « aimer ». Il t'aime pour ci, il t'aime pour ça. Malgré le « pour » j'ai été très longue à m'habituer au verbe aimer que je voulais inconsciemment qu'il me réserve sans doute comme s'il y avait une commune mesure entre toi et moi. Ma jalousie, pour t'en faire l'historique, a cessé subitement le jour où Jérémie, un peu agacé par des remarques déplaisantes que je faisais à ton endroit, m'a fait remarquer que l'important était que c'était moi, non pas toi ni quiconque, qu'il avait épousée. C'était simple mais encore fallait-il y penser. Et toi plus encore que moi dois le comprendre puisque tu sais, bien mieux que moi, que Jérémie agit toujours sans arrière pensée et que toute sa vie se discute après, et seulement après, l'acte fait. Pourquoi te le cacher, je ne t'aimais pas; pourquoi me le cacher, tu ne dois pas m'aimer. Il doit te sembler qu'il y a entre nous une certaine rivalité, un monopole sur Jérémie à conserver. Peut-être aussi me méprises-tu un peu. Je suis moins intelligente que toi, moins brillante, moins cultivée. Je le sais, je l'accepte provisoirement et ne demande qu'à changer. Je mens un peu quand je dis que « il doit te sembler ». Il y a en fait certainement une certaine rivalité que j'attribue à un manque de bonne volonté. Je suis prête de mon côté à faire le chemin nécessaire pour éviter dorénavant tout malentendu. Le problème se pose pour moi en termes simples : Jérémie t' « aime », il doit avoir de bonne raisons pour t' « aimer » même si parfois elles m'échappent, je puis donc moi aussi t' « aimer ». Je ne force pas d'ailleurs. Je te tends la main maladroitement mais je te la tends franchement, ce qui est préférable et je te demande de faire comme moi s'il y a lieu d'oublier le passé et de ne penser à notre ancienne mésentente que pour nous entendre mieux. Jamais Jérémie n'a soupçonné qu'il pût exister entre nous un sujet de discorde et moins encore il ne m'a jamais demandé, ou même suggéré à mot caché, de t'écrire la lettre présente. Je crois même qu'il serait furieux de savoir que je l'ai fait. Tu le connais. C'est un grand naïf dans le fond. Il croit que tout le monde s'aime ou que tout le monde doit s'aimer malgré ses airs de pourfendeur d'air. Cette qualité est ce qu'il y a de plus adorable en lui et c'est pour elle que, d'abord, je l'ai aimé : cette manière un peu bourrue de rassembler tout le monde dans son coeur. Tu es trop femme, donc trop sensible, pour ne pas comprendre qu'il vaut mieux bien nous entendre que de nous détester. Tu aimes trop Jérémie toi-même, tu as avec lui trop de souvenirs, et certains combien cruels, n'est-ce pas, pour le faire l'enjeu d'une lutte entre nous, à laquelle il ne pourrait que perdre et nous certainement pas gagner, ni d'un côté ni de l'autre. C'est pourquoi je te propose maintenant d'oublier cette lettre comme le reste, de nous recevoir lui et moi, quand nous rentrerons d'ici quelques jours peut-être, comme si rien ne s'était jamais passé et de faire en sorte que nous puissions profiter de notre compagnie mutuelle. Nous avons toutes les deux des traits de caractère tels que, par un échange confiant, toutes les deux nous pourrons certainement en profiter. Jérémie n'a écrit à personne durant le voyage. Ne lui en veux pas. Mais ni lui ni moi ne t'oublions. A mon retour je te raconterai tout cela en détail, comme on fait à sa plus vieille et plus intime amie. Ma chère Judith permets que je t'embrasse et prépare-toi à me recevoir comme une petite sœur qui aura bien besoin de tes conseils. Anne ».

Je dis : « C'est Anne qui devrait écrire des romans, moi je trouve sa lettre bien faite ». Judith dit : « Je déteste qu'on m'appelle Juju, d'ailleurs personne ne se l'est permis depuis ma pauvre mère ». Je dis : « Tu devrais être fort aise d'apprendre par la bouche d'Anne que Jérémie t'aime ». Elle dit : « Bien heureuse d'en être avertie mais ce n'est pas encore ça qui va me donner des cors aux fesses ». Je dis : « Et que pouvons-nous faire ». Judith : « L'aider ». Moi : « En quoi ». Elle : « A le sortir des pattes de cette mégère ». Moi : « Désolé, ne compte pas sur moi, pour une fois je ne joue pas, Jérémie se demerdera ». Judith : « Il ne sera pas dit que je me tiendrai coite devant une déclaration de guerre ». Moi : « Surtout si elle vient de toi». Elle dit: « Merci pour la merde ». Moi : « Tu ne vas pas recommencer ». Judith : « Ça me regarde ». Je dis : « Laisse-les en paix, tu ne vas pas encore recommencer ». Elle : « Tu étais moins délicat dans le temps d'Armande ».

Cependant que je sens, à partir d'une ligne médiane imaginaire, fine comme le fil d'une lame de rasoir Wilkinson, qui me scinde le corps en deux depuis le sommet de la tête jusqu'au trou du cul, une jambe, un bras de chaque côté, me voilà transformé en deux cotylédons sans qu'il soit besoin des scalpels d'Adélaïde; j'imagine assez bien que tout doit finir un moment, que nous étions trois et que nous serons deux, puis que je serai unique, qu'il ne faut pas se mêler de l'affaire quand sonnera l'heure de la fin des jeux, quand le temps de la récréation finie, il n'est plus de bon ton de chercher toute une nouvelle série de ruses de guerre, l'instant des gendarmes et des voleurs est bien passé, Mozart aussi, Bach, les bougies à la citronnelle, mon appendice esthétique est en train de se rabougrir et c'est bien qu'il en soit ainsi; mais de l'autre côté, par exemple, me dire « Jérémie est vraiment parti », pire encore « il n'a jamais été ici », comme nous le décrit la lettre d'Anne, c'était une image, un mythe, le voir ainsi ce n'était qu'égoïsme, est-il heureux, malheureux, les deux ensemble peut-être, c'est comme ça, j'en conviens, il a droit de vivre sa vie; ou bien, comme Judith, croire au contraire qu'entre nous rien ne sera jamais fini, et toujours dire quand il s'agit de nous « allons-y ».

Je vois Judith qui s'écroule, tandis que la lettre tombe à terre près du lit, elle se roule, frappe de ses poings l'oreiller, mord les draps et se relève avec une tête de chouette, les yeux grand ouverts dans une fausse crise d'hystérie, agitant les jambes, se cabrant comme un lapin malade dans son clapier, écumant presque. Elle dit : « Folle que je suis, folle que je suis, je viens d'acheter un nouveau disque de Brahms, il faut que tu l'entendes; c'est une pure merveille complètement ramollie et démente, tu vas voir; la sonate no 2, en mi bémol majeur, pour alto et piano, chose rarissime, opus 120, elle ne comporte que trois mouvements; c'est une longue mélodie chantante pleine de lyrisme et de douce extase, entrecoupée d'accents d'une virile rigueur; il n'y a pas beaucoup de notes dans le troisième mouvement mais le prolongement non exprimé est d'une fabuleuse richesse; tu en noteras la cinquième variation impétueuse et farouche, suivie d'une période d'accalmie qui s'élève curieusement vers une péroraison enjouée et exubérante. Tu vois que j'ai lu la pochette. Et puis dans ces instants de douleur, la musique de Brahms, nos états d'âme, nos paroles, ce sera comme à Bayreuth, au temps de Louis II » . Elle se lève, court au placard où elle dissimule sa discothèque, allume au passage l'appareil, revient comme sur un char triomphant, nouvelle Euterpe bondissant d'un coteau boisé sur lequel flotte une brume verte, pose l'hostie noire sur la langue de l'appareil, attend illuminée que le premier accord s'élève mais c'est la voix de Gérard Souzay qui susurre un lied de Fauré. Elle dit : «Ah! non! pas Fauré aujourd'hui, c'est encore ce crétin d'Adolphe qui s'est trompé de pochette » . Je dis : « L'opéra de Bayreuth, ce sera pour la semaine prochaine » . Elle dit : « Et maintenant tu vas me rendre ma lettre » . Je dis : « Quelle lettre » . Judith : « Je t'ai bien vu la ramasser;

je ne plaisante pas, tu vas me rendre immédiatement ma lettre » . Moi : « Je ne veux pas que tu en fasses un mauvais usage » . Elle : « Si tu veux dire par mauvais usage que je la montrerai à Jérémie le plus tôt possible, sois bien sûr que je le ferai » . Moi : « Non » . Judith : « Oui, je le ferai » . Je dis : « Victor disait » .

Ce n'est pas l'heure de le citer, je reçois un grand coup de tête dans le ventre, c'est Judith qui charge d'une peu féminine manière, je me retrouve subitement par terre face à face avec une harpie qui me donne un soufflet puis un autre et marmonne, dans un râle, quelque chose comme « la lettre, la lettre » , pas question de prendre cette attaque au sérieux, l'estomac n'a rien ou presque et les joues ne me chauffent guère, il suffit d'écarter l'assaillante fermement en prenant soin de ne pas l'envoyer valdinguer sur le mur d'un coup du revers du bras trop ferme, mais il faudrait avoir dix mains et porter des lunettes sous-marines pour éviter les griffes qui me labourent les paupières, et même toute une armure, l'assaut est multiforme, on dirait des frelons, des abeilles, tout un nid de serpents qui me harcèlent, je me roule par terre, à la façon d'un hérisson je rentre en dedans de mon corps, mes bras, mes jambes, ma tête, je fais le dos rond, je m'enroule autour de moi-même, plus stoïque pour recevoir des coups au bas de l'échine, sur les omoplates que dans le ventre ou sur la tête, je ris un peu ou plutôt je gargouille, un grand coup de pied que je reçois de plein fouet dans les fesses provoque une sorte de hoquet. Je dis : « Arrête, tu vas ameuter le quartier » . Elle dit : « La lettre la lettre la lettre » . Enhardie par mon immobilité, elle commence à me fouiller, je sens ses mains qui se glissent dans mes poches, qui hésitent, fouillent encore, s'attardent, s'étonnent de ne rien trouver, ressortent provoquant un chatouillement léger qui commence à m'exaspérer les nerfs, je me tortille pour me défendre, j'écarte une main, puis deux, mais alors les coups reprennent. Je dis : « Attention, je vais me fâcher ». Si nous nous battons pour de bon remporterai-je la palme, je suis déjà tout essoufflé, je cherche à me souvenir des films de guerre, ou bien alors de me remémorer comment l'on se bat dans un policier, un western, ou dans une fresque romaine, peut-être une phrase dite très sérieusement suffirait-elle à asseoir mon autorité, mais rien ne vient à mon secours issu de ma pauvre tête, je n'ai plus le choix : il faut que du premier coup j'étende Judith sur le plancher au moins pour dix secondes, le temps qu'il faut pour me sauver, je me tords, j'entame un zapatéado espagnol car Judith est en train de me chatouiller, retrouvant d'un seul coup l'usage de ses armes féminines, elle crie, elle hurle si fort qu'elle n'entend pas les grands coups que l'on frappe à la porte, les voilà mes sauveurs, je crie moi aussi comme un porcelet qu'on égorge, proférant quelques sons inarticulés propres à signaler que je suis en bien grand danger, bien que je tienne maintenant plus ou moins Judith à la gorge, la laissant se débattre et dire des insanités, on force la porte, on l'ouvre d'un grand coup de pied, cinq mains nous saisissent, je vois ravi penchés sur nous des sévères et beaux policiers dont l'un fume sans se presser, on nous remet debout et l'on nous époussette, tout à l'heure on va nous tancer. L'un dit : « Qu'est-ce que c'est que cette histoire ». L'autre dit : « On va vous amener au poste », le fumeur cherche des yeux désespérément un cendrier que je lui tends, dont il use avec timidité, ne sachant pas s'il faut ou non me remercier, j'arbore un air modeste débonnaire et, tout en le faisant, je m'excuse de devoir devant eux me reculotter. Judith dit : « Arrêtez-le, arrêtez-le, il tentait de m'assassiner ». Elle s'évanouit contre une braguette policière, juste le temps de sentir tous les muscles de l'homme se bander pour soutenir son corps qu'elle veut abandonné un court instant pour constater ce qu'il y a sous l'uniforme de serge et, ceci fait, elle se redresse exagérant à peine l'étonnement qu'est le sien de voir ici tant de gens rassemblés. Elle dit : « Ça va mieux maintenant, il vaut mieux que j'aille me coucher ». Elle vole au secrétaire pour inscrire son numéro de téléphone sur un tout petit morceau de papier glissé, avec accompagnement de sourire, dans la poche de son tuteur blond lui disant « pour le cas où vous auriez à m'appeler », j'apprécie cette belle scène mais ne la puis tout à fait endurer, je trouve en moi comme une nouvelle force, mon poing accourt jusqu'à l'oeil de Judith où il s'arrête, demain elle l'aura poché, je sors dignement, suivi par une noire escorte qui ne sait ce que je suis malade mental ou amant forcené d'une curieuse maîtresse, abandonnant Judith qui va devoir passer la journée à se mettre des compresses d'eau fraîche, ravie pourtant de s'être à l'avance vengée du coquard que je lui laisse, dont je jouis quand même bien assis sur la banquette arrière de la Chevrolet bleu foncé qui démarre en faisant sonner sa sirène pour me conduire, je suppose, dans une cellule au quartier général de leur secte, je ne dis mot, bien au chaud, coincé entre deux épaules et deux cuisses qui me serrent, je suis quiet, je suis à l'aise, bien encadré, sans plus de responsabilité, écoutant d'une oreille distraite mes pères de famille en train de me morigéner. Je dis : « De toute façon, tout à l'heure, elle va téléphoner ».

Tout fait foin, la prison comme le reste, je puis toujours inventer un mensonge inouï plus beau évidemment que la vérité même; au greffier qui m'interrogera, j'avouerai que je suis romancier, cela dit tout sera simple des rapports qui m'unissent à Judith et, affabulant largement, j'expliquerai tout cela qui nous conduit à des batailles en règle, je dirai qu'il arrive que nous nous servions parfois de fourchettes, que notre but est l'énucléation de l'adversaire, tout cela n'étant rien d'autre dans le fond qu'un comportement pré-sexuel particulier à la tribu dont je suis membre à part entière, j'arriverai à les éblouir, peut-être, sous un flot de détails emballant la plus rétive imagination, dupe moi-même et passant du bon temps entre ces murs de fer, l'égal, si je m'y mets, d'un de ces rois de la pègre que l'on traite avec considération, marchant à Bordeaux dans des couloirs clairs, protégé non pas par des gardiens vulgaires mais entouré de ma suite d'anges incandescents, des revolvers à la place des ailes, en habit de lumière, mais le carrosse qui me traîne ne sent que la sueur et les mégots tandis que la radio de bord diffuse sans s'arrêter des messages étranges, les accidents, les morts et les blessés, les incendies, les appels au secours, sais-tu où est Polo, la patrouille 115 entre en transes, tout Montréal est là comme dilué par le miracle des ondes dans les airs, faisant de la ville un fantôme, nous les seuls vivants à encore l'habiter et, me balançant sur une chaise, Victor me prévenant « tu vas tomber » , je tombe en effet ressentant un instant délicieux d'angoisse et de terreur, ma tête après ce long elliptique voyage cognant par terre, ma lèvre mordue dans l'incident, au point d'en faire jaillir le sang, moi étourdi non pas mal à l'aise mais serein au goût du sang qui coule, j'entends comme une voix de Dieu qui tonne « c'est bien fait » , toujours assis sur ma chaise, dos contre terre, les genoux en l'air, les pieds posés encore sur les barreaux, étonné d'être encore en vie, attribuant cette grâce à ce Dieu, à la voix de Tonnerre qui m'a prévenu tout en m'abandonnant à mon destin, pourquoi soudain se souvenir de cette histoire de libre arbitre de catéchisme, mais lui, ce Dieu, ayant dans sa bonté suprême et ridicule comme empêché que l'irréparable ne s'accomplisse, en somme responsable et irresponsable de ce que je fais, trouvant toujours sur la pente où je déboule une barrière pour me prévenir que là s'arrête ma liberté comme à Dachau les hauts miradors et les fils de fer barbelés; je regarde en coin mes policiers, ils ont tous un détail que je reconnais, un nez, un ongle, une ride, une pose, un clin d'oeil, une mèche de cheveux, comme si Victor, un beau jour, s'était ventilé dans le ciel et était retombé pièce à pièce sur d'autres anatomies jusqu'alors imparfaites qui sont eux et il ne m'étonnerait plus d'entendre venant d'eux encore la voix de Dieu « tu vas tomber » ; le miracle espéré opère, je me sens tout transporté dans une aise presque nouvelle, finie la peur et finie l'anxiété, désormais ma vie est réglée et sans avoir ni tué ni volé, c'est presque trop beau trop facile, Adolphe complote contre la reine d'Angleterre et c'est moi qui me fais arrêter, demain j'en remercierai Judith et lui demanderai de m'apporter du papier, des cigarettes, des oranges, je cultiverai l'amitié, pour me faire des amis, j'écrirai des nouvelles pornographiques que je lirai à haute voix et, bâtissant ma gloire post mortem de prison en prison, après cent ans faisant figure de nouvel Homère, plus secrètement j'inventerai ma divine comédie, mes sonnets de Pétrarque à Laure, ou plus modestement celui d'Arvers, mes études de psychologie sexuelle d'Havelock Ellis, ma peinture byzantine au couvent du mont Sinaï, ma poésie surréaliste et mes recettes de cuisine, je publierai ma revue mensuelle que j'appelerai « Esprit », je travaillerai pour l'avènement du communisme en psalmodiant mon «Creve-coeur » d'Aragon, j'écrirai mes relations des Jésuites et, plus encore dans le recueillement et la paix de ma cellule, je mourrai en Sibérie ou à Madrid, je me révolterai en Hongrie contre la Russie, au Vietnam contre les Etats-Unis, je serai mercenaire belge au Congo, Casque bleu en Floride, je militerai au sein d'organisations au titre de présidente de la Voix des Femmes, je ferai des discours sur la paix habitant d'un atoll situé dans le Pacifique, je ferai des discours sur la guerre en suçant la chair dure, fraîche, blanche et croquante des noix de coco, je serai de Bordeaux le prisonnier modèle, omniscient, idéal, représentant parangon de la culture occidentale chrétienne, peut-être le dernier, et si bien protégé depuis Byzance jusqu'à Bikini ayant pour emblème, non plus mes mésanges, mais sur une fesse Théodora Paléologue, sur l'autre Rita Hayworth, je ferai de la politique, je jouerai comme Pie XII la carte d'Hitler contre Staline bien qu'ils soient tous les deux moustachus, ceci rendant le choix douloureux, impossible, de la musique en récrivant « Aïda » vu sous l'angle de Nasser et de ses barrages électriques, de la peinture, sept apparitions de De Gaulle sur un ukulele, de la critique en appelant le directeur de la prison cher ami et Claudel, tout en nettoyant les tinettes j'investiguerai mes souvenirs pour y retrouver mes premiers vers, non pas ceux écrits sous la férule d'un maître vigilant pour la fête des mères, soufflés par lui, imités de Boileau, mais bien ce que je fis autrefois de plus personnel, caché déjà dans la cellule moite de mon lit, le drap couvrant ma tête, traçant à la lumière d'une lampe de poche les lignes qui décidèrent de ma vie

  Dans le jardin
  à la faveur d'un soir d'été languide
  je vois cachée dans les buissons
  de roses
  je vois une femme allongée
  du sexe de laquelle sortent des papillons
  à mon signe

surpris, traîné dans le bureau du père supérieur, moi debout devant la grande table d'acajou, lui calé par son postérieur sur un fauteuil de cuir, remuant un index menaçant, la feuille froissée où se trouve mon poème pudiquement tournée, moi comprenant brutalement le danger des littératures, d'autant plus exalté et devant paraître effronté, silencieux sous les récriminations qui me viennent, ne ressentant sincèrement nulle honte, je crois souriant, presque heureux au fond que mon premier essai me vaille une telle célébrité, lui me disant que la débauche me guette, m'assaillant de questions que je ne comprends pas, ne croyant pas à ma pureté qu'il ne dissocie pas du rêve poétique, exemple déjà parfait de l'écriture automatique, la femme venant de je ne sais où, les insectes irisés de la collection du collège par moi admirée, soigneusement naturalisés, les spécimens attrapés dans les champs, chloroformés et piqués par une épingle d'acier brun sur une planchette de liège, et lui terminant par un appel à l'amour de Marie, moi sortant qui me précipite à l'église, pleurant déjà devant l'autel, prenant à témoin la Vierge de n'être pas compris, émerveillé du trouble qui me tient, me promettant de récidiver en demandant à l'avance le pardon de ma faute ne pouvant l'éviter, sortant, presque rasséréné, portant mon destin dans mon ventre comme son enfant la jeune mère prête à l'aimer dès qu'il montrera, à l'orée de ses cuisses, un bout de pied ou le sommet coiffé d'un duvet blond de sa jeune tête, aimant même ses difformités, et de ma ville je ferai venir pour l'accrocher, cachant la fenêtre de ma cellule, cette photographie de l'ONF, Montréal saisie dans son aspect le plus reconnaissable à peine : une plage mate et noire, éclaboussée ici et là d'étoiles de lumière romantique, simples effets du temps de pose et de l'objectif, image prise la nuit du port près de l'horloge où, généralement, les bateaux russes venant chercher du blé accostent, l'appareil enregistreur tourné résolument vers la rive nord, au premier plan, juste avant les reflets dans l'eau, quelques rochers qui émergent comme des dos de tortues ou d'alligators menaçants d'une espèce de vase, puis allongés en cinémascope sans relief, troué ici et là de fenêtres où une lumière veille, la théorie hétéroclite des petites maisons qui bordent le fleuve, mais non point celle de Judith trop à gauche pour être dans le champ, les quatre grands buildings CIL, Ville-Marie, Banque de Commerce, Place Victoria profilant sa massive façade mauve.

Je sens un coude pointu qui me pèse sur les côtes, le long voyage est terminé juste en face de la préfecture de police et son portique troisième Reich. On dit : « Alors qu'est-ce qu'on fait ». Nous voici dans la plus profonde perplexité. Je dis : « Vous savez bien que j'ai voulu l'assassiner ». On dit : « C'est ta maîtresse ». Moi : « Ce qu'à Dieu ne plaise ». Eux : « Qu'est-ce qu'elle t'a fait ». Moi : « Elle m'emmerde ». Ils se regardent entre eux, prennent à témoin le ciel, heureux de s'amuser. On dit : « Ça te tente des petites vacances forcées ». Je sors de la voiture toujours dûment accompagné. On dit : « Ça va bien, file, on a ton nom, tâche de ne pas recommencer ». Je souris, remercie, je m'éloigne, dans mon dos leur regards et les rires que j'imagine me font un accompagnement gênant, j'avance les fesses serrées, le cou tendu, en dandinant des hanches comme une danseuse, je tourne au premier coin en disant in petto vive la liberté, elle est belle, oui, ma liberté, elle est belle, oui, ma liberté, elle est belle, oui, ma liberté.

Ou bien je sors du Stella vers onze heures, ayant vu la soubrette dire au dandy à l'avant-scène « Madame n'est pas là, elle s'est retirée dans ses appartements », trouvant le pluriel incroyablement chic; moi de même. Jérémie serait furieux de voir ses appartements où traîne, ici et là, sur un fauteuil, le canapé de repos, le stéréo, le salon, la chambre, l'entrée et la salle de bain, ma garde-robe entière, des chaussettes sèches mal lavées sur le calorifère, et la bibliothèque est bouleversée mais c'est ainsi que je suis à l'aise dans cet assemblage baroque où la vie n'est plus que désordre, organisé selon un nombre d'or qui est le mien, non pas comme les rues de Montréal qui vivent à angle droit selon la logique des urbanistes, leurs équations qui tombent juste, leurs alignements, je suis fait pour vivre à Lambaréné, ah! s'il n'y avait pas toujours un docteur Schweitzer; je vais et viens, incapable de m'arrêter, ni sur le lit, ni sur une chaise, j'évolue dans ces pieds carrés selon un itinéraire compliqué comme un animal sauvage dans son aire de chasse, me sentant bien ici l'espace d'une seconde, mais non, quelques signes secrets me forcent à me déplacer, recommençant dix fois le même manège dans la chambre, dans la cuisine où s'amoncelle la vaiselle, le salon de nouveau mais le tapis m'exaspère la plante des pieds, dès que je m'arrête le point de vue ne me satisfait guère, il y a toujours quelque chose devant mes yeux, à moins que je ne devine une présence derrière, c'est que je suis dans un endroit trop petit, trop luxueux, le moindre signe d'opulence me tourmente et je déteste la pauvreté, je me retrouve enfin lisant, assis sur le siège des toilettes parcourant des traités sommaires d'anthropologie de Levy-Strauss à Mead en passant par Hubert, ou bien les animaux fantastiques de Willy Ley qui me révèle l'existence de

la licorne, du Draco Colans de Java, du lepas anatife-
ra, du Mokéle-Mbêmbe, de l'abominable homme des
neiges, du grand inconnu des mers, du lézard dragon
d'Australie, du tatou, du varan, de l'okapi, de l'oiseau
Dodo, de l'Archelon Tschyros qui n'est d'autre qu'une
énorme tortue marine; faut-il croire que Willy Ley
pourrait rajouter à sa liste Jonathan : Montréalais, six
pieds de haut, exceptionnellement maigre, de moeurs
douteuses et rigoureusement terrestres, race en voie
de disparition qui mériterait l'invention de réserves;
mais tant pis : je me sens mieux parmi ces faux monstres, mes frères, qu'assis, mangeant un foie de veau,
parmi la clientèle de Murray's et, comme eux le firent
dans les mers de Chine, m'engloutir sans prévenir
jamais au fond de la mer, civilisation qui n'a sa place
ni sur la carte du tendre, ni sur celles de Marco-Polo,
je ne laisserai aucune descendance pour le grand
désespoir des savants allemands, spécialistes connus
pour ce genre de recherche, ou me retrouver plus simplement au Village de New York, traverser chaque
matin, à dix heures, Washington Square un plumeau
en paradisier dans les fesses, ou bien à Saint-Germain-
des-Prés, ou à Acapulco mais non pas sur le Zocalo, ni
sur les plages blanches, pour m'enfoncer sans retour
au-delà des palmiers, dans les terres, me tapir dans un
bungalow, pour connaissances des lézards verts, des
cucarachas, des araignées, ou pire un homme ou une
femme venus de loin, comme moi, un beau jour restés
comme moi, perdus là sans autre raison que la leur,
fossilisés avant le temps, comme moi, ignorer tout
hormis eux-mêmes, comme moi, ne voir ni le Hilton
ni le Il Présidente, comme moi, dresser des paresseux,

des ocelots, comme moi, manger des poissons, des crevettes pas comme moi car je les déteste. Ce serait bon. Comme je serai loin des ratés du Bistro, de l'Elysée, du Carmen, du Pam-Pam, de tous ceux qui se promènent à découvert entre la rue Sainte-Catherine et Sherbrooke, sur les rues de la Montagne et Mansfield, mangeant à la Crêpe bretonne ou, plus modestement, avalant un veau Marengo au Colibri, arborant une morgue que rien n'autorise sinon, parfois, une certaine grâce dans un visage ou une démarche, faux artiste; mais tout cela n'est rien pour moi qui le sais.

Victor disait : « Nous sommes une petite nation qui n'a pas de vraiment graves problèmes mais qui fait comme si; cela demande quand même du courage ». Or Adolphe fait précisément comme si, flottant dans sa peau, dans ses rêves, confondant tourments personnels et aspirations politiques, ne sachant de l'amour que les mots jamais dits, lus seulement dans les pages d'un livre, fondant ses théories nationalistes sur le drame algérien et se prenant, lui blanc, pour un nègre de l'Amérique, rangé pour l'heure en face des trois « J » qu'il imagine menant une vie incohérente, presque odieuse, alors que lui et ses amis s'emploient à refaire le monde, s'en voulant de s'y amuser, se disant, fort de ses vingt ans, que la vie est une chose sérieuse, qui vaut la peine d'être vécue pour un idéal ressenti au niveau de l'émotion, assez pur pour croire que tout peut changer, trop paresseux pour se réformer lui-même, séduisant anarchiste, dans le fond, plus que théoricien sombre, ayant des romantiques l'oeil charbonneux et l'agilité dans la course, croyant qu'il suffit de vingt ans pour s'opposer à l'argent, aux combines, convaincu dans ses intimités que le monde est noble, bon et qu'est proche une apocalypse où les méchants disparaîtront, son destin est de nous sauver lui, moi, Judith.

Nous marchons. Je dis : « La nuit est belle ». Il se tait, adorable d'abord dans sa complicité, il goûte naturellement la tendresse de cet instant où le monde, par certaines nuits et la convergence de sensations ordinairement différentes, devient quelque chose de lourd, dramatique et pourtant joli comme un songe, puis il se rétracte comme une anémone de mer, furieux de croire que, peut-être, j'ai raison. Il dit : Je finirai par croire que tu es un attentiste ». Moi : « Si tu veux, mais c'est si bon ». Lui : « Alors un inutile ». Moi : « Qui sait ». Lui : « Il faut te supprimer dans le fond ». Moi : « Facile à dire et qui s'en chargera ». Adolphe : « Toi-même ». Moi : « Peut-être ». Il dit : « Réveille-toi, réveille-toi ». Je dis : « Je le suis mais tu ne le vois pas ». Adolphe : « Les individualistes sont destinés à disparaître ». Moi : « Mais pas les solitaires ». Il dit : « Ce sont des mots ». Moi : « On a les bombes qu'on mérite ». Adolphe : « Moi, je suis contre la violence ». Je dis : « Autant aller te coucher; moi, je trouve que c'est une belle chose la violence ». Adolphe : « Pas pour les révolutionnaires ». Moi : « Pour qui ». Lui : « Pour des types comme toi ». Je dis : « La violence est une science exacte, c'est pour cela que tu ne l'aimes pas ». Lui : « Je me demande pourquoi je perds mon temps avec un type comme toi; tu es intelligent pourtant ». Je dis : « On a les bombes qu'on mérite ». Lui : « Tu ne sais dire que ça ». Moi :

« Je n'ai pas ton vocabulaire ». Adolphe qui hausse les épaules et moi qui sourit, coincés par le même sort entre le cinéma Amherst et le Kresge de l'est que sépare la rue Sainte-Catherine, l'amalgame grouillant des voitures ponctué de gros bus qui se faufilent en klaxonnant parfois seuls ou se suivent nez à cul comme des chenilles processionnaires encombrant la circulation comme avec un malin plaisir.

Les Amherst à la marquise ornée de guirlandes, d'ampoules électriques de couleur, qui s'allument et s'éteignent selon un rythme défini mais décalé par l'usure des contacts et maintenant incohérent, présente trois films : un « remake » de « l'Ange Bleu » sans l'adorable Marlène Dietrich et ses jambes de vingt pieds de long, « Pépés pour l'Orient » « Samson contre les pirates de la mer Rouge », plutôt ce cinéma endroit de rendez-vous, dans sa pénombre complice, pour les vieilles hétaïres qui sucent, durant la projection, des bâtonnets torses de réglisse noire ou rouge, peu sucrés, astringents, ainsi que le nécessitent leurs rides et quelques jeunes exaltés du sexe ou célibataires qui préfèrent encore la vieillesse d'une femme à pas de femme du tout, les genoux se touchant d'abord, puis un doigt posé là, tout comme par hasard, sur le côté externe de la cuisse, remuant d'abord légèrement, s'aventurant enfin dessous ou dessus avec délicatesse, si le membre ainsi titillé ne bouge pas tout va bien, puis la femme un regard en coin pour voir de qui il s'agit, intéressant ou non, jeune homme pauvre à accueillir, vieillard ou clochard à éliminer, la verdeur ayant seule le droit de cité ici même, puis, d'un seul coup, la main qui tombe tandis qu'on a l'image d'un dormeur à la face impassible, yeux fermés, culbuté en arrière sur le siège, remontant à partir du genou et par en dessous de la jupe large à dessein sur des chairs enrobées de cellulite, rencontrant les jarretières, bouts de métal sur caoutchouc, mais plus rarement la dentelle d'une culotte, arrivant enfin à l'autel en cet instant où Eddie Constantine ramasse un fameux coup de poing, les deux jambes alors s'écartent modérément tandis que les doigts féminins à leur tour palpent l'étoffe tendue du pantalon, lui dix-sept, elle cinquante ans, en reine termitière à l'abdomen proéminent et lui, minuscule roi léger comme l'air, s'imaginant, le film aidant et ses images libidineuses à force d'imagination, tout au moins la musique quand il ferme les yeux, continuer la scène d'amour de tous les jours qu'il pratique ardemment avec la voisine de seize ans dont la pudeur insiste pour qu'il ne lui caresse que le cou pas plus, la nuit tombée, sous l'escalier de la maison, ou qu'il l'embrasse sur la bouche, ni trop fort, ni trop longtemps, lèvres serrées sans que jamais s'entrechoquent les dents, le soir troué des soupirs qu'il pousse et de son petit rire à elle ne promettant rien de bon.

Nous sommes là voyeurs, au lieu dit entre les deux feux rouges, nous piétinons devant les flots de la circulation qui, venant dans un sens ou dans l'autre conjointement, ne coïncide jamais, de telle sorte que la chaussée encombrée nous est impraticable sans courir un trop grand risque, nous refusons pourtant de nous soumettre aux règlements, nous engageant, reculant, remontant vite sur le trottoir, quand un flanc d'émail nous presse de trop près, d'un petit bond de grenouille fait sur nos deux jambes d'avant arrière, déportés aussitôt par la foule qui se presse, elle sortant des magasins, mille chalands porteurs de colis qui nous battent les cuisses sans que nous n'y puissions rien, ou presque, sinon les insulter à voix basse, entre les dents, puis, notre souffle pris, enfin nous traversons d'un air fier mais à l'intérieur une sorte de colique au ventre et froid aux fesses, oppressés, attentifs à saisir l'instant où des chromes nous frôleront les mollets, courant enfin pour les derniers pas, nous nous retrouvons sains et saufs devant les vitrines ornées de fleurs en plastique de Kresge où nous entrons pour reprendre haleine, attrapés aussitôt, charmés par la musique douce qui sort d'on ne sait où pour enrober, sous leur rythme typique, un tel assemblage de bric à brac à dix cents. Je dis : « Quel antre de merveilles. » Je trifouille dans les sous-vêtements d'ou je tire et brandis une pièce de temps en temps tandis que je m'exclame, simulant la plus grande horreur, devant cette impudicité, Adolphe qui se bouche yeux et oreilles de rayon en rayon, reposés enfin nous sortons, j'ai dans la poche un slip qui me fera usage et Adolphe deux brosses à dents dont il offrira l'une d'entre elles en cadeau à Judith, les sortant de sa manche comme fait un prestidigitateur d'un lapin blanc. Adolphe dit : « Viens, viens »; j'aime bien qu'il insiste.

Mon hésitation dure un peu trop longtemps devant le péristyle néo-grec de bois blanc, du moins je ne l'aurai plus devant moi si j'entre et la répulsion qu'il provoque aura fui dans la nuit des temps; dès la porte quelques chuchotements me surprennent entremêlés de rires évanescents comme seuls savent avoir de très

jeunes hommes à l'époque où la voix de l'enfance presque soprano devient basse ou ténor selon qu'on est
petit ou grand, puis cette odeur de sueur d'un vestiaire
d'athlètes où je suis maintenant, n'en pouvant plus
sortir, Adolphe qui me tient de deux doigts solides
par le bout de la manche et me voilà, tant bien que
mal, tanguant près du drapeau anglais une jambe en
l'air, celui-ci étalé à terre dans le vestibule, rouge et
ses traînées blanches, tantôt tendu, tantôt plissé, déjà
sali par tant de pieds qui s'y sont frottés, si large cons-
tatons-le, que je ne puis l'enjamber même, tenu en
cette impasse, quasi forcé de franchir cette zone pour
entrer y essuyant fatalement l'envers de ses souliers,
je demande à Adolphe de me porter, il hausse les
épaules et me rit à la face devant ce qu'il appelle ma
pusillanimité à ne vouloir pas ainsi souiller ce qui
n'est, après tout, qu'un symbole, lui va et vient par
là dessus sans cesser de me faire des signes pour m'en-
courager, sautant un peu, traînant les pieds qui laissent d'abord, puis ne laissent plus, de nouvelles mar-
ques imprimées, lui qui regrette tout au haut de n'avoir
pas préalablement marché dans une crotte, moi qui
me tient tout près, ne me décidant pas à franchir ce
gué qui me sépare d'une salle violemment éclairée que
je distingue à travers l'entrebâillement d'une porte,
tendant mon pied, le retirant, exagérant un peu mes
atermoiements pour la faire mieux passer, ainsi outrés
aux yeux de tous ces gens qui me fixent. Je dis : « Le
faut-il. » Adolphe : « Il le faut. » Moi : « Contre mon
gré. » Adolphe : « Décide-toi, on va finir par nous remarquer. » Or le premier pas fait qu'importe désormais le reste, Adolphe crache, je l'imite mais ne sa-

chant pas la technique pour obtenir, comme le sien, un crachat sophistiqué en forme de jolie boule ovale et irisée ma salive se répandant en cône de gouttelette dont mon pantalon reçoit une bonne partie, j'apprendrai, il suffit de persévérer; nous voilà dans cette salle de boxe, le ring dans le fond devant lequel attendent quelques rangées de chaises mal alignées, la journée on reçoit ici des lutteurs dont les photographies sont sur le mur punaisées, les sujets dans une pose avantageuse, le menton contre la poitrine, poings gantés en avant, sans correction de parallaxe, comme trouant le cadre de deux jurons presque sonorisés, les genoux légèrement pliés, il fait chaud, je m'éponge, je serre quelques mains, montre les dents pour répondre aux sourires accueillant l'impétrant que je suis dans une aussi mystique assemblée faite de bruits confus, de conversations qui s'amorcent, se résorbent, de mouvements de masse auxquels je demeure étranger, immobile que je suis dans mon coin, buvant par timidité un verre de vin distrait d'un plateau en acier déchromé. Je dis : « J'étouffe ici. » Adolphe : « Je t'en supplie ne prends pas cet air dégoûté. » Je dis : « Je ne suis pas dégoûté, intrigué, pas dégoûté. » Adolphe : « Si tu te voyais; on dirait que tu regardes un tas de merde. » Moi : « C'est ce que vous êtes. » Adolphe : « Oui, tant que nous ne serons pas assez nombreux. » Moi : « De quoi te plains-tu, tu sais bien qu'il n'y a que les minorités qui m'intéressent. » Adolphe : « Alors, profites-en, parce que ça ne va pas durer. » Cela dit, me surprenant à déambuler, pris au jeu, je vais et viens accompagné de mon mentor, trouvant mon plaisir à écouter Adolphe annonçant mon métier d'écrivain, je reçois l'encens qu'on me dispense, c'est dit, promis, juré, je mettrai ma plume au service de qui le demande, j'écrirai des hymnes et on gravera mes sentences dans la pierre des monuments à la gloire des nouvelles journées d'octobre, de novembre, de décembre, de janvier, ou je lancerai une revue clandestine où l'on trouvera force slogans artistiques dans le genre Guernica ou le cuirassé Potemkine, j'y décrirai le bilan d'un combat, j'y ferai mon autocritique, j'y forgerai des armes idéologiques, j'y publierai des poèmes sur la colonisation, j'inventerai pour ma maîtresse le surnom de Simone Weil en l'envoyant travailler en usine pour assurer la subsistance de mes vieux ans, je m'y saoulerai de laïcisme et d'insultes scatologiques contre Gilles Marcotte, Alain Pontaut et Ethier-Blais, j'inonderai de mes eaux personnelles le nouveau réactionnaire roman défendant Lukacs, Berque, la nouvelle école prolétarienne issue, en droite ligne, du conservatoire de musique et du ministère de l'éducation, tout cela entouré de ma fidèle chapelle de fléaux à lunettes, plus rachitiques que moi, d'autant plus vierges et malveillants par le truchement de leurs théories en flanelle de caleçon, j'inventerai la création mixte des boxeurs à pieds plats de la révolution québécoise et universelle de la rue Panet et d'une suite de Wagner ou d'Elisabeth d'Angleterre, lors d'une conjecture cérémoniale de la pleine lune avec la galaxie Andromède, mes espions fouetteront les derrières incrédules de la foule avec une poignée d'orties, n'oubliant pas surtout de faire baptiser mes enfants de la révolution et d'émarger dès que possible aux divers organismes gouvernementaux d'aide aux artistes. Adolphe dit : « Ce n'est peut-être pas très relevé ici mais, rassure-toi, nous avons besoin aussi d'intellectuels. » Je dis : « Mieux vaut un muscle qui marche qu'un intellectuel silencieux. » Lui : « Qui t'empêche de parler. » Moi : « De ne pas savoir quoi dire. » Adolphe : « Essaie un peu. » Moi : « Peut-être. » Adolphe : « Ecoute, chacun son rôle, les muscles on en a trop, il nous faut des têtes. » Moi : « Chacun son rôle, quel est le tien. » Adolphe : « Moi je recrute les homosexuels. » Moi : « Tu ne peux pas dire les tapettes. » Adolphe : « N'oublie pas que tu parles d'un capital politique. » Moi : « Du succès. » Adolphe : « Du tout cuit, les minorités sexuelles. » Moi : « Merci pour eux. » Adolphe : « Je dis surtout ça pour les écrivains. » Moi : « Permets aux écrivains, dont je ne suis pas, de te dire merde. » Adolphe : « Ce mot dans ta bouche ne m'étonne guère, toute révolution commence par la récupération des déchets. » Je dis : « Si tu me prends par la corde romantique. » Lui : « Ecoute, il ne faut pas exagérer, il y a quand même parmi nous des gens bien. » Moi : « C'est précisément cela qui m'inquiète. » Adolphe : « Tu n'es pas drôle. » Moi : « C'est sérieux, même révolutionnaire je n'aime pas les bons sentiments, mon travail d'écrivain c'est de dire le contraire. » Lui : « Même quand tu sais que tu n'as pas raison. » Moi : « Surtout quand je sais que je n'ai pas raison, cela prouve que je l'aurai demain. » Lui : « Si tu gagnes. » Moi : « On ne perd jamais à prévoir d'aller trop loin. » Adolphe : « Dis-leur ça, je te garantis que tu vas faire sensation. » Victor disait : « A force de recevoir des coups de pieds au cul, on a mal aux fesses. » Redécouvrant à mon tour cette loi naturelle, je me dis que la révolution ne peut se faire sans révolutionnaires et que moi, ma révolution, je la ferai benoîtement et sans montrer l'oreille.

Bien au froid, un hot-dog et un verre de bière devant moi à l'écritoire, la lampe à abat-jour de tôle noire, au-dessus de moi ce petit tableau de Maltais que Jérémie, aidé de Judith et d'Armande, baptisa autrefois « Une Barbare en Grèce » en ce qu'il rappelle par ses grandes plages blanches le sommet de l'Olympe et ses neiges éternelles, par la faille ocre qui le traverse l'habitat de roc de la Pythie, le vernis l'émail dont on recouvrait les amphores archaïques, les cratères, les cruches, les légythes, les coupes et les vases, les hydries athéniennes; ma solitude, eh ! non, n'a pas besoin de l'excuse d'un drapeau, que l'on déploie ou que l'on souille, me suffisent les rideaux de coton blanc soulevés par les courants d'air comme des voiles et, somme toute, pour l'heure m'en trouvant bien, mais coi comme une confiture en son verre.

J'écris : « Monsieur le maire, j'apprends que vous n'avez pas eu votre tour de mille pieds que les Français et vous, vous vous proposiez d'ériger dans le cadre de l'exposition mondiale de 1967. C'est bien fait; Montréal ne mérite pas ce phallus exceptionnel. Depuis que vous régnez sur la métropole du septentrion, vous l'avez soigneusement castrée. Pire encore, vous en avez fait une ville femelle, fendue en son milieu par le vagin immonde du Saint-Laurent. » Je signe : votre bien dévoué Jonathan.

Je rêve un peu, puis vais à la fenêtre pour confier aux courants aériens ce message à mon seul lecteur inconnu qui lira, et appréciera peut-être, cette expression de mon talent; admirons de concert la petite feuille pliée en quatre qui vole, glisse, se pose, repart de révolution en révolution, pour finir dans le caniveau juste en face de la maison; la quittant des yeux, qu'elle assume son propre sort, je frissonne, je remarque pour la première fois un grand acacia juste en face de moi et séparé de lui par des fenêtres à fronton classique, un platane feuillu, des branches duquel pendent des grappes de ces choses que nous appelions pince-nez quand nous étions enfants, que nous ramassions à terre à l'automne, dont nous ouvrions le bout précautionneusement d'un coup d'ongle, que nous collions sur notre nez, grâce à l'effet d'une glu naturelle, la tête en l'air, recourbés de telle manière que nous portions comme des petites cornes vertes de rhinocéros.

Et comment faire dans ce pays qui geint, au milieu de ses ports et de ses mers, Halifax, Vancouver, l'Atlantique, le Pacifique (ces deux derniers au passé fabuleux), le Canada entier soudé par les nappes liquides aux Orients, de l'est et de l'ouest, la Grèce, la Turquie, l'Arabie Séoudite, la route de Damas, les champs de roses de Bagdad et ses tapis volants, de l'autre côté le Japon, ses cerisiers en fleurs, ses appareils photographiques, j'ajoute par surcroît en direction du nord, le plus beau et le plus pâle orient, celui du pôle et ses gemmes de glace, pour trouver quelque chose à écrire qui vaille mieux que les us et moeurs des tribus Algonquines ou le comportement psychologique des cow-boys de Calgary, Alberta, sur leurs pégases mécaniques, et pourtant cela ne vient pas autrement que sous la forme, quand même trop facile, de petits poèmes hermétiques ou de conversations en prose d'apparence presque trop anodine dont les secrets sont bien cachés, le grand Manitou sait cela. Mais le roman, le roman, le roman.

La vie continue, s'organisant parfois, grâce à l'appartement de Jérémie, en l'espèce de dîners intimes pour lesquels je reçois en compagnie de Judith, devenue pour cette occasion une fausse maîtresse d'autant plus aguichante par ce fait et je suppose, la voyant se donner au jeu, qu'elle pourrait devenir vraie sans perdre de mon estime, soit qu'elle me pince le gras du bras, me passe la main dans les cheveux, faisant du charme à qui de droit dès que j'ai le dos tourné, surajoutant ainsi le détail qui fait juste à la véracité des réactions d'un vieux ménage tourmenté, moi je m'attarde alors dans la cuisine selon l'image que j'ai d'un super-sacher Masoch domestique, elle ayant échangé, depuis qu'elle est avec Adolphe, les salons contre le Saint-John, y trouvant grâce à mes relations de cérébrales compensations à fréquenter non plus des voyous mais de mes collègues rencontrés au hasard de conférences de presse, par la même occasion rendant l'être adorable jaloux ou ne l'invitant guère à ces petites réceptions où nous mangeons du concombre en gelée, des cubes de poulet à la cannelle dont Judith est l'auteur, sur mon instigation. Or, qui sait, une femme bien prise sert toujours quand on veut placer un roman et si on n'est pas prude; demain, quand il sera écrit et fin prêt couché sur du papier pelure, qui peut dire de qui j'aurai à me servir, outre moi, tout compte fait; c'est pourquoi nos conversations peuvent aussi bien rouler sur ce sujet apparemment futile aujourd'hui mais demain important si j'en juge par ce qu'apporte la réussite. Je dis : « Si je te le demandais, coucherais-tu avec un type qui pourrait être utile à ma carrière. » Elle : « Ça dépend s'il est beau. » Moi : « S'il est laid. » Elle : « Tu sais bien que je suis une bonne fille. » Moi : « Ce n'est pas une réponse. » Judith dit : « Ta question est grotesque. » Moi : « Non. » Elle : « Comme si une femme pouvait décider de telles choses à l'avance. » Moi : « Je ne le dirai à personne. » Elle : « Je te connais, tu t'en feras une gloire. » Moi : « Alors, fera, fera pas, au niveau de l'idée, ça n'a pas beaucoup d'importance. » Elle dit : « Dans le fond si ça t'arrangeait, après tout tu es un ami d'enfance; ah ! s'il n'y avait pas Adolphe. »

Ou bien, au Bistrot où, parfois, nous nous rencontrons, qui se trouve être par sa décoration, comptoir en laiton et table de marbre, un petit Paris d'opérette comme dans « Irma la Douce » hollywoodien où l'on voit des agents de police déguisés en danseuses avec leurs pèlerines à godets sur les épaules et toutes les femmes sont des putains, leur position couchée justifiant le cinémascope; cela est sympathique quand même et, du moins, les garçons 1900, à moustaches en croc, les cheveux séparés par une raie au milieu de la tête, le petit doigt rococo crochetant les boutons de braguettes françaises à boutons et non pas, comme ici, à fermeture-éclair, permettent un petit rêve de dépaysement; je bois un verre de vin rouge, au comptoir accoudé nonchalamment, ou bien, assis à une table sur la banquette de moleskine qui colle aux fesses dès qu'il fait chaud et que la sueur coule, je bavarde et observe tous ces gens devant les affiches la place de Concorde nuitamment, un plateau de fromages à la main et vous, jolie madame, profiteuse de mes agapes, je vous convie à franchir l'Atlantique d'un bond de l'imagination, faute de mieux, Montréal-Paris sans étape par le Yul 871, et moi-même, à votre service, lorgnant votre petite coiffure de garçon, je cligne de l'oeil pour magnifier encore l'illusion dansante, je vous signale Jérémie et Anne, en amoureux du siècle, qui font leur promenade sur le Cours-la-Reine, rue des Martyrs, avenue Foch dans le 16e arrondissement, admirez donc, sous ma férule savante les marronniers en fleurs, le petit Proust et sa maman; mais vous disparaissez dans une voiture sport, plus de rêves, c'est pour de bon, je reste car je suis là chez moi pour quelque temps encore, avec les peintres sans galerie, les comédiens sans théâtre, les chanteurs sans variétés, moi sans livre; où est-il l'éditeur, Judith pour l'instant n'a rien à craindre ni de lui ni de moi, du moins je me tiens dans mon coin avec mes verres, je ne pratique pas le jeu des jeunes bourgeoises à séduire qui se croient, dans cet endroit lugubre, au sommet de la pyramide artistique d'où sortiront, jeunes pharaons aux livres d'encre, les Mathieu, les Miller, les Hitchcock; or ce n'est qu'une mare, il faut descendre trois marches pour aboutir dans cette cave, les garçons qui crient « Un vin rouge, un » ou «Deux martinis, deux », le seul plaisir véritable est ici d'écouter tous les commérages qui se colportent de table en table, les secrets qui y naissent, les cercles pour initiés qui préparent, sur les nappes de papier, des projets fabuleux de longs métrages, les sculpteurs et leur intégration de l'art, cela m'amuse, puis me tue de les voir jouer avec ces beaux ballons crevés, c'est là pourtant où Jérémie, dans son jeune âge, faisait montre partiellement de sa beauté, le tout un peu plus tard dans un motel près de Dorval, là aussi où Judith jouait, riche comme elle est, les étudiantes fauchées pour se faire plaindre et ramasser par des athlètes qui payaient, n'hésitant pas à dépenser pour sa moue l'argent de la semaine, elle l'acceptant comme un hommage dû à sa jeunesse et sa vénusté, quitte le lendemain à rembourser les donateurs embarrassés en cadeaux somptueux, inutiles, d'autant plus estimables; mais, toutefois, cela peut se confondre enfin à un sort admirable et, si Judith et Jérémie ne sont rien que des ânes, Victor à mon souvenir fut ici, quand il peignait des toiles figuratives, soit des madones, soit des natures mortes aux crabes, rêvant de s'essayer au nu n'osant pas louer les services d'un modèle, préférant dire qu'il n'avait pas le temps, or cela raconté par bribes au milieu de ses éclats de rire. Il disait : « Dire que je fais peut-être de la peinture abstraite parce qu'à vingt ans je ne pouvais imaginer une bonne femme nue devant moi sans décharger dans mes pantalons et comme je n'en avais qu'une paire. » J'imagine assez bien les grands nus s'ils avaient existé de Victor au musée et le pantalon raide dans la collection privée de Lady Eaton ou de feu Helena Rubinstein. Un sur trois, ça n'est quand même pas mal, quant au quatrième que je suis.

Victor reviendra peut-être : ce sera à mon tour de lui raconter ce que de toute sa personnalité j'ai pu haïr, durant nos vacances d'été passées en sa compagnie, et combien de fois j'ai eu envie de l'assassiner avec l'arc et les flèches qu'il nous avait confectionnés, cela pour la peur innocente qu'en face de lui je ressentais faute de pouvoir exprimer, j'en serais mort de honte, tout ce qu'en moi il suscitait d'amitié mélangée d'amour, la jalousie ombrageuse que je ressentais quand, tout naturellement, il délaissait le personnage noiraud et pincé que j'étais au profit des roses et bleus de Judith et Jérémie, tous trois faisant dans la nuit le loup harmonieux ensemble « ouououou », moi seul n'osant crier de peur que ma voix éraillée ne les fasse se taire et eux me regarder d'un air consterné. Victor disait : « Jonathan décidément est saugrenu. »

Jérémie reviendra peut-être : je lui dirai en do-mi-sol, pour qu'il se souvienne lui aussi du loup harmonieux, qu'il peut bien aller se faire foutre par tous les Indiens d'Amérique, je citerai Anastasie et qu'il n'éclate pas de rire au souvenir de sa célèbre charité à laquelle je dois ma première maîtresse ici-même rencontrée alors qu'elle buvait du thé, happée d'abord par Jérémie puis par Judith et dans mes bras catapultée, moitié poussée par toute la famille jusqu'à l'hôtel, je dis « non », je fais oui jusqu'au geste fatal de me déshabiller, elle de se précipiter, moi faisant vite les gestes qu'un chien sait faire avant de vite me rhabiller, puis devant la porte, juste avant le dernier baiser « C'est ton copain qui me plaisait mais il m'a dit que tu étais puceau, alors pour te rendre service », et devant mon air étonné : « C'est vrai que tu es laid mais tu es très gentil », de là date mon premier crime : la femme qu'on a dernièrement retrouvée dans une malle, gare centrale, mon pénis en fait de pendentif, mes testicules pour boucles d'oreilles, bien malin qui saura me retrouver.

Tout cela pourquoi le ressusciter sinon dans le but d'exprimer le concert d'une hargne et de ma vulnérabilité susceptible; du moins, ici pas de danger les cités sont des anges pour qui sait se blottir sous leurs plumes, je vous bâtirai une ville avec des chiffons moi, amoureux de ce que je fais et comme un gant le connaissant jusqu'au bout des doigts, se levant à mon signe les forêts de pierres et cette mer humaine, non plus comme autrefois courant, hurlant de vitrine en vitrine, en chrysalide pressée que le cocon explose, mais avec lenteur calculée, comme défile la garde anglaise, pas à pas, frôlant le sol, ou bien me prenant pour Rousseau, herborisant les rues, en promeneur solitaire, retrouvant tous les noms, les endroits, à chacun nos devoirs et leurs privilèges, comme un itinéraire secret, placide, immobile, permanent, consolant par là presque : le passage aérien qui relie l'hôpital général à la faculté de médecine de McGill section obstétrique et son allure vénitienne de Pont des Soupirs, le château d'eau de la rue McGregor, sa grande pelouse recouvre les réservoirs, sa façade néo-gothique par les fenêtres desquelles, été comme hiver, filtre le bruit régulier des énormes machines, imaginées chaque fois que je passe devant comme un organe monstrueux pompant l'eau de la ville comme mon coeur pompe mon sang, le petit escalier de bois dont l'issue se cache sous les branches, emprunté si souvent au terme d'une promenade pour rentrer chez moi, ces quelques marches dégringolées résonnant sous mes pas comme sous l'ongle fait une guitare, me conduisant en plein centre du campus de McGill ou bien, accoudé au mitan de sa rampe, je regarde à travers les feuilles qui bougent, cachant tantôt une tête, tantôt en découvrant une autre plus jolie encore sous des cheveux blonds un peu fous comme devait les avoir Mary Pickford au temps de sa jeunesse, les étudiants et les étudiantes du cours du soir suivre attentivement, un peu fatigués, la main supportant le front las, le coude sur le pupitre de bois noir, la leçon, derrière moi les grandes maisons des riches familles montréalaises d'autrefois, le corps principal parfois flanqué d'un jardin d'hiver et maintenant consulat, ambassade, avant que ne les remplacent les immeubles de vingt étages suspendus sur le contrefort de la montagne, devant eux plus de serres mais des plantes en pot rentrées l'hiver, sorties dès le printemps, s'étiolant tout l'été dans les vapeurs des gaz d'automobiles.

Je dis : « Il paraît que tu as quelque chose à me dire. » Adolphe : « Pas du tout. » Moi : « C'est pourtant ce que m'a dit Judith. » Adolphe : « Il lui arrive de dire n'importe quoi. » Moi : « Raison de plus pour le faire. » Puis, tandis que nous descendons la rue de la Montagne en discutant pour remonter par la rue Sainte-Catherine jusqu'à la rue Stanley où le Pam-Pam nous attend, je conçois que les phrases d'Adolphe n'arrivent pas jusqu'à moi, mes réponses mêmes sont de ces phrases automatiques sans intérêt, dites pour meubler une conversation allusive à base de « tiens », de « voilà », de « tu ne crois pas », de « moi je te dis »,

de « hein hein », des membres grammaticaux en caoutchouc qui n'en finissent pas, repris, triturés, des cris
sourds presque muets, des plaintes mais pas une parole humaine au débit mesuré, enfin compris plutôt
par les grimaces de la bouche et les gestes.

Mais Montréal comme ça, je l'ai déjà vue quelque
part, Adolphe, Judith, Jérémie, Anne, Adélaïde, moi-
même aussi, peut-être dans un livre au titre retenu et
vaguement l'histoire, mais dont les personnages ont
complètement disparu, laissant à leur place mes histoires à moi que je connais et qui me plaisent, ou bien,
comme dans un tableau de maître, Rembrandt ou
Delacroix, ces grandes compositions où les personnages s'accumulent, s'entremêlent de telle sorte qu'on
ne les voit pas comme des individualités mais en bloc,
ils disparaissent dans le nombre mais, si on les regarde
bien, on découvre par quatre fois Rembrandt lui-même en nain, en soldat, en femme, en fantôme, ou Delacroix en miniature dans la narine d'un cheval; au fond
aucun de nous ne parle, il faut voir les trois « J » et
les trois « A » au musée dans ce cadre doré qui serait
la robe d'Armande, ce n'est pas exactement ça, ou bien
notre vie pourrait être une oeuvre peu connue de musique de chambre, de telle espèce que les dames de
« Pro Musica » mourraient en l'entendant d'effroi et
criant au genre barbare : le premier mouvement, alle-
gro ma non troppo comme les fait si bien Mozart
annonçant dès l'aurore de son oeuvre le corbillard du
pauvre Franc-Maçon, le second, lento quelque peu
funéraire, de grands accords plaqués des sourdines
et parfois pour contraster sur le grave une appoggia-
ture ou un trille à la flûte de Pan en la, reprise en

majeur comme dans Brahms, le troisième scherzo, dont les couleurs seraient à la hongroise, le dernier, la neuvième symphonie entrecoupée de quelques notes de Mahler, d'une phrase de Wolf chantée par un Fischer-Dieskau dément à force de vouloir placer son roucoulement entre le tragique et le tendre; or tout cela en même temps, je me perds ardemment parmi les thèmes qui s'annoncent, s'accumulent, se résorbent, montrent leur tête encore pour disparaître dans un sanglot de poche, s'essaient, explosent, explorent, crient à l'aide vers les autres instruments, la note, selon l'humeur, grave ou gaie mais sortant toujours d'un piano réduit au sol mineur et, pour compléter la cacophonie, dans la pièce à côté un orchestre musette serinant les tableaux d'une exposition, l'oreille la plus désincarnée peut bien douter de son intelligence devant un Montréal ainsi enregistré. Victor disait : « Il ne faut pas vivre à Pékin comme à Pékin. » C'est d'une sorte de sagesse que je ne saisis pas très bien encore, voulant au contraire me couler dans un ordre; cela veut dire, platement, qu'il ne faut pas vivre avec moi-même comme avec moi-même, autrement énoncé : partir et rester, être prisonnier, s'évader, se construire comme un monde linéaire et oblique, non pas s'élancer tout droit comme une fusée du cap Canaveral vers la lune mais, au contraire, s'attarder, biaiser, monter sûrement quand même, finir de toute façon dans un espoir d'éternité, satellite nouveau que je suis à cheval sur la tranche d'un livre, sorcière sur mon balai, différent mais accroché, dépendant de ma terre à laquelle je n'échapperai jamais, fût-ce en jet, tout à fait sinon au risque de me perdre et éclater quelque part dans l'éther, vaisseau fou toujours aussi éloigné des étoiles.

Ce n'est pas tout, je citerai ces gens qui font que ma vie est ma vie, non seulement les plus intimes mais aussi la concierge de Jérémie, grosse femme à cancer brûlé par la bombe à cobalt et renaissant comme le Phénix de ses cendres, le vendeur de chez Eaton m'assurant que je dois porter du quinze d'encolure alors que je sais fort bien que c'est du quinze et demi mais me laissant faire, impressionné par son autorité, et, par là même, consentant d'étouffer, les collègues au bureau, le conducteur d'autobus, l'épicier, le coiffeur, les inconnus d'hier et de demain, tous participants involontaires à ce grand mouvement présent, par un geste d'eux gravé dans ma mémoire que je retrouverai, le même, avec exactitude dans dix ou dans vingt ans; la mémoire est une horrible chose mais parfois amusante : une femme glissant dans la boue glacée, s'étendant de tout son long au sortir de Murray's, la foule au lieu d'aller la secourir, moi de même, riant, un speaker de la radio ou de la télévision annonçant une marque de savon, dont la voix est si longtemps la même que je ne m'aperçois de son remplacement, tous ceux enfin que je n'ai pas encore vus, que je verrais peut-être si je regarde bien, dont je puis attendre quelque chose, outre la surprise charmante, me mettant dans des aises ou des angoisses nouvelles, oubliant l'habitude d'un comportement ou, devant enrichir le portrait, à faire, de Judith, de Jérémie dont la complexité apparente me paraît d'une simplicité, d'un ennui dérisoire tant j'ai entendu l'air de leur chanson et allant provoquer par d'habiles manèges un renouveau de ce qu'ils sont, eux-mêmes étrangers aux modifications, dans mon futur livre se retrouvant à peine sous le couvert d'être très vulgaires et très sophistiqués, comme certain tableau de Matisse où je vis, trouvant cela affreux à vingt ans, une femme allongée parmi des bouquets de fleurs mais proférant, dans une telle grâce alanguie, le juron de ses cheveux verts.

Je dis : « Parle-moi de mon père. » L'être adorable d'abord me regarde étonné, ne répond pas, portant en lui tout le poids de sa mastication laborieuse, comme une reine craignant de s'empoisonner, triant de la langue et des dents de son goulasch les parcelles de viande et les fibres graisseuses, parler avec lui signifie d'avoir pour réponse à sa question une question. Lui : « Qu'est-ce qu'il y a mon père. » Je dis : « De Judith quoi. » Lui : « Que veux-tu que je t'en dise. » Moi : « N'importe quoi. » Adolphe : « Tu trouves que c'est facile. » Je dis : « Jouons au jeu de la vérité, interdit de mentir toi et moi. » Adolphe : « Je mentirais quand même. » Moi : « Moi aussi, ça n'a pas d'importance la vérité, c'est une phrase. » Il dit : « Est-ce que tu vas continuer longtemps comme ça, connais-tu la papesse Jeanne. » Moi : « Un peu, et toi. » Lui : « Tu es un peu comme la papesse Jeanne, un pape sans en avoir le sexe. » Moi : « Comprends pas. » Lui : « Tu es ambigu, quoi. » Je dis : « Ah. » Lui : « Alors, as-tu quelque chose à me dire, un message. » Moi : « Puis-je être impertinent. » Lui : « Tu n'es que ça, ambigu et impertinent. » Moi : « Comme un dieu asiatique, ce n'est pas mal. » Lui : « Ne te fatigue pas. » Lui : « Commence, un deux trois. » Moi : « L'aimes-tu. » Lui : « Tu exagères, ça ne te regarde pas. » Moi : « Ça m'intéresse. » Lui : « Difficile à dire, je l'aime et je ne l'aime pas. » Moi : « Ça dépend des jours. » Lui : « Des jours ce serait trop facile, je l'aime et je ne l'aime pas, ça va conjointement, ce n'est pas un jour oui un jour pas. » Moi : « Quand tu l'aimes, tu l'aimes comment, comme une grande soeur, comme une mère, comme une maîtresse. » Adolphe : « Comme une chose de très solide et d'un peu encombrant et puis, tu sais, on dit aimer mais je crois bien que/ je l'estime et la respecte plus que je l'aime, bien sûr pour toi ce n'est peut-être rien, mais elle est formidable. » Moi : « Ce n'est pas rien, ce n'est pas rien; la trouves-tu belle. » Adolphe : « Oui. » Moi : « Elle te plaît. » Adolphe : « Tu vas dire que je suis fou, je la trouve belle mais de là à dire qu'elle me plaît. » Moi : « Tu veux dire physiquement. » Il dit : « Là, tu exagères. » Moi : « Ne réponds pas. » Adolphe : « Ça me fait du bien de parler au moins pour y voir clair, j'aime Judith et énormément par instant, je ne voudrais pas lui faire de la peine et pourtant. » Moi : « Tu la trompes. » Adolphe : « Non, enfin une fois ou deux, des aventures sans importance, ça ce ne serait pas grave dans le fond, elle le sait de toute façon, ce que je trouve odieux c'est que je lui mens tout le temps, je n'y trouve pas de plaisir dans le fond, ou plutôt on dirait que mentir c'est ma manière d'affirmer une espèce d'indépendance; ça l'agace beaucoup, ça me dégoûte et tous les jours je recommence. » Moi : « Judith sait que tu l'as trompée. » Adolphe : « Pas vraiment, elle s'en doute je suppose, ne va pas le lui dire des filles de mon âge, sans importance, c'est un peu comme si je faisais l'amour avec moi-même, elles me ressemblent. » Moi : « Effectivement, coucher avec soi-même ce n'est pas compromettant. » Adolphe : « Tu sais, Judith me fait peur dans le fond, elle me diminue ou bien je ne suis pas assez intelligent, ça me gâte tout le plaisir que j'ai de coucher avec elle, on est trop différent. » Moi : « C'est en général pour cela que l'on couche avec les gens parce que, précisément, on est différent. » Adolphe : « Non pas moi, je dois être très vaniteux mais je n'ai de plaisir qu'avec ceux qui me ressemblent. » Moi : « Jeune Narcisse. » Adolphe : « Ah non, ne commence pas avec le narcissisme, je me déteste. » Moi : « Alors tu mens. » Adolphe : « Oui je mens. » Moi : « Où est la vérité. » Adolphe : « Ailleurs et puis je ne suis pas sûr qu'elle aussi m'aime vraiment, les mots, les mots qu'est-ce que ça veut dire, rien ou presque, note que je ne suis pas aveugle, je vois bien qu'elle n'est pas heureuse, je voudrais bien qu'elle soit heureuse mais je ne sais pas comment faire. » Moi : « Mais elle est heureuse. » Adolphe : « Alors ce n'est pas ma conception du bonheur, d'ailleurs je ne me fais pas d'illusions, elle est gentille, généreuse, tiens, admettons qu'elle m'aime, mais elle ne m'a jamais rien donné vraiment d'elle; crois-tu que je la connais, pas du tout, je lui mens peut-être mais elle aussi, elle me ment. » Moi : « C'est pour te rendre tes mensonges plus faciles. » Lui : « Drôle de façon. » Je dis : « Pourquoi ne la quittes-tu pas. » Adolphe : « Mais je l'aime. » Moi : « Et puis. » Lui : « Tu m'embêtes. » Moi : « Par intérêt. » Lui : « Un tout petit peu par intérêt, elle me gâte, ce n'est pas les cadeaux que j'aime mais la manière dont on me les fait; ne t'inquiète pas, elle me

quittera la première, je fais tout pour la dégoûter. »
Je dis : « C'est peut-être le seul moyen de la retenir. »
Lui : « Ça, je ne le savais pas. » Cependant que je
vois d'Adolphe les paupières comme de petites guillotines tomber sur la prunelle de ses yeux et décapiter son
regard aujourd'hui bleu. Je dis : « Tu n'aurais pas dû
me dire tout ça. » Adolphe : « Tu me l'as demandé. »
Moi : « Raison de plus. »

Je ne le sais que trop bien : honnêtement, pourquoi chercher à savoir si vraiment Adolphe aime Judith; c'est le contraire qui m'intéresse, mon enquête
a pour but secret de m'assurer non pas de l'amour
d'Adolphe pour Judith mais l'inverse, si elle l'aime et
comment, cherchant en elle ce que je pourrais ressentir égoïstement, découvrant en elle plus de courage
qu'il n'y paraît et que j'admire dans le fond, de surcroît une brisure secrète qui me la rend d'autant plus
chère, d'oser aimer comme elle souhaite qu'on l'aime,
pour cela supportant Adolphe et ne voyant de lui offi-
ciellement que ce qui est agréable, ce pourquoi le
définissant comme un être adorable et charmant, malgré sa froideur, oubliant ses mensonges, mentant sans
le savoir peut-être de se découvrir aussi léger, futile
que lui pour ne pas le laisser en reste, trop loin d'elle.
Je dis : « Et si Judith te quittait. » Moi : « C'est pour
m'en informer que tu voulais me voir. » Moi : « Peut-
être. » Lui : « Je ne te crois pas, elle me le dirait
elle-même. » Moi : « Si elle te quittait pour toujours
dans une heure. » Adolphe : « Laisse-moi réfléchir;
je serais malheureux mais je survivrais. » Moi : « Et
elle. » Lui : « Elle aussi survivrait, ce n'est pas le gen-

re à se flanquer une balle dans la tête. » Je dis : « Qui sait. » Lui : « Si c'est pour me faire peur. »

Lettre de Jérémie à Jonathan : « Mon cher Jonathan, déjà fini le temps des vacances; le retour approche. Tu sais combien je suis sensible au temps qui passe etc... etc... Mais pour une fois j'ai hâte de quitter Paris et de rentrer. Nous te raconterons tout ce que nous avons fait ici de vive voix; tu verras quels merveilleux souvenirs nous avons. J'ai hâte de vous revoir toi et Judith, un peu peur aussi car je me demande ce que nous allons penser les uns des autres. J'espère que ton travail te donne bien des satisfactions et que tu me liras un soir tout ce que tu as écrit depuis mon départ avec le beau stylo que je t'ai offert dans ce but. Anne se joint à moi pour te dire quel plaisir elle aura de te revoir. Sois gentil, peux-tu remplir de fleurs l'appartement, demande à la concierge de faire le ménage. Préviens Judith à qui j'écris d'ailleurs. Je t'embrasse en te serrant contre moi. Je suppose que vous serez là tous deux pour nous accueillir à l'aéroport. Venez-y en taxi et nous repartirons de même. Anne est enceinte. Je nous vois mal tous les quatre tassés dans la petite voiture de Judith. »

Je prends le téléphone. Je dis : « Jérémie revient. » Judith : « Je sais. » Moi : « Ils sont trois. » Judith dit : « Je sais. » Moi : « Réjouissons-nous. » Judith : « Je me réjouis. » Moi : « Tu n'as pas l'air contente. » Elle : « Mais si, je t'assure, je me réjouis vraiment; Jérémie me manquait, tu sais bien. » Moi : « Mais nous ne manquions pas à Jérémie. » Judith dit : « Qui sait. » Moi : « Tu ne vas pas faire la tête. » Judith : « Tu es fou pourquoi, tu achèteras des fleurs puisqu'il le demande, nous irons en taxi puisque ma voiture sport lui paraît trop petite. » Je reconnais la voix sombre et inquiète qui jamais ne présage rien de bon, je me veux joyeux et amer, en bon maître de cérémonie inquiet pour sa réception. Je dis : « Tu sais, je suis un peu triste moi aussi, un peu triste et un peu inquiet. » Judith : « Pourquoi, il n'y a pas de raison, qu'est-ce que tu penses, que je vais faire une scène à Jérémie parce qu'il n'a pas laissé Anne en France, tu sais, je m'y attendais. » Je dis : « Tu as Adolphe. » Judith dit : « Ne te fais pas de bile, je ne suis pas aussi folle qu'il y paraît, après tout Jérémie a trente ans, il a le droit de faire sa vie comme il lui plaît; il me demande de venir à l'aérogare, j'irai mais je ne m'imposerai pas après. » Je dis : « Tu vois, tu es amère. » Judith : « Pas du tout, moi aussi j'ai ma vie et toi tu as la tienne, on ne pouvait pas finir notre existence sur le dos l'un de l'autre, aujourd'hui ou demain, je m'en fiche. » Moi : « Je vais prévenir la concierge pour qu'elle fasse le ménage. » Judith : « Où vas-tu habiter, tu veux venir chez moi pour quelques jours. » Moi : « Non non tu es trop gentille je ne veux pas te déranger, j'irai pour quelques jours au YMCA et puis je me relouerai mon ancien appartement; il n'y a plus de problème d'argent puisque je travaille maintenant. » Judith : « On ne t'a pas encore fichu dehors. » Moi : « Pas encore, désolé de te décevoir. » Elle : « Je patienterai. » Je dis : « Il faut faire une grande réception pour Jérémie et Anne. » Judith dit : « Si tu veux. Au fait, Adolphe et moi avons décidé de nous séparer. » Je dis : « C'est idiot, qui a pris cette décision. »

Judith : « On est des gens sérieux, on va faire ça calmement, nous allons nous mettre d'abord à la diète; nous nous verrons moins de semaine en semaine et dans trois mois nous nous détesterons. » Je dis : « Qu'est-ce qui vous prend, tu es folle, j'ai vu Adolphe tout à l'heure et il ne m'a parlé de rien. » Judith : « Je dois lui apprendre ça tout à l'heure. » Moi : « Ce n'est pas la bonne manière, de toute façon n'entreprends rien avant que je te dise tout ce qu'il m'a dit de lui-même, c'est un brave garçon. » Judith dit : « Mais oui, lui aussi c'est un brave garçon. » Moi : « Tu vas lui faire de la peine. » Elle : « Tu as raison il faut leur faire une grande réception, quelque chose de vraiment exceptionnel, tu devrais écrire une sorte de compliment dialogué que nous pourrions jouer tous les trois, Adolphe, toi et moi, quelque chose de très beau, un peu victorien, en vers. » Je dis : « Tu sais bien que je n'ai pas de talent. » Elle : « Jérémie revient, laisse parler ton cœur à la manière du dix-neuvième siècle, c'est de ton temps, avec prologue en musique et un divertissement dansé à la fin, puis nous servirions un en-cas que je préparerai. » Je dis : « Bon, je vais essayer. » Judith : « Ecris un rôle travesti pour Adolphe, Anne sera étonnée de le voir en bergère. » Je dis : « Et toi. » Judith : « Moi je serai le récitant. » Je dis : « Je ferai ce que je peux, à condition que vous ne soyez pas trop exigeants. » Judith : « Tu feras ça très bien, en ce qui concerne Adolphe, je ne lui dirai rien avant que Jérémie revienne mais je tiens un sacré mal de tête. » Je dis : « Masse-toi la nuque avec de l'huile de table. » Judith : « J'ai déjà essayé sans résultat, je crois que je vais me flanquer sous une douche froide et me coucher, je ne dors pas assez peut-être. »

Je tire un grand trait sur le cahier brun qui me sert à noter mes théorèmes quotidiens, je feuillette les pages au hasard, je lis deux mots, trois phrases de ce portrait de moi que je trace ici même pour mon usage personnel par l'intermédiaire de mots qui appartiennent, je le concède, à la planète, un peu triste ma petite encyclopédie des citations et pourtant, ici et là, quelques réflexions dont je suis le modeste auteur, des embryons de vers, des proverbes chinois au temps où nous trouvions encore amusant d'en faire, mais rien qui puisse se transformer en saynète et moins encore pour aider à la confection d'un compliment avec travesti, récitant et l'auteur dans son rôle d'histrion ; j'essaie, je prends la plume, je lisse du revers de la main la page blanche, il faut maintenant que j'écrive la première ligne les autres suivront, comment m'en dispenser alors que l'on m'a fait confiance, je glisse imperturbablement dans un état second : il y a encore trop de révoltes qui m'encombrent, trop de rêves, trop d'amour même sans direction, voyons, voyons, comment trier tout ce qui habite dans ma tête, j'essaie un mot puis deux, j'écris « je suis » mais non je ne suis pas encore, j'exagère déjà, usons donc de François Villon : « Prince devant qui je présenterai tous ceux que votre départ attrista et que votre retour réjouit, si les mots que vous entendrez ne vous paraissent pas sincères, c'est moi qui les aurai mal dits, pardonnez au pauvre poète qui d'excuse n'a que celle d'avoir fait de son mieux et ne l'aimez pas moins quand même ». Je m'arrête, dans cette petite phrase j'ai tout dit, Adolphe, Judith et moi pourrions la réciter en choeur avec, s'il convient mieux, des effets de canon, la coda reprise par Jérémie lui-même.

On frappe, qui va là, personne, tout parle ici, comme en Sicile tout porte des stigmates, quand bien même je n'y pourrais rien, tout ce qui m'entoure a sa vie que je décèle sous des apparences désuètes, les mots de mon carnet se regroupent, j'écris dix secondes seulement sans trace d'effort le plus beau livre jamais écrit où je suis le fabuleux grand Khan au milieu de sa horde mongole, je bats le rappel, il est là, nous sommes sauvés désormais, le clan reprend sa place dans le monde, la mort en ce jardin ne peut être qu'une chose tendre, mais ce n'est pas demain que je leur abandonnerai dans les mains mon coeur ensanglanté sous la forme de pages qu'on tourne en mouillant son index, pour en faciliter la prise, sur une petite éponge, ou bien en prélevant de sa langue un peu de salive, je dis à haute voix « vieux crétin, » ne sachant à qui je m'adresse, l'écho de mon âme me répond « vieux crétin, » c'est bien moi, inutile de me contredire, je lis sur mon carnet cette pensée célèbre « tout finit par se ressembler dans une osmose universelle, ceux qui restent en dehors des routes toutes tracées, ce n'est point qu'ils le veuillent, c'est qu'ils sont rejetés par un opprobre qu'eux seuls ont fait naître », nul nom pour me remémorer la source de cette grave idée, l'effroi me vient, la folie me guette, l'ignoble formule est de moi, je referme le carnet non sans avoir noté dans un excès d'érudition qui honorerait un professeur agrégé, « savez-vous ce que c'est que faner, la marquise de Sévigné » sans le vouloir je viens d'écrire

deux vers qui passeront à la postérité. Victor disait :
« Allons Jonathan, sois donc de ton temps. » Cela
m'enrage : peut-on vivre, y étant né, en dehors de
son temps et les époques sont-elles comme les tiroirs
d'une commode, que l'on ouvre, que l'on ferme, assez
grands pour se coucher dedans.

Qu'Adolphe ne comprenne pas pourquoi, comment,
nous tenons tant, Judith et moi, à Jérémie et de quelle
sorte de mou de veau est faite notre cervelle pour lui
préparer un retour d'un tel art, peu me chaut ; je
ris quand il parle des relations de nous à lui, de ce
qu'il nomme « aliénation » comme s'il mangeait de la
rhubarbe à considérer sa grimace, moi lui demandant
pour qui il se prend, pour Castro à Cuba, Abbas en
Algérie, Lumumba au Congo, cela le mettant par
procédé automatique dans une colère noire, moi continuant de parler d'internationale des syphilitiques, des
pétards mouillés du Frère Untel, mais là il est d'accord
et sa colère s'égare dans un sourire condescendant
qu'il fait bon voir. Je dis : « Je te prendrai au sérieux
le jour où tu flanqueras une bombe au Palace et que
tu porteras sans remord quelque cent morts dans ta
conscience ; mais tu es un peu trop gentil garçon. » Il
dit : « En tous les cas, je ne me ridiculise pas avec
vos espèces de valses-hésitation. » C'est qu'il n'a pas
connu Victor dont nous sommes entre la caricature et
l'image, au temps où celui-ci, élève sage d'Ozias Le-
duc, peignait des Vierges enceintes mais ce n'était pas
le Petit Jésus, ni même Saint-Jean-Baptiste, et, dans
ses toiles, les cierges lançaient d'autres flammes que
d'Adolphe les prétentions ; si j'évoque pour lui le bon
vieux temps, comprendra-t-il que c'est pour lui suggé-

rer, s'il peut, d'en faire autant, c'est-à-dire d'enfanter une sorte de jubilation, voit-il Judith, qui lui donnera, outre le feu dans son visage, un peu d'énigmatique audace et qu'enfin, de lui à nous, il ne s'agit pas de me convaincre de la nécessité d'une révolution mondiale, mais bien lui seul d'apprendre, pour commencer par le commencement, dès son jeune âge, que deux hommes libres sont heureux de revoir un homme libre, car c'est cela que nous sommes plus que lui dans le fond, nous n'avons jamais usé nos pantalons sur le banc des écoles et, s'il ne comprend pas les motifs de la fête, qu'il écoute en observation, quand le jour vient, l'angoisse qui nous prend.

Si peu de temps, a-t-il changé Jérémie en un bel ange, ou bien ai-je changé moi-même, comment nous retrouverons-nous : timides, gênés, las, impassibles ou indifférents susciteurs de conflagrations nouvelles, incapables de renouer l'ancien fil de nos jours au néant; Judith au contraire, me harcelant au passage pour que je l'écrive ma saynète, allant et venant, chaque jour un peu plus radieuse, énervée, énervante, bousculant Adolphe envoyé chez dix fleuristes pour s'informer des prix des roses, non pas pour faire des économies, mais pour trouver les plus chères, les seules dignes par leur cherté, la beauté n'a ici que faire, à adorner le retour de Jérémie de leur velours odoriférant et pourpre, les blanches faisant enterrement d'enfant ; ce sont chaque jour des questions nouvelles auxquelles il ne faut pas répondre, le silence, une fois l'inquiétude formulée, étant plus apaisant qu'une réponse, elle-même porteuse d'autres questions, je vois Adolphe de fort mauvaise humeur diluer dans sa sueur son petit corps d'enfant à la recherche d'un mets inconnu chez Van Houtte ou chez Dionne, de retour n'ayant rien trouvé ni testicules de taureau, ni fourmis, encore moins sauterelles, Judith de plus en plus désorientée de devoir se contenter, au lieu du luxe prévu, un peu salace, d'une salade aux coeurs de palmiers, presque indigne plat d'un retour qu'elle prétend exotique ; elle-même se fane cependant, un peu plus chaque jour, à cause de l'excitation qui lui donne de la couperose aux pommettes, au nez et au menton, moi mettant trois bonnes minutes à la rasséréner de ses rougeurs inopportunes, je prétends contre toute logique que ce retour est d'elle faussement espéré, que l'avion annoncé va tomber, qu'elle aurait tort de tant s'en faire, elle m'écoute, rassurée un instant, puis, fâchée que j'essaie de rendre inutile un effort venant d'elle et déjà trop avancé, elle remet en route ses machines sans plus se soucier d'être couperosée, en me traitant de fou, d'autre chose, se plaignant de n'être pas aidée, mais acceptant seulement notre totale passivité et l'obéissance à ses ordres immédiatement exécutés, sans souci de savoir ce que nous pensons d'un tel déploiement de force dont nous ne savons même plus l'objet et l'énervement qui me gagne pour me projeter dans l'évolution centripète d'une ronde qui me projette hors de moi-même, qui devient folle et Judith a la manivelle. Elle dit : « Tout ce branle-bas inusité, vous allez voir que ça va finir par déclencher mes règles. »

Nous comptons désormais les heures; le sablier s'écoule lentement entre l'instant où a débuté notre attente et le retour de l'enfant; sans connaître les règles accessoires au sentiment suscité par la littérature biblique du fils qui revient au bercail, nous pataugeons en un comportement zoomorphique, imaginant cent rituels compliqués qui jetteront les bases de nos nouveaux rapports avec Jérémie et Anne ; il en va de mon compliment, Judith les menus, les musiques d'accompagnement Bach, les ortolans, Nono, les choux-raves, mais le tout mesuré ou avec débordement, notre joie doit-elle s'exprimer par la voix, l'oeil, la main, tout le corps dans une attitude d'extase, graves questions. Puis vient le temps des ultimes décisions. Judith dit : « Nous ferons cela dans l'horreur : dévalisons Steinberg. »

Nous trois mobilisés, nous poussons nos petits chariots d'un air alerte, Adolphe, Judith et moi, dans cette morgue pour enfant, si j'en juge par l'odeur fade flottant dans l'air en provenance des aliments et les cercueils-boîtes qui nous entourent, enfin, en bois, en carton, minuscules et déliquescents dans leur amoncellement de columbarium, d'abord au pas de course presque tout au long des allées, nous doublant comme font les vraies voitures dans des artères encombrées, pilotes que nous sommes à la main sûre, un coup de paume ici, un autre là, nos désinvoltes embarcations vides et légères volent sur leurs roulettes, frôlant une jupe à volant lors d'un virage particulièrement raide, comme un renard électronique la nacelle, guidée par l'ongle s'arrêtant à notre moindre appel devant le produit convoité, rigoureusement empilé, d'aspect inexpugnable au milieu de ses congénères, que nous cueillons, désolés de détruire de ce château fort l'ordonnance, chacun notre liste à la main, moi les viandes et charcuteries, Adolphe l'épicerie, Judith ce que l'on nomme divers et qui va du savon à toilette jusqu'au plumeau pour la décoration d'un faux faisan en purée de pomme de terre, mais par cette simplification obligés, au contraire de nos pensées les plus chères, vu le temps dont nous disposons, de nous consulter sans cesse, criant le nom de ce que nous trouvons dans l'espoir d'entendre un écho nous répondre par un autre nom, le plancher de vinyle bien ciré nous permet de petites glissades, notre teint est vert pâle à cause des rampes de lumières au néon qui dispensent leur éclairage à la manière de Jules Verne, hors le temps, nous flottons entre ces deux pôles, haut ou bas, en passant par la gamme des intermédiaires, sur la pointe des pieds, cassés en deux, à genoux, à plat ventre par terre, selon que les produits se situent vers le ciel ou se tapissent dans le purgatoire des rayons, Adolphe prétend qu'il faut prendre du sucre cubain même s'il est plus cher et moins bon, mais Steinberg n'est pas un magasin pour diffuser les produits des révolutions, ou bien alors le condamner à manger des fèves au lard toute sa vie et plus jamais de thon américain et de marmelade d'orange Dundee fournisseur agréé, depuis Cromwell par la cour d'Angleterre, nous voici devant le rayon des épices dont nous disons les noms à la criée, clous de girofle, poivre gris et blanc, en poudre, en grains, granuleux toujours odoriférant, cinnamon, cannelle, thym, persil déshydraté, sel d'ail, laurier, paprika pour la sauce au fromage, soufflé, goulasch, bâtonnets, soupes, crèmes, salades, civette, purée de pommes de terre, romarin, les filles ne valent rien et les garçons encore bien moins, cumin, estragon, basilic, graines de moutarde, l'odeur des îles tant vantées par les Agences sadiques de voyage, nous continuons, empilant dans les véhicules roulants les victuailles en paquets, sacs, légumes et fruits, tout ce dont nous avons besoin et même plus, par précaution, voulant que Jérémie ne manque de rien; je n'en peux déjà plus de ces boîtes aux étiquettes multicolores, rondes, oblongues, presque carrées, pour le corned beef, hautes ou plates, les enveloppes crissantes de cellophane, les viandes dans leur compartiment congelé, si tout cela chantait selon son genre un petit air différent, cela ferait un drôle d'hymne à la gloire de notre civilisation d'experts en réfrigération, j'étouffe un peu en poussant ma charette, carottes, radis, concombres cirés et tout verts, pas de fanes ni de terre, parfaitement autoclavés dans une Chevrolet de la General Motor, plastifiés, concentrés puis déconcentrés, analysés, synthétisés par le Claude Bernard de la Peugeot Canada Limitée, Dieu soit loué, il n'y a pas encore aux Indes de ces paradis de la faim rassasiée et les parias devraient hurler de joie de ne pas connaître ces immondes occidentaux charniers, un peu plus beaux, plus lumineux ce serait un petit enfer climatisé aux allées soigneusement ratissées, les arêtes, les os, toutes ces têtes empilées, les pattes de veaux, les estomacs de vaches adorablement repliés, les huîtres fumées qui sautent de leur boîte et se mettent à danser, attraction à l'entracte de sardines dépoitraillées et le strip-tease des crabes de la Baltique sans carapace, avec pour maître de cérémonie les employés, au haut de la machine, enfournant dans la spirale chromée de leur mécanique tout ce qui peut servir à faire de cette bouillie un filtre désuet rendant énamourés d'eux-mêmes les clients chevaliers de la table ronde à force de sperme de crapaud congelé, de mandragore, de tétines d'ornithorynque de poudre de savon, d'olives pilées, de choux-fleurs, de biftecks, escalopes, côtelettes, gigots, filets, entrecôtes, rognons, foie, ronde, de thon pressé, de miel de l'Hymette en pots, de confiture, de gelées, de faux salamis tranchés, de fromage en grains, le tout formant une soupe démente, ce ne sont plus les îles enchantées, mais concoctant dans une marmite désodorisée le résultat final d'une vente pensée, organisée, par des diablotins atomiques venant directement des universités qui vendent, qui vendent, qui vendent à de toujours plus nombreux et plus enthousiastes clients, avec la recette en prime, plus vous mangez plus vous allez vers un idéal édénique, la confection de hauts sandwiches, une tranche de pain, des feuilles de salade, mayonnaise, une tranche de tomate, du pain, deux bouts de dinde, du pain, une purée d'huître dans du ketchup fait comme à la maison, saupoudrer d'un hachis de raifort, du pain, quelques bonbons, un peu de mayonnaise, encore du pain, des boulettes de chair de morue cuite dans de la compote de groseilles, du pain, une oreille de mouton enfant à la vinaigrette, du pain, des feuilles de salade, beaucoup de mayonnaise à l'estragon, une tranche de tomate verte, du pain et une bonne cuillerée de merde, cela peut aller beaucoup plus loin encore pour devenir beaucoup plus beau que le Zuyderzee ou que la tour Eiffel alternant, le jour où l'on réussira à faire un seul sandwich de tout ce que l'on trouve dans ce super-marché, ce qui se mange, ce qui se boit, ce dont on se sert pour se laver, pour se raser, l'ensemble ainsi réalisé, avec un soin jaloux de papier de toilette en aluminium qu'il suffit de laver, de repasser, pour un emploi durable et répété, qui plus est, permanent, pourtant hygiénique grâce à l'eau de javel judicieusement utilisée. Judith dit : « Tu es tout pâle. » Moi : « Cet endroit est répugnant. » Elle dit : « C'est vrai, ça a quelque chose d'irrévocable, il faut faire quelque chose, pensons. » Je dis : « Nous voilà pris dedans. » Elle : « Moi, en boîte. »

C'est-à-dire retrouver son génie des situations, elle tire sournoisement le dernier paquet d'une pile qui s'écroule, le sucre répandu par terre, nous les pieds dedans, marchant sur cette couche crissante dont le bruit nous fait mal aux dents, je piétine, me recule vivement, entraînant une pile de bocaux dont le bruit de vaisselle cassée quand ils touchent le sol attire à nous quelques commis, Judith s'exclame, proteste leur disant que c'est un scandale de voir de si belles choses aussi mal arrimées, non seulement tombant mais pouvant dans leur chute blesser quiconque les regarde de trop près, Adolphe fuit et regarde Judith mains aux hanches et furie parfaitement simulée, moi je joue l'étonné, je feins de me désoler, considérant, la consternation doit se lire sur mon visage, la trace gluante qu'a faite un liquide brunâtre, du caramel quand je le goûte, sur le bas de mon pantalon ainsi gâché, nécessitant d'immédiates serviettes que l'on va me chercher tandis que Judith s'écroule en s'accrochant à un garçon qui, sous la surprise du poids, chancelle, nettoyant d'un grand mouvement un rayon qui ne demandait qu'à dégringoler, giflé presque par une Judith estropiée par une boîte de céréales reçue sur le genou qu'elle se frotte, elle assise dans le sucre, prenant à témoin le gérant arrivé, disant que de tels accidents sont la honte de la cité, la foule qui nous entoure ne sait pas si elle doit applaudir ou le reste, ramassant, pour prouver sa solidarité, les articles divers qui roulent sous leur pieds, je me précipite au-devant du garçon qui porte la serviette, cela fait tout en écrasant le maximum disponible d'orteils, Judith d'un air inspiré goûte du bout du doigt mouillé le sucre qu'elle ramène ainsi du sol à ses lèvres avant de complètement se relever, moi baissé, elle me volant au passage la serviette pour s'essuyer les jambes qu'elle a toutes souillées, moi la lui reprenant, elle de même, sanglotante, humiliée, disant à propos de la serviette qu'on eût pu en apporter deux pour éviter la fatale disgracieuse scène de cette bataille pour un bout de chiffon mouillé aussi nécessaire à moi qu'à elle, je la vois qui repère une pyramide de boîtes de jus de fruit en réclame deux fois plus haute qu'elle, à reculons son corps vers icelle dirigé comme par l'esprit suprême, elle, d'un grand coup de pied judicieusement appliqué, la démantèle, cette fois tout roule vraiment de tous côtés dans un fracas de tonnerre, la plus grande agitation commence de régner, elle-même suffoquant dans mes bras qui la bercent dans l'espoir de la consoler, elle a sa bouche contre mon oreille. Elle dit : « Jérémie devrait apparaître soudain au milieu de cet exquis désastre, surgir comme un aegipan de cet amoncellement de conserves, ne serait-ce pas un beau symbole américain, lui blond si beau, nourri de lait, criant « Divinité du Styx, » triomphant enfin de toute cette quincaillerie. » Adolphe s'approche en rampant. Il dit : « Vous êtes fous, vous êtes fous. » Je dis : « C'est un acte révolutionnaire. » Lui : « Mais ça ne sert à rien. » Je dis : « Est-ce à moi de te le prouver. » Judith le prend par le bras, me fait signe de les suivre, l'ultime regard est jeté en arrière pour toiser le gérant qui ne sait s'il doit appeler la police ou bien s'asseoir par terre pour pleurer, elle le considère, l'accapare, relève le menton, ferme les yeux et penche un peu sa tête sur le côté. Elle dit : « J'ai trente ans et c'est la première fois qu'on me sert aussi mal ; désormais nous irons chez Dionne. » Le silence, nous progressons lentement comme si nous traînions une longue et pesante traîne, impassibles devant les caisses enregistreuses, plus cérémonieusement encore dans l'escalier, la foule respectueuse s'écarte pour nous faire passage, la porte enfin que nous poussons dans un large mouvement de colère apaisée, nous sommes dehors. Judith dit : « Et maintenant pour conserver notre santé, rien ne vaut une bonne course à pied. »

Ainsi réintégré, l'heure est proche, j'analyse cette espèce de joie qui est mienne, comme un sentiment prémonitoire de me retrouver bientôt presque entier, supputant quelle place nouvelle, mais importante dans ma vie, prendront Adolphe, Adélaïde, Anne, Judith, chacun la sienne à l'instant où Jérémie franchira la porte, quand son regard se posera sur moi, goguenard, un peu narquois, devinant la dilatation de mon cœur, disant, ou pensant simplement, la pudeur des retrouvailles a son terrible charme, que je lui ai manqué, s'en apercevant comme moi en ce moment même où le défaut n'existe plus, est comblé par mille petits mots, gestes meublant à nouveau l'atmosphère qui la rendent enfin respirable sans un atome qui ne serve à rien, Montréal toujours, Montréal, ses rues reprenant par la seule présence de Jérémie cet aspect d'autrefois comme ressurgi vraiment de ma mémoire, les grandes courses qui vont reprendre, les découvertes d'accessoires, d'objets ou d'états d'âme, les soirées admirables, eux dehors, moi dedans, les attendant avec plaisir et impatience, je cultiverai à nouveau l'anxiété dont je retrouve aujourd'hui la couleur exquise, seul dans l'appartement en ordre où les fleurs sont des fleurs, ni rares, ni artificielles.

L'en-cas est enfin prêt dans le réfrigérateur, nous-mêmes, dès le matin, absorbés dans les soins que nécessite notre apparence physique négligée sous la conduite judicieuse de Judith, moi et Adolphe muets la laissant officier, nous allongés un coussin sous les pieds, elle répandant sur notre visage un jaune d'oeuf battu et se l'appliquant sur elle, tous les trois sur le même lit étendus dans l'obligation de ne pas bouger durant le temps d'une symphonie de Bruckner qui nous sert de sablier, le moindre muscle du visage qui sera dans son immobilité, au fur et à mesure que l'oeuf séchera, tiré, malaxé, retendu, assaini, fibre à fibre, en trois mots tonifié, rajeuni, beautifié, nous officions attentifs comme des papes, je sens l'objet de notre espoir doucement se concrétiser par mille tiraillements de bas en haut sur le front, autour des yeux, sous le menton, aux commissures du nez, j'ai l'impression que mon visage éclate, inquiet du résultat garanti pourtant par Judith, ne pouvant pas tourner la tête, incapable de les regarder et me rasséréner à les voir, eux aussi, sérieux, silencieux, ridicules, attendant non moins que moi l'instant d'ôter la jaune carapace à l'aide d'une brosse de savon doux et d'eau à peine tiédie, laquelle carapace tombe en de minuscules écailles à peine ramollies sur l'émail du lavabo qu'elles tachent comme un pollen de beauté, puis une crème grasse pour nourrir la peau malmenée dont le teint, ô miracle, que je vois dans la glace, a éclairci même sur moi de moitié, effacés d'un coup de gomme de poulailler les quelques mois qui viennent de passer.

Tout est merveilleux, tendre dans cette lumière tamisée où je me meus, ne faisant rien sinon d'épousseter un grain de poussière oublié, chemise blanche, cravate, pantalon repassé dont le pli tombe impeccable sur mes chaussures pour cette occasion bien cirées, osant, ne l'osant plus, m'asseoir, me relever de peur de me sentir coupable d'avoir ainsi terni l'ordonnance de ma tenue, Judith et Adolphe partis fort en avance à l'aéroport tous les deux, mieux que moi encore astiqués, Judith ayant soigneusement reconstitué, mais en neuf, la tenue du départ, tweed, souliers plats, cheveux courts mais ayant adjoint, par coquetterie nouvelle, un grand collier à boules d'ambre qui lui bat le nombril et un vague chapeau qu'elle veut mettre mais qu'elle n'ose pas porter pour ne pas déranger la savante simplicité de sa coiffure, pendue radieusement au bras d'Adolphe en première communiante, pantalon gris et veston bleu marine, la raie bien droite sur le côté, sans lunettes, lui si myope que Judith est forcée de ne pas le lâcher de peur qu'il ne bute contre les réverbères, le vieux Bach retrouve pour l'occasion le chemin du stéréo, la « Suite allemande » m'incite à lever le pied, je marche, marquant le pas selon les techniques teutonnes, jusqu'à la chambre à coucher par mes soins éclairée a giorno où Jérémie posera son manteau de voyage avant de s'affaisser sur le lit en poussant un soupir à fendre l'âme.

J'ai vécu là moi aussi : je redécouvre avec un émoi enfantin les courtines de cachemire, la commode, le vase d'opaline, la lampe de chevet, les tentures, il n'y a pas un mouton de poussière sous le lit, j'ai vérifié dans un plongeon le travail de la femme de ménage avec une minutie parfaite ; en attendant qu'ils reviennent, faudra-t-il que je lise, que j'arrange les fleurs, que je me tienne plutôt au milieu de la pièce sans bouger, le regard fixé sur le cadran de la pendule qui retarde par ma volonté afin de ménager à l'instant critique où ils doivent arriver une petite surprise, il n'y aura pas de saynète, pas même la plus petite page de prose organisée, il entrera, nous nous embrasserons comme les Brésiliens en nous donnant des grandes claques dans le dos, nous rirons niaisement et dirons : « tu n'as pas changé », « toi non plus », « ça alors », « qu'est-ce que tu racontes », « quoi de neuf », « rien », « et toi », « ah ! ce fut un voyage merveilleux », « je me suis quand même ennuyé », « allons donc », « si, si, je t'assure », « eh ! bien, moi aussi pour te dire la vérité », « vous m'avez gâté pour mon retour », « c'était la moindre des choses, pas du tout », « je vous assure, je ne m'y attendais pas », « allons donc », « c'est agréable de se retrouver chez soi au milieu de ses amis », « tu dis ça pour nous faire plaisir », « ce n'est pas mon genre, je le pense vraiment mais que le voyage est long, long, ça me donne la claustrophobie ces avions avec leurs hôtesses de l'air qui ne sont que des bonnes déguisées en femmes du monde », « quand je pense qu'il y a sept heures tu étais à Paris, France, les voyages sont presque devenus de la télé-communication », « vivement le Concorde, trois heures, tu te rends compte les fusées », « oui, en une demi-heure, on ira en week-end au Japon, tu dois te sentir fatigué », « oh ! non, vaseux mais c'est normal, deux aspirines, une bonne nuit, il n'y paraîtra plus », « ça doit te paraître petit Montréal », « évidemment, ce n'est pas Paris mais quand même c'est joli cette route bordée de motels », « ça te rappelle des souvenirs », « je n'allais pas si loin », « sale coureur de jupons », « et toi, épouvantable ivrogne », « tu aurais pu écrire plus souvent », « tu sais ce que c'est les voyages », « ils forment la jeunesse », « oh ! la jeunesse, tu n'as pas changé », « toi non plus, hélas », ces mots, comme pour rassasier dès l'abord, une amitié si facilement retrouvée, même altière.

Tout dans l'appartement me parle, je vais, je viens d'une pièce, d'un objet à l'autre, comme c'est beau, je regarde, j'examine par en dessous, par en dessus, j'ouvre et referme la porte de la cuisine, de la salle de bain, je mets mon nez dans les placards où les costumes de Jérémie sont bien rangés comme de petits cadavres plats, sans têtes, sans pieds, sans mains, la robe d'or d'Armande par lui conservée, aucune pauvresse ne pouvait la porter je suppose, ou bien il n'a pas voulu la donner avec le reste pour conserver ainsi ses misérables souvenirs au vestiaire, ou bien encore, plus bêtement, oublié le luxe du passé, perdue parmi des complets sombres, bruissante et froide quand je la touche, provoquant un frisson à la pensée de la fameuse nuit où nous la vîmes déguisée mourante, nue sous sa robe, les filets de sang coulant entre les jambes, à peine nous regardant curieux rois mages que nous étions alentour d'elle, perdue déjà ou plutôt revenue dans son enfance ; je l'imagine maintenant comme une voiture automobile à l'accélération parfaite et perpétuelle, la première, la deuxième, la troisième, la dixième, la millième et ainsi de suite allant toujours plus vite, toujours plus loin, sur l'autoroute des Cantons de l'Est qui la mène au ciel et si la vie des mortes est éternelle : Armande debout, Armande assise, Armande égarée dans la nuit d'un grand lit, le nez dans la toison blonde qui orne la poitrine de Jérémie, Armande et son charmant minois de reine d'un autre monde, Armande de ses cheveux qui s'écroulaient en flots serrés sur sa robe de chambre quand, préférant rester à la maison, elle tricotait un chandail violet qui devait transformer Jérémie en évêque, Armande de l'enfant qu'elle n'a jamais eu, peut-être de moi, qui sait d'un autre, mais toujours d'elle, la terre, hélas, ne porte pas le fruit qui eût pu être délicieux de sa descendance personnelle ; moi, je pense pour la première fois, à la vue de la robe, que la vie est bien courte sous des apparences si longues, que ce n'est pas une image de style, que ce n'est ni bête ni vulgaire de penser cela car on ne vit vraiment qu'une fois, en cela trouver la force d'écrire, ce sera d'Armande la leçon, elle qui n'en voulut jamais donner aucune au monde.

Maintenant perdu là que je suis, sans elle et ses comportements plus que moi innocents, devant la robe d'or, donc je pense aux deux infinis de la beauté et de l'intelligence toujours placés dans un vase non communiquant ; je prends la robe, je la serre contre moi, je la sens, je l'agite comme un étendard, je m'enfouis la tête dedans, puis tout mon corps transformé ainsi, empaqueté de pacotille voyante, en cadeau de Noël avant le temps, une robe trop large et un peu courte, mes hanches flottent où était le début du postérieur d'Armande, les manches de ma chemise, le plastron sont une modestie de linon blanc, le bas de mes pantalons dépasse, je suis un ange byzantin moi aussi, je présuppose cette chose étrange qu'Armande vit autour de moi, que je l'habite à l'intérieur d'elle, que nous sommes enfin ensemble, pif pof, fi de l'apitoiement, peut-être après tout, elle vivante, je ne l'aimerais pas ou ne l'aurais-je pas aimée toujours, Armande de la dernière fois ; comme les sentiments dépassent les sentiments quand leur objet n'est plus qu'un rêve auquel on consent, le conditionnel passé est une forme grammaticale bizarre mais rien n'empêche que le présent est encore plus étrange ; l'amour se meurt, l'amour se meurt, l'amour est mort, c'est une bien belle oraison. Armande n'est pas comme Jérémie, elle ne reviendra pas, rappelée par les bruits du concert de jazz qui ponctua sa mort, la batterie sur les casseroles, la trompette bouchée du nez de Judith, c'étaient par conséquent ses orgues éternelles, qui me dit que le ciel ne les entendit pas.

Je fais un petit pas de danse, je parle seul à haute voix, je prends Armande dans mes bras, Armande n'est pas Adélaïde, j'eusse préféré ne l'aimer pas, qu'elle m'aime un peu plus sans doute mais cela ne se pouvait pas, tout me séparait d'elle : ce que je suis, ce qu'elle était, les êtres et les choses, le tapis, l'alcool, les veillées auprès d'elle quand Jérémie n'était pas là, parti avec Judith vers de nouveaux faux pas ; la mort est donc une belle chose puisqu'elle permet aujourd'hui des retrouvailles assez sublimes, ce linceul d'or je le porte, comme on a un jonc au quatrième doigt ; pourquoi suis-je donc découragé si je pense à cela, alors qu'il faudrait au contraire que je me réjouisse de savoir qu'Armande est au ciel, qu'être au ciel, c'est appartenir à l'univers et, quand je serai mort moi aussi, l'univers voudra bien un peu de moi, j'espère, et là je serai du moins avec elle.

La porte claque, qu'il fait noir, j'entends des pas et des rires joyeux, il n'aurait pas fallu mais c'est trop tard, j'envisage la catastrophe, j'en frémis, sans être sûr de ne la vouloir pas ; Jérémie est là devant moi, il me regarde mais il ne voit pas mon visage, je tente de sourire, je fais une grimace, je lève un peu les bras. Il dit : « Déjà, décidément toujours le même petit salopard. » Judith vient à mon secours, je la vois qui se force à rire, ça ne vient pas, elle me frappe la poitrine d'un petit mouvement de doigts. Elle dit : « Ce n'est rien, voyons, tu ne vas pas te fâcher pour cela, Jonathan a voulu te faire une farce. » Ils sont tous autour de moi, Anne immobile, l'oeil terne, la mine fermée, Adolphe se tient coi dans une peu révolutionnaire réserve. Jérémie dit : « Tu ne le connais donc pas, il voulait son petit effet, il l'a » Il prend Anne par la taille, vont vers la porte, ils marchent comme des automates roulant un peu de fesses. Je dis : « Jérémie. » Lui : « Je te remercie, je t'interdis de me parler et d'abord enlève ça. » Judith court pour leur couper le passage. Elle dit : « Allons allons, c'est trop bête à la fin. » Elle me regarde. Elle dit : « Fais ce que te dit Jérémie, soit constructif pour une fois, voyons, tu es ridicule accoutré comme cela. » Anne dit : « Judith a raison, c'est une farce sans importance n'est-ce pas. » Jérémie l'embrasse. Il dit : « Plus aucune importance, en effet. » J'appelle par leur nom Jérémie, Adolphe, Judith et Anne, j'ai fait mon compliment le voilà, je tire de ma poche ce qui n'est certes pas un mouchoir. Je dis : « J'ai quand même quelque chose pour toi, une lettre charmante adressée à Judith par Anne, je suis persuadé qu'elle t'intéressera. »

Et toujours une saison qui agonise ici, pas de printemps et déjà l'été qui s'achève et bien vite maintenant, quand rougiront les pudiques érables, ils disparaîtront les pantalons de toile portés par les étudiants de McGill que Judith aime tant, qu'elle lorgne avec une jolie envie dans le regard, ces pantalons juste assez serrés pour ne pas être obscènes mais assez cependant pour laisser paraître une surprise virilité presque blessée dans cette étoffe austère faite de grosse toile aux coutures solides dont la marque princière a nom Lee, les chemises à rayures écarlates ou bleu ciel ou simplement unies, qui s'échancrent largement vers le ventre, laissant le cou surgir comme une tige de tulipe, la tête au menton rond qui se pose là-dessus avec simplicité, des manches déjà courtes et encore retroussées qui flottent un peu, laissant s'échapper, par l'interstice de dessous les bras à l'endroit du poil des aisselles, des relents uniformes d'Old Spice enveloppant les biceps dégagés, ou les blousons de feutrine rouge de Sir George Williams rangés pour le temps des chaleurs, prêts à sortir à la première gelée, l'uniforme des jeunes gens en soi inimitables par la grâce qu'ils mettent à le porter, sans souci d'élégance mais une certaine pose, voire de l'arrogance, les chaussures de tennis dont la mode veut qu'elles soient avachies et trouées, les chaussettes blanches aux bouts et talons jaunes, et Judith dans son grand temps était habile à les déshabiller, leurs grosses fesses ou leurs derrières étriqués, mais aussi des splendeurs élancées que l'on croirait sortir d'un film de Kazan, pour le moins de l'Actor's Studio, trop vifs, trop clairs, trop beaux pour être vrais et authentiques, les regards jetés sur des filles sournoises à la jupe plissée, tout cela rappelant un quai de Venise au temps de Carpaccio, les jeunes seigneurs décadents en pourpoints dorés, les jambes moulées dans un bas de chausses de danseurs, les bruns et les blonds, les grands et les petits, toute la gamme, vivant la vie rêvée, entre l'amphithéâtre et les fraternités, tard couchés, tard levés, entourés d'amis identiques, buvant de la bière, pour seul souci un quelconque examen à passer, comme j'aurais pu leur ressembler si j'avais écouté mon père, faire ma médecine ou bien être ingénieur des mines, tout comme eux, plus beaux encore dans les pourpres, puis l'hiver dans les blancs, dès les premiers froids de décembre, dès les premières neiges, immédiatement sortir les skis et les pantoufles en phoque, retrouver, soigneusement entouré de complices, les feux de bois, les hôtels de rondins où les portes des chambres ne ferment jamais complètement à clé, les descentes vertigineuses, le soir, verre à la main, être entouré de tant de chaleur et de tant de sécurité. Je dis : « Les pantalons des étudiants sont comme les canards, ils partent à l'automne et reviennent au printemps. » Judith hausse les épaules. Elle dit : « Comme si le printemps revenait. » Moi : « Il revient. » Juju : « Ce serait trop triste quand même. »

Judith dit : « Si Adolphe faisait son droit, je serais plus tranquille ; le milieu de la justice aidant, il serait réactionnaire. » Ou bien, elle me montre une photographie de lui ithyphallique, trouvée par elle sous une pile de tricots. Je dis : « La photographie Polaroïd mène à tout, parfois même à la contemplation morose de soi-même. » Elle : « Mais c'est idiot, je la lui aurais prise sa photo, je ne suis pas si égoïste, il aurait pu me le demander tout simplement. » Ou bien : « Les soubassements c'est fait pour les nègres, » ou « Staline c'était quand même le bon vieux temps, » ou rappeler ce que disait Voltaire des Conciles, ou d'autres phrases encore dites sans malice pour la poésie de la chose, cela passe si bien les lèvres lesquelles, un peu pincées, susurrent de ces vérités qui changent de seconde en seconde suscitant des réponses plus consternantes encore comme « Vive la ségrégation, c'est une attitude impressionniste, » ou « Staline était le Batman de l'URSS » ou appeler Vatican II Fatigant, mais tout cela n'implique rien de vraiment profond, tout à l'image charmante de ce jeune élève humectant le coton d'acide nitrique, surpris tout le premier de l'explosion, en tous cas les phrases, fleurs écloses sans racines, n'apportant aucun jugement véritable, ni sur le problème noir, ni sur le problème blanc, ni sur l'évolution de l'Eglise romaine. Quant à moi, je puis être, à la recherche d'une définition, un nègre marxiste sous un habit cardinalice, assumant tant bien que mal toutes les contradictions de la révolte hongroise aux journées de la Baie-aux-Cochons, les nuits de Los Angeles en passant par les moyens dits fortuits de contraception ; il faut bien que je m'imagine. Cette chambre qui est mienne, et le sera toujours même si je l'ai quittée, la crasse de la misère a bon teint, de la rue Prince Arthur, placée si près de la chaudière du chauffage central que l'éternel gargouillement de l'eau, qui entre et sort dans la bonde par la tuyauterie, me rend les nuits longues et insupportables quand j'y pense, à cause de cette présence qui n'en est pas une pourtant, j'aime la bonté si elle est grande mais je ne suis pas fait pour les bons sentiments, je retiens cela des échéances difficiles de tous ordres, ressurgissant parfois à la surface de mes ressentiments, sans amertume superfétatoire, mais non point dupe du pauvre mais honnête des braves gens.

Je retrouve donc sans plaisir ces bruits et ces odeurs de soubassement dans la chaudière de mon roman dont les premières pages sont faites ; ce n'est pas si difficile, dans le fond, de s'amuser avec les mouettes de son océane mémoire, ou bien un jeu de cubes avec lesquels, assis par terre, on construit des maisons, quand elles sont trop hautes elles branlent et s'écroulent, mais sans émerveillement d'enfant : Adolphe, Anne, Armande, Adélaïde, tout un monde qui coule comme une file d'attente devant le Capitol quand on y projette un film des Beatles, au Palace un James Bond 069, s'engloutissant sans à-coups dans la salle au début de séance, happé par le noir ambiant et les couleurs du grand écran, cette difficulté que j'ai d'y entrer moi de même, de m'y asseoir, mais sitôt entré, je me prends à moi tout seul pour Victor Mature, le roi Lear, Antoine et Cléopâtre, les Burgraves dans leurs châteaux rhénans ; quel dommage vraiment qu'un cordon ombilical me relie à Montréal et chaque fois, à peine sorti du cinéma, petite balle vagabonde, me voilà ramené comme par un élastique trop tendu dans les entrailles un peu foireuses de ma mère, l'acceptant si le ver littéraire est dans le fruit ce que je souhaite à vrai dire. Quelle barbe d'être un homme quand je pourrais être un chien, c'est une tentation, écrire des lettres comme dans Gogol, coïter tranquillement sous le nez des passants amènes et regarder passer les archevêques de toutes confessions dans le violet de leurs inquisitions. Le passé : Victor, Armande ; le futur, mais le futur n'existe pas puisque je n'en connais pas la teneur. Victor disait : « L'avenir n'est rien, on n'est bien vraiment qu'avec ses souvenirs. » Platitude ; chaque instant qui passe est un sabre qui me troue le ventre dans cet état où je suis de ne rien faire, ou si peu ; tout au plus j'amorce l'obus tentative d'écrire modestement des litanies sur le beau trio que nous sommes, mais qui peut inventer une poudre en phrases, et toujours continuer l'histoire du monde à ma façon, ne sachant plus ce qu'il faut préférer des livres ou de la vie, l'un et l'autre se confondant dans une ratatouille innommable où je m'adresse tant bien que mal à mes enfants perdus de Blois, inventant pour eux une manière de ballade. Et ce pensant, si nous sommes amis ou complices : un peu partout, dans mon lit, au travail, la nuit, réveillé cent fois par les mots, le jour, manquant tout simplement de me faire écraser, je déclenche le nasillement ironique d'un klaxon, tout le monde se retourne à mon passage incongru à cette heure d'affluence, quiconque oserait, hormis moi, traverser la rue Sainte-Catherine, mais où suis-je donc, cher menteur inégalable dans la ruse pour échapper au temps, au monde, à la vie qui m'entoure, ne les voyant décidément que par le truchement optique de lunettes déformantes, monstrueuses ou amusantes selon, mais toujours trop floues ces images qui m'échappent quand je veux les saisir le soir, rentré chez moi, et voulant les flanquer noir sur blanc sur des pages pour obéir à Jérémie de l'ancien temps, « Je te commande d'écrire nos éphémérides » ; facile à dire pour lui mais comment, par quel bout les saisir, ces instants que je voudrais reconstituer pour lui seul peut-être, lui expliquer, mais de quelle façon et quoi, cela m'ennuie fort de devoir, et puis je n'ai pas la manière. Tant pis pour l'ostracisme, je me passerai de lui voilà tout, je suis un grand garçon pour sûr et lui, à mon endroit, n'est que sot et méchant ; l'essentiel est que je le sache pour pouvoir me donner raison, ce pensant, je comprends que nous sommes en train de perdre, beaux enfants, la plus belle plume de nos chapeaux.

Judith dit : « Inutile de te disculper, tu l'as fait, voilà tout ; je m'en fiche, hormis cette exagération. » Moi : « C'était pour voir, et puis il m'a mis en colère. » Judith : « On n'a pas idée de s'affubler d'une robe ; ce que je te reproche, c'est le ridicule de l'affaire. » Je dis : « Mais tu habilles en femme Adolphe toi aussi. » Elle : « Sans doute, mais ce ne sont pas les robes d'Armande ; il y a quand même des lois, des règles si tu veux, qu'il ne faut pas transgresser. » Moi :

« Lesquelles, s'il-te-plaît. » Judith : « Je ne sais pas, ça ne s'explique pas, ça se sent. » Moi : « Mais je le sens très bien, contre moi les circonstances. » Judith : « Ah non ! n'invoque pas les circonstances ; jusque là tu étais odieux, maintenant tu es mesquin. » Moi : « Mais je ne veux pas être odieux. » Judith : « Tu l'es quand même, c'est ça qui est grave ; il faudra t'en faire une raison. » Moi : « Je te jure que je voulais être charmant. » Judith : « Il faut donc croire que ta nature est contradictoire sûrement. » Moi : « De toute façon, qu'est-ce que ça peut me faire dans le fond ; ce n'est pas la première fois que je suis brouillé avec Jérémie. » Judith : « Il y en aura bien une qui sera la dernière. » Moi : « On n'efface pas tant d'années comme cela. » Judith : « Une femme peut le faire. » Moi : « Tu penses à Anne ; de vous tous elle est la plus indulgente ; si quelqu'un a compris, c'est bien elle, je crois. » Judith : « Tu n'as pas vu son regard. » Or que m'importe si Anne m'aime ou ne m'aime pas, le voudrais-je que je pourrais autrement bien que par cette lettre, de bataille en bataille, décrocher haut la main à l'unanimité du jury suédois le prix Nobel de la guerre, mais je ne le veux pas. Curieux retour de Jérémie qui devait nous rapprocher qui d'un seul coup nous sépare ; je vais, je viens, je me dis « ça passera », rien n'empêche que ceux qui se disent les premiers mes modèles m'échappent : Jérémie a fermé les rideaux de l'alcôve, où donc se trouve mon théâtre et Judith emboîte le pas, je ne suis plus moi-même le confident des drames, celui à qui on parle le soir entre deux draps, à qui on mande sa maîtresse ou son amant pour découvrir en sa place ce qui ne va pas; je n'ai plus que ma vie à vivre, ça ne m'impressionne pas.

Cherchons donc qui je suis ; à cheval, bel enfant, pour parcourir sur ton ambleur de charme le long le large de ton panorama : l'amour, bien entendu, ça ne compte pas mais je le vois quand même avec deux masques, comédie-tragédie, le premier triste, l'autre souriant, ce peut être Jérémie, Armande, Judith, Adolphe les portant l'un dans la main gauche, l'autre dans la main droite, une sorte de jeu romain agréable et cruel, à l'issue duquel le plus fort gagne mais non sans empoignade, une tragédie-bouffe biennale, plutôt un théâtre total auquel participent les victimes, les bourreaux, leurs mots mutuels provoquant des jets de tomates des spectateurs convoqués et venus par désoeuvrement s'asseoir dans la salle, ce n'est pas moi ; ou bien, replié dans ce Murray's à vitrine de glace, ma petite table où gît dans sa tasse de porcelaine blanche cerclée de bleu le café, autour de moi de vieilles femmes, voyant dans la lumière d'automne qui tombe des cintres d'un autre théâtre encore les foules sortir de Morgan ou d'Eaton, chacun craignant de se laisser surprendre par la pluie, se pressant sur les trottoirs trop étroits devenus lieux d'un corps à corps curieux et citadin fait de piétinements, de coudes énervés, fraternels mais solides, moi-même rigolant, puis sortant et, d'un seul coup, danseur conjoint de cette drôle de valse, ce n'est pas moi ; ou bien, la joie exagérée d'un groupe de jeunes garçons qui passent, marchant vite, riant, criant, sautant, plaisantant, donnant des coups de pieds dans les flaques d'eau pour éclabousser les passants, ce n'est pas moi ; ou bien, sur le carré Phillips, une secte religieuse qui chante des cantiques prêchi-prêcha et distribue des tracts, c'est clair, voici venir la fin du monde, Dieu n'est pas mort, on se sera trompé, ah ! tant pis pour les hérétiques, les badauds lisent, s'ébaudissent, interpellent, pleins d'ironie les chanteurs sectateurs qui s'adressent aux anges tandis que les pigeons, tournant autour de leurs têtes, leur font comme une auréole vibrante ou escadrille diabolique lâchant sur eux de célestes petites bombes de guano, ce n'est pas moi; ou bien, imaginant que je puisse avoir tort, que l'amour est une chose très profonde et très grave, même si elle m'échappe, où la douleur est la soeur du plaisir dans un duo secret, invisible aux yeux étrangers qui sont miens, mais alors tout change et je ne suis qu'un porc de ne pas voir pour ce qu'ils sont le coeur de Jérémie et celui de Judith, jour après jour, assassinés, ressuscités, plus simplement rétrécis, dilatés comme un bon minerai de fer dont l'éclosion, pour une âme innocente, se confond avec un champ de fleurs romantiques arrosées méticuleusement par Hölderlin, Kleist, Jean-Jacques et autres horticulteurs allemands dont les tombeaux sont des tam-tams sauvages rangés le long d'un lac en cette forêt noire par moi inconnue, lointaine, attirante, mystérieuse, ses ombres résineuses odoriférantes, ses pins dont le fût droit se jette d'un seul coup jusqu'au ciel, Armande en Vénus érotique, désincarnée, fragile, forte, suave, se transformant en statue romaine au ventre rond, la tête un peu penchée vers l'épaule, la main levée, le doigt tendu effleurant une lèvre silencieuse, ce n'est pas moi ; ou bien, confondre cette ville qui n'a pas sept collines comme Rome, Montréal et son unique mamelon, devenant par ce délire élaboré qui est en moi le dompteur incroyable qu'il faut être pour animer tout cela, lui donner sa beauté qu'elle n'a pas, trop jeune qu'elle est et déjà pleine de rides, port sans mer, presque sans bateaux ni authentiques matelots pour Judith comme ceux que chantait Francis Carco, si jeunes, si blancs malgré le soleil, l'océan, la tête brune aux courts cheveux bouclés et de grands yeux à l'étonnement immense, les reins étroits, la taille ronde, les cuisses et les mollets puissants, de grands corps dociles sur lesquels je la vois penchée, attentive, émue par cette splendeur passive de leurs bouches éclatantes et sans mot, sinon quelques gazouillis étranges, des noms d'arbres, des fruits exotiques, des villages perdus au milieu de vanilliers bruns, de sombres oiseaux aux ailes frémissantes, ce n'est pas moi ; ou bien revus, réentendus plus concrètement encore, Mozart, Bach par le trio Loussier, les bougies à la citronnelle, nos corps perdus dans la pénombre d'une chambre confortable de la rue Peel, un proverbe hypocrite, des riens pour quiconque mais support pour nous d'une vie idéale, nous croyant à Venise couchés parmi les chiens aux pieds des courtisanes du Titien, nos voitures de sport, les gondoles, ce n'est pas moi ; ou bien cette question, qui donc, moi, pourrais-je aimer sans qu'aussitôt je crève, si de ce sentiment ne jaillit pas la source inépuisable des merveilles, geysers aqueux couvrant le monde de leurs jets vaporeux, voulant croire, du moins maintenant qu'elle est morte, qu'Armande et moi aurions pu nous aimer, tout quitter et, munis de montgolfières, nous envoler sous les applaudissements de Judith et de Jérémie rassemblés, je me dis que cela il faut l'écrire, que pour ce faire mes mésanges tatouées se laisseront plumer sans piailler, que les dieux me prêteront leur souffle et Mercure son pied ailé, je vais donc refaire les itinéraires, elle et moi, moi et elle, mais pourquoi tant de chasteté sans même de public pour m'en plaindre, ce n'est pas moi ; ou bien, jouer avec la crécelle des faits passés, en prenant pour excuse et prétexte que l'histoire recommence toujours pour le monde, et que pour nous aussi elle pourrait bien recommencer, Montréal d'abord puis moi en deux sexes et trois genres, c'est aisé de tromper le monde, il suffit d'inventer une rose qui sent l'oeillet, chose facile pour un jardinier avisé, agir à l'instar de Judith qui a su décorer ses passions comme un arbre de Noël, avec jolies boules de verre argenté, leurs miroitements, leurs feux, leurs éclairs, leur toc et leur naïveté attirante et renouvelée d'un soir à l'autre, rouge rubis, le lendemain jaune, puis devenant de plus en plus rare, indigo ou cinabre, ce n'est pas moi ; ou bien, les costumes en alpaga de Brisson et Brisson, le lion qui lèche le genou d'un mannequin vêtu par Cappucini ou Courrèges, un lustre de cristal en guise de chapeau sur sa tête de plâtre, tenant dans sa main gauche une boîte de musique, dans sa droite une mandarine, dans la vitrine d'Ogilvy's, ce n'est pas moi ; ou bien, Honey Dew, le Monterey, le coin de la rue Peel, son marchand de journaux, « Trim » pour Adolphe, « l'Express » pour Jérémie, « Le Nouvel Observateur » pour Judith, pour moi « Mad », Burton's où seront mes livres en anglais, Birks et ses montres suisses, ses vaisselles en wedgewood, ses diamants du Transvaal, ses fourchettes en vermeil, Air-France orné de continents en bronze au plafond bleu ciel et ses phyllodendrons, le System, trois films pour soixante-quinze cents, le Parisien et l'Orpheum, Gold and Sons, ses costumes en vitrine annonçant la nouvelle mode pour homme distingué, le Fantôme du Bengale et Mandrake, la Place des Arts apparaissant juste après la déclivité de la rue Jeanne-Mance, sa façade blanche dont les colonnes de béton alignées en demi-cercle ressemblent à des fanons de baleine, à l'intérieur comme Jonas Francescati, Harry Belafonte, les ballets nègres, le Bolchoï, chaque pays a ses Sylphides qu'il veut à tout prix exporter sous les projecteurs du monde, le marchand d'animaux en face et mes stations debout devant les gouramis, xiphophores, scalaires, black-molly vivipares, néons de Sumatra au corps jaune rayé de noir et presque rond, guppy du Mexique, rasboras, plecostomus à ventouse, petit requin timide qui fait sa demeure sous les pierres, en vente ici conjointement les derniers spécimens de ce qui est intéressant, tirés des films d'horreur, en plastique do-it-yourself qu'il faut d'abord coller puis peindre, Dracula, Frankenstein ou leurs avatars savants, la femme, l'homme transparents qu'on monte, tout compris voire le sexe, en dix heures chez soi à grand renfort de colle et de plans, qu'on ouvre muscles après peau jusqu'au coeur, jusqu'aux entrailles, et qu'on referme aussitôt, saisi d'horreur, pour se plonger dans la brochure aux explications rassurantes, Adélaïde a tort de passer tant d'années d'étude à McGill, ce n'est pas moi.

Il ne suffit pas de penser, essayons contre l'intellect la course à pied des sensations, comme Péguy allant du jardin du Luxembourg à Chartres, ainsi je nomme le coin de Sainte-Catherine et Saint-Laurent ; où sont-ils donc les voyous tant chantés par Judith, leurs âmes douloureuses leurs grosses mains, leurs yeux sombres, il n'est là que des ectoplasmes hâves qui vont et viennent, occupés de guerres secrètes, la jambe veule, le mensonge sur le visage, ou bien elle y voyait une autre vérité que je ne saisis pas, non plus que par l'agencement des maisons laides de briques rouges, les façades aux fenêtres toujours fermées dont les vitres sont sales, les toits plats, elle est meilleure romancière que moi par sa façon de magnifier les choses et les êtres, de créer un vent frais pour rendre habitable un désert et meubler les nuits noires d'étoiles, usant de l'imagination, mais je suis sec.

Victor disait : « La sage du logis. » Il parlait d'elle, de l'imagination, et, comme Judith il savait susciter les mythes par l'emploi opportun d'une phrase mouillée de larmes, un peu ignoble, nous racontant ses semaines passées à l'école des beaux-arts, jeune, désolé, sans argent et sans havre, dessinant le jour inlassablement, venant en droite ligne de Saint-Jean, mentant à ses parents qui le croyaient travaillant et suivant les cours du soir par conséquent ne lui envoyant pas d'argent, mais lui heureux quand même et innocent, en jeune artiste modèle qu'il voulait être, laissant pousser ses cheveux, cultivant son talent, trop affamé consentant à laver la vaisselle dans quelque restaurant ou bien, d'humeur maussade, dormant dans une entrée d'immeuble après avoir sonné, pour qu'on ouvre la porte, à quelque appartement, s'installant tout content au creux des marches, jusqu'au matin ronflant et, selon les photos d'époque, plus un auto-portrait de sa période Van Gogh figurative lui ayant l'oeil bleu, le cheveu frisé, un long visage mobile presque aussi maigre que moi mais en plus naturel, et ceci vers l'impondérable qui faisait de lui déjà un grand artiste, peut-être cet air de jubilation et de joie, lui continuant de raconter, d'inventer ses exploits et moi pensant « c'est comme ça ou rien que tu seras, » imaginant à son image que tout refus est global, mais ce n'est pas cette image de Victor en adolescent artiste qui me plaît ; je le préfère en mage quand je ne savais rien de lui car n'ayant pas encore fouillé dans ses cartons où il cachait ses oeuvres de jeunesse, lui me comprenant, me forçant par là même à faire ce que je pensais bien mais sans oser le faire, lui toujours en avance sur moi, rendant ainsi chaque acte plus facile, présenté, en somme, comme une imitation de lui-même, cette suggestion tacite mais éternelle « tu écriras comme je peins, » sorte d'oracle delphien avec gentillesse, l'avenir ainsi dévoilé sans phrases comme cela devenait facile d'accepter les initiations en forme de torture, d'ostracisme déjà et de semi-disgrâce qui s'abattaient sur nous selon un ordre inexplicable pourtant infaillible, par là même réconfortant, il nous distillait sa vie avec une avarice rare et nous qui sans arrêt l'interrogions « comment est-ce qu'on embrasse une fille, » « exactement comme un garçon mais en y mettant plus de flamme, » il s'amusait à voir mon scandale muet et Jérémie rêveur imaginant l'inimaginable, Victor embrassant un garçon, ou bien lui « Qu'est-ce que j'ai pu crever de faim », le disant comme si c'était une chose parfaitement enviable, amusante, s'écroulant de rire, en même temps faisant mine de manger une poignée de sable qu'il lançait en l'air pour redescendre sur nous qui nous sauvions à toutes jambes, surtout Judith à cause de ses cheveux longs, comme la pluie d'or sur Danaé de Zeus, lui encore « Qu'est-ce que je peux faire comme merde » au moment où il commençait un tableau, ajoutant avec une moue charmante « Il est vrai que la Joconde aussi alors » ; mais sa grande phrase était « Ce qu'il faut » suivie de points de suspension immense, « ce qu'il faut » nous rendait fous car nous sentions qu'il fallait infailliblement quelque chose mais quoi, nous ne le savions pas et Victor non plus d'ailleurs, « Ce qu'il faut » c'était aussi bien se précipiter dans la mer, se moucher, bazarder une toile mal venue, se barbouiller de boue indienne, fumer une cigarette, je me chatouillais les méninges avec ce « Ce qu'il faut », interrogeant Victor et lui me répétant d'un air inspiré la phrase en me pointant du doigt « Ce qu'il faut », je m'endormais y pensant encore et cet espoir de le trouver un jour, lui au matin disant encore « Alors, ce qu'il faut », je ne protestais pas quoique le soupçonnant de se foutre de moi, prêt à crever plutôt, je ne sais pas par quelle vanité ou audace, que de le lui laisser entrevoir.

Admettons-le : cette rue Saint-Laurent est tracée avec justice par Judith et par Jérémie comme une voie royale où je n'ai qu'à m'engager à mon tour, et sans renfrognement, pour aboutir là où ils sont dans un temple du confortable; j'en ai assez d'être sage, d'être chaste, vive les femmes et leur petit tabernacle, je vais jeter ma gourme ce soir et mes désirs je vais les assouvir prestement, en commençant d'abord par les

bars pour avoir le courage d'aller au bout de mes
élans; la bière me gonfle l'estomac, nulle ivresse ne
m'enivre, je rentre ici, je sors de là, l'Arlequin, le
French Casino, le Main Café, la Cosa Loma, sans parvenir à me hisser au faîte d'une manière de poésie
altière où enfin je pourrais être moi sans être moi,
c'est idiot d'être lucide quand nulle raison ne vous y
force et quelle plaie de se découvrir, adieu rêves
dorés, non pas blasés, mais prosaïques, de prendre les
choses pour ce qu'elles sont, un cabaret, un cabaret et
non pas une escale du Pacifique, une fille, une fille, et
moi je suis un garçon; que voilà un beau soir sans
amis, sans maîtresse avenante et idéaliste, un vice ou
deux, pas même vraiment, sans rareté, à satisfaire,
sans fétichisme, ou plutôt si mais les rêvant, pour cela,
oui, rêvant en fieffé imbécile : acheter « Hush »,
« Midnight » ou « Tab », anxieusement fouiller dans
les petites annonces paramatrimoniales, y chercher
dans le secret de mes appartements, à la rubrique
« girls », toutes celles dont la description va à mon
contentement, un peu grosses, aux alentours de quarante ans, sans m'inquiéter outre mesure que cela
va contre mon sens officiel de l'esthétique féminine
mais trouvant mon excitation par l'expression de leur
humiliante solitude, ou ce rêve que je me fabrique
de les voir surtout dans un abattement extrême dans
l'expectative de mes triomphantes et différées conso-
lations, les filles laides, les filles mères, les bonnes
enflammées et baisées par tant de patrons dans l'espoir de pouvoir rencontrer enfin un beau militaire au
22ième Régiment, les épouses oubliées, les mères dé-
naturées amoureuses de leurs enfants, les dévotes

affolées de voir venir leur retour d'âge, les unes sen-
timentales, d'autres pornographiques voulant soutenir simplement, avec quelques images écrites les forces défaillantes d'un époux adoré qui exige des adju-
vants et par là même du correspondant la possession
d'une chambre noire, les bâtisseuses d'empire qui
s'inventent, au fur et à mesure que s'installent les
épistolaires relations, une Cadillac, dix machines à
laver la vaisselle, un mari directeur de banque et
infidèle, et moi passant mes nuits à écrire accroché
aux ailes des avions qui emportent mes lettres vers
celles qui veulent un ami, un frère, un mari, un
amant, un confesseur laïque, un psychiatre bénévole,
prétendant m'exercer par ces lectrices expérimentales
à la confection d'un roman que je n'écrirai pas pour
elles, je les entraîne pourtant dans mes antres, je
leur distille mon fiel, offrant et reprenant, suscite à
distance des jalousies énormes, dresse des amours
variées comme on dresse un buffet, m'étonne moi-
même des ressources trouvées au plus profond de ma
tête et de mon ventre, joue en virtuose de la gamme
des sensations et des sentiments, lyrique parfois, certains soirs plus osé comme un époux lassé, d'autres
fois encore le plaisir de se retrancher dans une retenue
superbe, prétextant la fatigue d'une journée remplie
de travail et d'honneurs, les photos reçues aussitôt
jetées sans un regard pour ne pas, par trop de préci-
sion, détruire d'un seul coup l'édifice, pris au jeu qui
jouerait l'être plus que moi-même, je ne vis que pour
ça dans une longue attente, mes lettres mandées chaque matin, la course vers la boîte espérant des réponses, furieux de les voir tarder ou la lettre trop courte,

trop peu explicite à mon gré, parfois tendre parfois méchant, ému aussi par une confession touchante ou recherchant, au travers des mots, les exagérations, les mensonges, devinant ce qu'on veut de moi tout en me gardant d'y répondre, tôt ou tard elles ou moi lassés, toutes les relations cessent tandis que d'autres se nouent au hasard des semaines, renouvelé, grâce à mes abonnements, pour l'unique amant que je suis le stock inépuisable de fort diverses maîtresses auxquelles tout est donné de mes pensées les plus intimes, en cet endroit de soi où le mensonge rejoint la vérité, et d'elles tout reçu, prudent, même vertueux comportement au point de ne pas vouloir nous connaître, échafaudant des rendez-vous à mi-chemin pour un soir de printemps, remis à l'été, à l'automne, à l'hiver mais toujours impossible et voulu dans le fond rigoureusement tel, tout juste mentionné pour donner le frisson à la pensée de pouvoir, si l'on veut, un beau jour faire coïncider l'imaginaire et le réel; comment ferais-je maintenant pour ressembler à l'auteur de ses lettres, perdre dix ans, gagner trente livres, ou se décolorer en blond, les phrases dites aux étrangères finissant par vivre d'une vie propre, enfilées l'une à l'autre elles donnent un curieux portrait, ces lettres conservées très précieusement, relues en secret, construisant à elles seules un tout vivant sans visage, ni corps, l'écriture seule suscitant mon visage de celui d'une femme merveilleuse, complexe, à l'exacte mesure de ce que je souhaite, ou encore dans un moment de dégoût et de rage, déchirées, piétinées, jetées sans plus de ménagements au panier, mais regrettées dès le lendemain soir; tout recommençant plutôt que de me glisser dans mes draps ou, pire encore, d'écrire un roman véritable.

Mais vivons et pour ce faire tout est bon quand on se sait accroché si légèrement entre ciel et terre, nulle précaution n'est de mise, je n'en accepte aucune, ma musique intérieure doit arrêter son ronronnement, les dés sont pipés mais c'est la réalité que je prise.

Une table bancale dans un coin du «Pal's Café» où mon rêve finira ce soir, je suis le prisonnier de ces murs peints en noir agrémentés de silhouettes à minues, tortillements d'ombres chinoises, sous des palmiers dans un sabbat au genre féerique grâce à la lumière noire qui rend luminescents les oranges et les bleus, l'orchestre cosmopolite, un Noir saxophone ténor, un Blanc pianiste, un jaune Japonais qui chante un peu ou gratte une guitare électrique, interrompant son couinement de temps en temps pour annoncer le nom d'une fille, je l'envisage curieusement, elle, qui perpètre comme un modeste strip-tease qui s'arrête au slip et au soutien-gorge, la loi municipale de la moralité les obligeant à ne montrer nus que les épaules, les bras, les jambes, le ventre, le seul nombril devenant par là même d'un érotisme dément, une agitation sans grand art dans des oripeaux de guignol cousus main par elle-même, à la maison, un soir de veille avec les enfants, mais tout cela gentil quand même et plein de bonne volonté, un peu de cuisine et un peu de mollet souligné par le boum d'une grosse caisse, Daisy-Sexy ou Sarah, moins danseuses qu'échantillonnages puritains; elles sont quinze ou vingt pour animer, sur un rythme go-go, le spectacle permanent, ainsi qu'on l'affiche à la porte, assuré sans interruption de midi à deux heures du matin, la même fille repassant toutes les deux heures environ, entre-temps allant faire ailleurs leur numéro d'effeuillage, s'asseyant, mal aux pieds, dans la salle où leurs amoureux les attendent en costume sombre, plus las encore qu'elles comme si c'était eux qui venaient de mener la bataille devant ce parterre de rois campagnards indifférents; mes voisins commentent à voix haute les charmes respectifs des tableaux vivants, la femme est toujours la femme, n'est-ce pas, malgré la cellulite, les gros pieds, ni grâce, ni beauté, mais un simple orifice à donner le vertige, en somme le plus important; je reçois dans ma nuit ma part d'oeillades et de coups de fesses, m'est avis que je devrais sans délai trouver ça beau si je ne veux tout à l'heure courir vomir dans les toilettes, je me dois d'inventer une petite histoire simplette, que je suis de l'Abitibi au temps de la colonisation, du Klondyke, moi chercheur d'or venu à la fin de semaine le dépenser dans un saloon. Or je ne suis pas ici à la fête, je revois la jurisprudence, je viendrai de même en célibataire en goguette, rions donc à cette demoiselle, laissons-nous aller à notre besoin d'expansion, une bière pour Daisy-Sexy, non, un gin tonic, vivent les confidences et sa bordée d'enfants, datant du temps où elle était jeune fille à Québec, ils sont beaux les marins américains descendant en courant de leur corvette. Je dis : « Ce genre de vie te plaît ». Elle : « Tu viens ici pour t'amuser ou pour faire une enquête ». Je dis : « Inutile de te fâcher; qu'est-ce que tu fais ». Elle : « Je me laisse faire ». Si j'osais, je lui demanderais, écrivain que je suis en quête de malices de me donner par l'exemple des leçons, pour commencer passer mille et une nuits avec elle, la regardant se laisser faire avec ses amants.

Etant ici par une conjoncture dont les composantes m'échappent, Jérémie en prétexte plutôt, je veux, en me lâchant, savoir qui je suis, j'abandonne à elle-même, au risque d'un saccage, les forces qui m'habitent, je donne quartier libre aux démons qui sont miens, que j'ai bridés sans doute mais nourris, engraissés sans m'en rendre compte et quelle est ma surprise de les découvrir aujourd'hui rondouillards comme des outres, chevelus, musculeux, joyeux porteurs de facéties, chantant un drôle de péan, dansant une petite farandole à l'orée de ma bouche, de mes yeux, de mes mains, prêts à s'échapper de moi comme un fluide pour peu que je leur dise « allez » ; j'ai déjà connu le désir enfin, je sais en ce qui me concerne qu'il n'est ni bleu ni rose mais l'aurais-je jamais imaginé d'ici une coloration sombre; mes genoux tremblent, je ne tiens plus à fuir devant ce petit monstre, je discerne bien ce que je veux dans cette chambre où Daisy m'a conduit : ses rares meubles et rompus à tant de fatigue qu'ils devraient paraître sans âge mais rien ne peut tuer leur côté victorien, je n'envisage qu'un seul plaisir, en somme, mais fort bien fait : de sentir cette femme faire, sans mot dire, ainsi que je commande, me donnant peu à peu le plaisir ambigu de me sentir le maître, payant bien pour l'être par conséquent esclave tout autant, donnant des ordres secs, refusant tout contact de ses mains, moi nu, debout, maigre, si cocasse vu de haut par une vue plongeante qui déforme le corps que je suis comme un miroir de foire, ventru ou creux selon, ma poitrine, mon nombril, mes cuisses, mes genoux en deux bosses rondes et mes pieds, tandis que mon menton touche presque le sommet du sternum, que ma bouche se crispe un peu, que la nuque me fait mal à cause de l'effort, une mèche de cheveux me tombant dans les yeux dont le chatouillement est conjointement sympathique et pénible; j'aime bien voir ainsi, parallèle à mon propre corps, d'autres épaules par le dessus et l'occiput qui légèrement se courbe, l'échine droite qui sur deux mots de moi s'incurve, le cou tragique et blanc, les deux mains dans le dos me dissimulant la rondeur des fesses que je devine pourtant mais comme barrées par des doigts que terminent des ongles longs laqués d'un émail sang de boeuf, les deux mains devant se tenir fermement comme liées par un tacite serment plus fort que la plus grosse corde, je sens ainsi, et l'observant, le doux velours d'une langue humide qui s'attarde sur mes tibias, mes chevilles, mes pieds, allant aux orteils, presque sèche râpeuse au bout d'un moment comme une langue de chat, puis le visage qui se tend vers moi, non pas humilié mais inquiet, surtout indifférent, d'accord pour continuer mais ni trop loin, ni trop longtemps, moi l'exigeant pour le seul plaisir, fermant les yeux, de croire l'espace d'une fugitive seconde que cette femme à mes pieds est le monde et que le monde est à ma seule disposition, je passe de l'idée à l'acte, je lie les mains vraiment et les pieds, plus question pour elle de s'enfuir maintenant le voudrait-elle, je puis changer le masque de ma figure, si elle crie je lui flanque un bâillon, je l'insulte à souhait, je lui crache au visage, j'écoute ses vagues protestations et les plaintes indignées qui sourdent de ce corps quand, prenant ma ceinture, je la cingle légèrement puis de plus en plus fort, elle disant que je suis fou, elle grouille, elle gronde, elle crie, si j'étais beau elle trouverait tout cela normal et bon, je resserre les liens, je lui attache autour de la tête une serviette, ma ceinture continue à décrire ses tranquilles demi-cercles dans les airs, s'arrêtant un moment quand le cuir rencontre la peau où se dessine une raie rouge qui demain virera au bleu, puis au brun, en souvenir de la leçon cuisante, ce pourrait être pire si, vampire, je buvais son sang, elle pleure maintenant, pauvre elle couchée en chien de fusil sur le sol, je la prends dans mes bras, je la porte sur le lit où, le mieux que je peux, je la couche, je lui parle tendrement, la cajole, je la console comme je consolerais un enfant, admirant combien ceux qui souffrent par vous, vous deviennent proches, vous appartiennent, me laisserais-je aller que, comme Jérémie fit d'Armande, je porterais Daisy-Sexy à mon appartement.

Mais fou, Daisy-Sexy, cela ne me dérange pas de l'être malgré la peur que j'en aie certains soirs quand (le matelas est trop mou et je boirais trop de café Maxwell House, régime Sanka si tu ne veux pas crever de la tête), je ne m'endors pas, j'imagine alors quel rêve d'asile heureux, d'oubli heureux, cher Stendhal, avec des fous plus fous que moi que je n'aurais pas à comprendre, de toute façon même les sains d'esprit je ne les comprends pas, quant à moi; considérons l'ennui qu'il y a d'avoir un peu mal à la tête, l'angoisse qui émigre du plexus solaire aux méninges via la moelle épinière, je serai après tout Bruckner et ses neuf symphonies, je m'agenouillerai devant Wagner, je serai Wolf, Nerval, Schumann, Drieu-la-Rochelle, Xavier Forneret, Victor Hugo et ses tables spirites, j'en oublie, Hemingway, ici tout concourt à ma perte, comme tant d'autres je ne suis pas sorti du bois, j'en connais trop qui errent de la cervelle : Réjean Ducharme et son petit visage matois, son oeil rose, son coeur disant « prends-moi, prends-moi », de l'Eldorado à la taverne Altesse et son menu chinois de minuscules dépravations pétillantes comme de la bière, je le vois comme un navire-cercueil en bois d'érable à mâture de pin nordique et aptère, Hubert Aquin plus tendre en son pays valois, pourtant chassé par des uniformes verts des rives fleuries du lac de Genève, venu lui seul pour échapper à quoi, sa nudité, son révolver, ses voitures grand-sport et l'Etat du Québec, de Montréal-Canada vers une Europe orientale, donc de rêve; une bonne marmite pleine de soupe, une bonne fourrure pour les mois de neige, un gros baiser mouillé sur sa joue maigre feraient bien mieux l'affaire que tous ces caravansérails de drôles de chimères, quant à moi déjà mes heures se comptent, déjà, mais je devine bien où je vais, à pas sûrs, à pas lents, là où les simples mortels n'ont rien à faire, Dieu merci que j'ai ces bornes que je connais, debout apparemment, sain de corps, mais une éponge dedans, peut-être cheminé-je déjà assis sur ma chaise de planche que j'empruntai à Hölderlin une fameuse nuit de mai, ce long parcours tout cahoteux, du 3626 rue Aylmer vers la planète dite imbécillité y retrouver Nelligan que je baise, Baudelaire que je baise et Rimbaud que je baise. Victor disait : « Les dieux du Nord rendent sages ceux qu'ils veulent perdre ». Ta sagesse, écrivain zélé, est comme Daisy-Sexy : bats-la jusqu'à ce qu'elle en pète.

Lettre de Jonathan à Jérémie : Mon cher Jérémie, c'est un peu bête d'écrire, de prendre la peine d'écrire et tu sais ce que cela devrait signifier pour moi, à un ami; c'est un peu comme s'il était mort cette façon de communiquer si sotte quand il existe le téléphone. Je t'écris donc cette lettre pour te demander d'effacer de ta mémoire une scène disgracieuse, tu la connais. Quand tu n'es pas là, je ne fais que des bêtises. Cette lettre ne te plaira pas, tu vas la trouver trop sensible et même un peu pleurnicheuse mais tant pis. J'ai ce soir un cafard noir. Judith même me snobe quand elle n'a pas besoin de moi mais je ne t'écrirais pas cette lettre si, fort à bras que je suis, je n'avais pas enfin ramassé quelques petites notes et commencé à mettre en forme le tout en vue de mon vaste roman. Si Anne le veut bien, puis-je venir vous voir un jour. Jonathan » Victor disait : « Jonathan si long, si maigre et si noir a tout l'aspect d'un Espagnol et c'est Jérémie qui ressemble à un saint du Gréco ».

Lettre de Jérémie à Jonathan : « Mon cher Jonathan, il ne faut quand même pas me prendre pour un imbécile. C'en est fini le temps où Victor disait de moi, si je me souviens bien « mergitur nec fluctuat ». Non, non, plus de naufrage. Compris. C'est trop facile le beau Jérémie-ci, le beau Jérémie-ça et tout compte fait le mépris, le petit mépris pour le beau Jérémie qui se regarde dans la glace pour se raser comme si tous les hommes ne faisaient pas la même chose, le beau Jérémie tombeur de femmes, grand amoureux et tout le tralala. Oh! non alors, le coup de la lettre on ne me le fait plus. J'en ai soupé de ce genre de littérature. Comment donc, ça ne t'a pas encore passé ce truc-là. La vie je te dis, la vie, la vraie vie, pas cette vie de rat d'autrefois. Mais je me mets déjà en colère et, si j'en crois la tradition, tout le monde, sauf moi, a le droit d'avoir ses humeurs bonnes ou mauvaises. Moi, je dois planer, voler, naviguer dans les airs comme un habitant de Bagdad, je n'ai pas le droit de rester fâché, ma générosité, je n'ai pas le droit d'avoir des complexes comme toi. J'ai beau être idiot, ça bout parfois dans ma petite tête, alors le coup de la robe d'Armande, désolé, ça ne m'a pas tout à fait échappé. Le hasard s'y est mis et tout et tout. De la faute à personne quoi et tant mieux dans le fond parce que c'était quand même, objectivement, une belle saloperie. Le hasard a le droit d'en commettre lui aussi, des vacheries, je te le concède mais le hasard seulement si ça t'arrange. Bon. Alors je ne t'en veux pas, es-tu content. D'ailleurs, si je t'en avais voulu, ce n'aurait été un quelconque sentiment personnel mais bien pour Anne qui, après tout, n'a rien à voir dans cette histoire. Sa lettre, me diras-tu. Je me mets à sa place. Farfelu comme je peux le paraître, elle aura eu peur et aura voulu se faire des amis. Elle ne vous connaît pas évidemment; c'est sympathique quand même. D'ailleurs, elle non plus ne t'en veut pas. Elle me l'a dit explicitement vingt fois. Elle a le sens de l'humour, elle n'est pas comme toi. Te voilà donc rassuré. Je le suis puisque tu me dis que tu écris. Ça te réussit de ne plus me voir, il faut croire. Quant à m'envoyer ton roman pour que je le lise, je suis à ta disposition bien que je croie être plutôt mauvais juge dans l'ensemble. Fais comme tu veux. Et les choses sérieuses. Mon pauvre vieux, je crois que tout est très bien comme ça. Nous ne sommes pas morts de nous éloigner l'un de l'autre et je ne vois pas pourquoi on ne continuerait pas. J'ai d'ailleurs quelques raisons précises, je t'en informe. Anne est enceinte. Encore vas-tu dire. Une manie. Il pourrait changer de disque. Je le change donc. Je suis très content de l'être et d'autant plus que le père, pour une fois, ce n'est pas toi, c'est bien moi. Je redécouvre la fibre paternelle. Ça doit te paraître bien vulgaire ? Autant que tu voudras, mais je l'ai, je n'y peux rien, c'est là dans mon ventre et je trouve ça fort agréable et très bien comme ça. Et puis ne va pas me dire que c'est plutôt un sentiment de culpabilité ou quelque chose du genre. Je découvre le plaisir d'être sain, je me contenterai de ça. Alors comme Anne est enceinte et, détail technique, assez mal foutue en ce moment, je n'ai pas envie de prendre des risques d'aucun ordre. Vois-tu, les naissances, moi je m'en méfie depuis quelque temps déjà. Cet enfant-là, je veux l'avoir. Un gros garçon joufflu qui ressemblera à un personnage de Peanuts, on fera ensemble des grandes promenades. On a le roman qu'on peut n'est-ce pas. Et puis, mais là je vais devenir très très vulgaire, j'ai comme envie d'être heureux à la manière de tout le monde. Même Anne me trouve trop bourgeois. Elle dit qu'elle se méfie des eaux qui dorment. Moi le terrien, m'entendre accuser d'être de l'eau, même dormante, quelle horreur. Je mène à côté d'elle une petite vie que j'aime bien. N'exagère en rien ma sagesse. On écoute du Mozart et même on danse encore sur Bach, Anne et moi, son gros ventre contre le mien, Ce ventre qu'on examine tous les soirs tous les deux, un peu plus gros, un peu moins gros. On attend que ça bouge là-dedans. Ce n'est peut-être pas beau une femme enceinte mais c'est très touchant et très simple. Ça me ravit mais je sais que tu ne me crois pas. Tout est si paisible actuellement dans ma vie que je n'ai pas envie d'en bouleverser quoi que ce soit. Tes problèmes de création, je te plains mais je m'en fiche maintenant, j'ai les miens. Aussi compliqués, je t'assure, et surtout plus astreignants. Ne m'en veux pas d'être franc. Ce que je te dis à toi, je pourrais d'ailleurs le dire aussi bien à Judith qui me téléphone parfois et que je n'ai pas vue depuis quelque temps. Elle s'est fait une raison de mon mariage avec Anne et même je crois qu'elle lui reconnaît quelques petites qualités mais dès qu'elle arrive, elle est venue une ou deux fois, j'ai senti une tension. Anne me dit que j'ai tort, que cette tension n'existe pas. Peut-être. Disons qu'elle est en moi. Là. Je te vois qui triomphes. Je l'ai avoué. Je l'ai dit. J'ai peur de vous. Eh bien ! non, mon vieux. Je n'ai pas peur de vous. Ni de toi ni de Judith. Ni même de moi. Aucun de nous trois n'est si dangereux que ça. Et le passé, comme on dit, ne me gêne pas. Anne le connaît et même elle l'aime plus que moi. Elle croit, grâce à cela, que son mari est exceptionnel. On s'est bien amusé, c'est fini, on passe à autre chose. Je suis égoïste, je sais. M'a-t-on assez reproché mon opportunisme, ma manière de tirer la couverture à moi. En ce sens, tu vois, je ne change pas. Alors si ça ne te dérange pas, on va rester gentiment comme ça. Le temps de mettre au monde le petit Jérémie. Tu seras le parrain et Judith la marraine. Mais avant, prudence. Bien entendu, si tu as besoin de moi, tu peux toujours m'appeler. Mais quoi, tu écris, tu travailles, tu prépares ta gloire, tu peux fumer et boire. Dis-toi que tu est mieux loti que moi qui m'embourgeoise. Ça doit être vrai. Méprise-moi, ça t'aidera à me laisser jouer la belle au bois dormant pour une fois. Cette lettre est bien entendu confidentielle. Je ne veux pas dire qu'elle est secrète. Mais pourquoi faire de la peine à Judith pour rien. Toi, tu es un homme malgré tout et tu comprendras vaguement le pourquoi de tout cela mais elle. Elle va se sentir rejetée, détestée, ce qui n'est pas vrai. En bref, elle va en chier une pendule et je la vois arriver, éplorée, un revolver sous le menton, en me jurant qu'elle va tirer si je ne retire pas ce que je dis. Ce que je ferais d'ailleurs, je ne tiens pas à avoir une autre mort sur les bras. Si tu me permets de te donner un conseil, je le fais de toute façon, profite de l'élan acquis, fais comme moi. Après tout il y a peut-être des soirs où je regrette les bougies à la citronnelle et les promenades. Tout s'oublie. Un jour tu m'oublieras aussi et Judith m'oubliera. Ce n'est pas si cruel. C'est comme ça. Jérémie ».

Et le commentaire qui s'ensuit. Judith dit : « Quel style, en quatre pages, il répète au moins dix fois des comme ça ». Je dis : «Que faisons-nous ». Judith : « D'abord on passe chez moi, je m'habille et on passe chez toi; on ne peut aller en promenade digestive, toi avec ce costume d'orphelin ». Moi : « Pas d'emphase, tout au plus d'enfant pauvre ». Elle dit : « Ce tweed imitation, c'est abject ».

Ou bien, chaque chose vient en son temps, la capote vétuste de la voiture de Judith qui nous entraîne laisse passer l'air frais qui pique mon visage, les coins de rues sont des axes grinçants et les maisons défilent, je suis, moi un enfant de Dieu innocent, les yeux fermés au milieu de ce songe noir fait de fenêtres closes par leur double épaisseur de vitre, leur moustiquaire baissée comme une voilette sur le visage d'une star du muet, les promeneurs sont rares je les vois qui se secouent déjà les mains, le ciel se distingue très haut ce soir bleu profond, de Prusse, manganèse, indigo, cobalt, outremer en traînées fines et longues, l'hiver sera précoce cette année, rude sans doute, on a déjà rentré le laurier rose de la rue Shuter, rentré les jardins japonais dans leur bac de ciment qui ornent les perrons des nouvelles maisons, me voilà enrhumé, devant choisir à tout instant entre mon nez bouché et l'emploi délicat de l'Oradrine sous forme d'un petit jet, issu de la bouteille jaune et blanche en plastique, qui me pénètre sournoisement jusqu'à la gorge, rentre conjointement dans les sinus qu'il décongestionne, le tout se met à couler et moi qui éternue inondant maints kleenex d'un suc incolore et aqueux bu par la cellulose qui se transforme en boule que je jette d'un air dégoûté par la fenêtre de la portière. Judith dit : « La lettre de Jérémie est typiquement pornographique; je croyais que les postes canadiennes n'assuraient pas l'acheminement de la littérature obscène ». Je dis : « Que je suis triste quand je regarde la lune où nous devrons aller; pourquoi la lune est-elle jaune » . Elle :

« Parce que c'est une couleur rassurante; Dieu est grand, il n'a pas voulu effrayer les Terriens avec un astre d'un rouge menaçant ». Moi : « Rassurante la couleur de l'or ». Elle : « Rassurante la couleur des cocus; en tout cas moi, je serai du premier voyage touristique interplanétaire; une fois là-haut, je te garantis que je rirai bien de votre terre ». Moi : « Et Adolphe ». Elle : « Il sera tout à fait charmant en scaphandre ». Ou bien quelques mots, sur Adélaïde. Judith dit : « Mais enfin, est-elle si moche que ça ». Moi : « Ce n'est pas Marilyn Monroe ». Elle : « Alors entre les deux, un peu comme Marie Bell dans Genêt ». Moi : « Un peu mieux, toute question pour le théâtre mise à part ». Elle : « Quand même pas aussi laide qu'Anne ». Moi : « J'en ai peur ». Elle : grand nez, de grosses jambes, elle est bossue ». Moi : « Rien de ça ». Judith : « Une fesse plus grosse que l'autre, les pieds bots ». Moi : « Ah non, pas les pieds, les pieds d'Adélaïde sont patriciens ». Elle : « Je ne te connaissais pas ces penchants pervers, ainsi Adélaïde a les pieds patriciens; tu vois bien que ce n'est pas si mal; c'est un commencement ». Moi : « Plutôt une fin ». Judith : « Il faudra me la présenter cette petite; si, si, j'y tiens ».

Le nez dans mon placard, occupée à fouiller dans ma garde-robe, disant que mes costumes sont laids, mes pantalons mal repassés et mon manteau tout juste bon pour un prisonnier réformé mais elle trouve un jean blanc aux genoux, le bas effiloché. Judith dit : « Enfin quelque chose de convenable, au moins ». Elle le secoue comme un étendard avec des airs de Jeanne d'Arc. Elle dit : « Vous êtes drôles vous les hommes, on vous croit grands et forts mais, quand on regarde vos vêtements, ils sont si étriqués que l'on se demande comment vous faites pour rentrer dedans ». Je dis : « Ce n'est pas une question de muscle mais une question de nerf ». Elle : « L'utilisation des compétences, je sais, je sais ». Je suis assis sur une chaise, les jambes en l'air, mes pieds reposant sur le petit bureau où règne un désordre presque austère, je considère par en dessous, Judith est-elle ici, le dossier engraissé chaque jour un peu plus par des pages manuscrites, couvertes de bas en haut de graffitis, des triangles dans des cercles partant en rayons, des pointes terminées par des boules, elles-mêmes renaissant dans d'autres cercles, d'autres triangles encore jusqu'au plus petit coin dans un tatouage sublime, ces pages faites sont mon vieillissement, je sens les poches sous les yeux que cacheront de grosses lunettes noires, la peau me tombe sur le front, molle comme de la gélatine de veau, et tout pourtant, voyant ceci qui croît de hiéroglyphe en hiéroglyphe, me donne envie de rajeunir, c'est peut-être à cent ans que la vie commence et qu'on se sent, sans remords, des envies turbulentes de jeune chien. Je dis : « Tu ne veux pas que je te lise une petite page de mon roman ». Elle : « Autant te le dire, je l'ai lu partiellement un jour où tu n'étais pas là; je n'y ai rien compris; quelle drôle d'idée tu as d'écrire si long ». Moi : « Je t'expliquerai ». Elle : « Moi, tu sais, la littérature moderne ». Moi : « Mais avant ça t'intéressait ». Elle : « Bien sûr, bien sûr ». Moi : « Dis-moi non ». Elle : « Ne te vexe pas, je pense à autre chose, si tu veux un autre jour ». Moi : « Je ne me vexe pas, je jouirai de t'entendre dire

non ». Elle : « C'est du vice ». Moi : « On a les vices
que son train de vie permet ». Elle dit : « Tu me mets
dans une situation pénible ». Moi : « Pas tant que ça,
dis-moi non ou je t'assomme avec ça la soirée entière ».
Elle dit : « Bon, d'accord, un petit bout mais pas long,
je ne m'assois pas ». Moi : « Dis non ». Elle : « Compris, ça va comme ça, et puis vexe-toi si tu veux, je
m'en fiche, venant de toi la littérature ça me gêne ».
Moi : « Pourquoi ». Elle : « Je ne sais pas, tu n'es pas
à mes yeux assez littéraire ». Moi : « Pas confiance ».
Elle : « Peut-être et puis merde, si tu veux la vérité,
ce que j'ai lu de toi, je trouve ça mauvais et puis j'ai
horreur des mots vulgaires ». Moi : « Tu parles comme
un charretier ». Elle : « D'accord mais les écrire, dans
le fond je suis pour l'Académie Française, Aragon je
trouve ça d'avant-garde, tu te rends compte ». Moi :
« Ce n'est pas très gentil, tout ce que tu me dis là, est-
ce que tu te rends compte ». Elle : « De quelque manière que ce soit, mon avis n'a pas beaucoup d'importance ». Je dis : « Non ». Elle : « Et si tu veux me
lire ton bouquin, ce n'est pas pour que je te donne
des conseils mais pour te faire plaisir à toi ». Moi :
« Exactement ». Elle : « Tu vois ». Elle s'agite, s'affole,
ses mains s'envolent dans les airs pour pallier tout
ce que les paroles ne disent pas, je la vois suffoquant
à cette idée curieuse d'être prise à témoin d'un moment romanesque et tenue, à la suite de quoi, d'émet-
tre une opinion, même de donner un conseil, d'être
sérieuse pour une fois, nantie d'une sorte de pontificat
littéraire, elle se penche en arrière, s'incline en avant,
dans un mouvement propre en général au pic-vert, de
tout son corps sur les talons pour plonger au fond de

la garde-robe, je l'entends qui farfouille, son petit derrière dépasse de la porte une jambe en l'air, sa voix étouffée par les étoffes me parvient inquiète, expectative, dubitative, consternée, étonnée, enfin ravie. Judith : « Tu ne m'avais pas dit que ta maison recelait des merveilles ». Elle ressurgit en brandissant deux instruments noirs qu'elle caresse, eux désunis, en les tenant chacun dans une main au bout de ses bras en croix, les réunissant à nouveau dans les airs en un mouvement concertant, les entrechoque l'un contre l'autre, les sent encore, les embrasse, les soupèse, les secoue, les serre contre son coeur, les pose, s'éloigne de quelques pas pour les contempler à l'aise, les reprend, les resserre, me tire de la chaise où elle s'assoit tandis que volent au travers de la pièce ses petits escarpins, elle debout et traînant les pieds dans ma paire de bottes marchant avec comme Charlie Chaplin. Je dis : Ce n'était pas la peine d'enlever tes chaussures, tu rentrais parfaitement avec ». Elle ne dit mot d'abord prolongeant à plaisir la promenade exhaustive. Elle dit : « Chaque fois que j'en vois une paire, ça me rappelle l'assassinat de Marat, enfant ça me scandalisait qu'on l'ait assassiné dans une botte; on est bien là-dedans; quand les portes-tu ». Moi : « Jamais ». Judith : « Pourquoi les as-tu ». Moi : « Une question de sécurité; je croyais qu'avec des bottes on se sentait dans la chemise d'un autre homme ». Elle dit : « Ce n'est pas si bête ». Moi : « Mais c'est faux ». Elle : « Je ne trouve pas, quelle merveille ». Elle est à mes genoux devant moi, cependant que, me défendant, je reçois une tape sur le genou et ordre de me laisser faire, elle me déchausse, tire mes chaussettes, mais les bottes, mises par toute autre main que les miennes, n'entrent pas, retenues par le cou-de-pied et le coton humide des bas, j'ai beau agiter les orteils. Judith dit : « Nous ne sommes destinés ni l'un ni l'autre pour les westerns; à cause de cette malheureuse histoire de bottes que nous n'arrivons pas à mettre, Hollywood ne nous engagera pas ». C'est fait pourtant à grand renfort de contorsions pédestres. Je dis : « En tout cas, je ne sortirai pas comme ça ». Elle : « Nous allons au contraire dans un endroit plein de monde ». Moi : « C'est idiot ». Elle : « Tu ne vas pas me refuser ce plaisir-là ». Moi : « C'est ridicule ». Elle : « Si tu veux, tu peux me lire ton roman, maintenant je suis prête ». Moi : « Tu me rappelles Adolphe et ses revues de culture physique ». Judith : « Tiens, c'est vrai, je n'y pensais pas ». Moi : « Tu te rends compte du grotesque ». Elle : « Pas du tout, je continue de te trouver tout à fait charmant comme ça ». Moi : « Les bonnes bottes font les bons fascistes, Hitler et Mussolini savaient ça ». Judith : « Et les Russes alors ils en portent, ils sont fascistes peut-être ». Moi : « A leur manière ». Judith : « Le saint communisme une manière de fascisme, je me demande dans quelle poubelle de ton esprit tu vas chercher des trucs comme ça ». Je dis : « Une intuition majeure ». Elle : « De l'infantilisme, tu veux dire ».

De chez moi à chez Bens : ce n'est pas bien loin en passant par les rues Aylmer et Burnside, notre minuscule anabase domestique ou bien, botté comme je suis, la marche victorieuse des armées nazies dans les Europes décadentes le cinéma me l'a appris, puis-je le croire, mes talons claquent contre le macadam craquelé comme des petits pétards de fête populaire, Judith devant, moi derrière, nous nous faisons une sorte de conversation (or passant devant le nouvel immeuble de la rue Milton quel souvenir de la visite que nous fîmes pour me chercher un autre appartement, plus digne de mon futur statut social, nous montâmes pleins d'appréhension dans un Agena Rocket jusqu'au Penthouse, elle et moi devenus subitement, par la force d'admiration, Alice au pays des merveilles sous les toits, piscine intérieure, sauna, garage à l'étage, moquette sur les murs, plafonds anti-pluie, cheminée en pierres naturelles, le tout pour six cents dollars par mois, moi édifiant une nouvelle vie, trouvant qu'il sera commode de passer des studios de Radio-Canada à ce nouveau logement directement, il faudra donc faire creuser un tunnel, disant ceci, cela, sans voir que nous traversons le cher Campus de McGill où nous chantâmes bien des alléluias laïques, la rue Mansfield, son magasin de chaussons de ballet, tutus, paillettes, postiches chorégraphiques, en face du parking automatique, puis la rue Burnside défoncée, le futur métro passera par là dans un roucoulement de gros jouet sur roulettes pneumatiques.

Tout est atroce, safran et noir, chez Bens, l'éclairage au néon donne à la clientèle un air coliqueux, les toilettes sont au sous-sol avec les téléphones, les clients n'y pullulent pas avant trois heures du matin quand les cabarets ferment et que les artistes en colère, pour se consoler de l'épouvantable et difficile clientèle buvant, fumant, criant, rotant pendant qu'ils chantent, viennent en cet endroit clos manger un smoked-meat de chair humaine, petit coussin rose et blanc, viande et graisse coincées entre deux tranches de pain de seigle, les pommes de terre frites et le verre de lait, donnant au fond leur vrai spectacle là et nous, nous sommes ici un peu comme dans un nouveau Port-Royal, silencieux, austères, narquois, portant nos chimères dans nos têtes, assis sur le bout de nos chaises, imaginant à voir cela la grande réforme qui suivra le laisser-aller de cet intolérable monastère, moi Angélique de Saint-Jean et Judith la mère Agnès entourées toutes les deux d'affreuses petites Briquet, guettant une hallebarde à la main Monseigneur de Péréfixe, même nos visages sont jansénistes dans ce réfectoire de caserne; ou bien négligeant la conversation pusillanime de Judith, je deviens d'un seul coup un grand pianiste de concert, je joue du Bach, du Beethoven, je salue la foule en délire, un bis entre chaque ovation dans un récital unique, ténébreux, éternel et universel, c'est bon de rêver en mangeant de la chair humaine, toutes les gloires qui m'attendent à la seule annonce de la parution de mon roman.

Mais la gloire ce n'est rien, parlons plutôt d'argent, l'argent qui me permettra d'ouvrir des théâtres de luxe avec jeux d'eau, piste de course automobile pour jouer Claudel à la manière rêvée du TNM, hippodrome pour les turfistes de l' « Annonce faite à Marie » , four crématoire pour recuire le « Pain dur », une brosse grande comme le Ritz pour faire reluire la botte financière, l'argent encore pour financer, sous le manteau de l'opinion, un journal vendu et des prix littéraires, je prêcherai le retour à la terre de la ferme modèle de Faulkner, toujours l'argent, je me ferai scier mes grands pieds pour pouvoir porter des escarpins vernis sans risquer d'éblouir, par réflexion sous les sunlights, l'assistance de mes fans, je me mettrai des joues en plastique, je produirai au cinématographe le futur James Bond et mon dernier gadget, une hélice lui sortant du cul, fera de lui un hélicoptère vivant qui le distraira par les airs aux griffes de ces sales Chinois qui ne sont même pas à l'ONU, pas plus que ne le seront, lui vivant, leurs arrière-petits-enfants tout blancs qu'ils deviendront grâce à des interventions de chirurgie esthétique payées en secret par les capitalistes, l'argent quelle chance, j'aime l'argent, j'adore le veau d'argent, tout est possible avec l'argent, ce n'est pas un roman que j'écris mais une imprimerie de monnaie clandestine, chaque virgule bien placée, chaque mot, déversant du pétrole du Texas en lac avec Johnson nageant dedans, tout ce que je pourrais faire avec l'argent, installer par monétaire persuasion le Chah de Perse dans la chère Albion et la dernière Windsor, enfin ruinée, impérière des mers Baltique et du Japon, le pied droit dans l'une et dans l'autre le gauche, pissant au centre sur le Commonwealth et la rustique confédération, Philip et Margaret l'éventant avec des filles de l'Empire transformées en palmes académiques, croyant figurer dans « Esther » et du napalm américain pour les réactionnaires à mon génie argentifère omniprésent, je ferai aussi de la publicité pour une marque nouvelle de communistes, de savonnette qui n'enlèverait pas la poussière des genoux des enfants élevés sous la docte férule des Jésuites, de cigarettes sportives et viriles pour les casques bleus du Congo, j'inventerai enfin un super parfum, le Chanel No. 6, je ferai construire par Ford la vraie machine, l'unique machine de Marcel

Duchamp, la mariée mise à nu par ses célibataires mêmes, mais la turbine à chocolat par précaution usinée chez Rolls Royce ou chez son concurrent. Je dis : « Mais, ô mon coeur, entends le chant des matelots ». Judith dit : « Ta chair est triste et tu as lu tous les livres, je suis d'accord; je te laisse tout ce que tu veux sauf les matelots, ne va pas me ravir mon patrimoine littéraire. » Mais je me joue de tout cela.

Puis de Bens au Tropicana où nous allons, au dire de Judith, pour surprendre Adolphe en flagrant délit d'adultère pédérastique et réactionnaire : longer l'hôtel Mont-Royal n'est rien, il nous faut gravir une échelle, tous au haut de laquelle passer de ce Styx ascendant le cerbère qui nous attend, sorcier dans l'ombre de cet établissement comme lui vêtu de noir, sa main droite tendue sollicitation hardie d'un pourboire tandis que la gauche joue dans la poche relative avec des gros sous qui cliquettent, rien pour lui, malgré l'oeil qui nous dévisage nous ne serons pas bienséants, Judith me pousse dans le dos, dit « viens viens », ce n'est pourtant pas que je traîne à la seule pensée de ce divertissement nouveau, cocasse, qui m'attend, elle me traînant encore, toujours plus vite, presque rampante verticalement dans une foule en liesse jusqu'au bar, nous voici dans la salle oblongue du club Tropicana : lumière rouge, tamisée à travers le verre dépoli de minuscules ampoules rassemblées dans des luminaires en faisceaux dorés de forme hyperbolique, suspendus, collés au plafond brun Van Dyck, petites tables, juke-box, plus loin, toujours plus loin, Judith m'aspire, me pousse, nous franchissons une seconde porte, trois marches nous conduisent dans une grande salle; après Byzance, l'Egypte ancienne, l'oeil fabuleux d'un projecteur pharaon troue l'espace se précipitant sur la scène dans une cascade de poussière, de fumée en volutes volant, le pénétrant en ressortant, recommençant aussitôt leur intrusion morbide dans un tourbillonnement de particules qui s'embrasent, le violant pour rendre le jet ruisselant de plus en plus vivant et plus rien autour de lui qu'un vacuum morne et noir, elle et moi allons main dans la main nous cacher dans le fond de cet antre, nous nous asseyons silencieux tandis que les Fabulous Volcanoes se déchaînent sur un podium stratfordien très loin de nous, ils ont les cheveux noirs, le col rond des étudiants mil neuf cent pas très sages, nous voilà en train de nager avec désespoir dans un bain d'extase musicale d'où nous ne nous réchapperons pas malgré nos efforts de crawleur qui se noie, les oreilles percées, nous battons la mesure du pied, incapables de résister à ce tic-tac, fascinés par le battement éternel de mains gantées d'acier sur les cordes de deux guitares, l'une basse, l'autre ténor, l'amplificateur à son maximum de puissance qui leur donne des voix de rogomme très tragiques et, les instruments victorieux, le chanteur réduit au rang d'utilité qui remue néanmoins les genoux et la bouche pour se venger de ce vacarme qui le tue, nous ne l'entendons que l'espace d'une seconde entre deux ou trois notes, puis tout recommence, cette machine presque démoniaque inventée par le groupement fabuleux, le voilà bien le volcan annoncé, ni un orgue, ni un pianola, moins encore un célesta, cette musique de groseille, mais une boîte oblongue sinistre et noire, exactement comme un petit cercueil, derrière un innocent agite des manettes, peut-être des boutons, avec une joie nerveuse, il devrait en jaillir des étincelles de vapeur ou bien des bulles de savon, tout mais autre chose que ces sons qui ne sont ni bruit ni musique, rien que des sons, sourds, puissants, sournois, tapageurs, légers comme le flûteau d'un berger, le tout très lent et très schématisé, une lave brûlante surgissant d'un fond de yé-yé, des sifflets, des râles d'assassinés, des barrissements, le bruissement des ailes d'un vol de canards amplifié, des cris d'oiseaux ou de lézards préhistoriques, des éructations, le floc d'une bouse de vache tombant à terre, un coeur qui bat, des pets, des gémissements, toute la gamme des émotions sonores de la poule à une joute de hockey, des miaulements, le cri de Tarzan dans la jungle, rien jamais ne se répétant dans ce concert total des bruits de fin du monde, les Fabulous Valcanoes retenus au Tropicana pour la quatrième semaine avec leurs engins, violon et trompette en même temps, qui cassent les oreilles, d'abord, mais si inattendus, dans le fond, qu'ils les enchanteront plus que ne feront au Redpath Hall les petits grattements de la viole de gambe, du luth d'amour, de l'épinette à cent écus, vulgaires et démodés, juste bons à remiser dans le grenier de grand-mère avec les guitares espagnoles et la petite trompette en ré, les ténors verdiens, les appogiatures de Lakmé, Edith Piaf, Frank Sinatra, les fugues, les passacailles, les passe-pied, la chanson réaliste, les oratorios, Messiaen, le comique troupier, les douze demi-tons de la gamme, la polyphonie cingalaise, les petits chanteurs de Vienne, le jazz, le rock, Duke, Paul Paray, le Modern Amadeus Quar-

tet, le style pourri de Munchinger et même les virtuosi
du go-go, les solistes de Zagreb, tous les prix des con-
servatoires et de Julliard, l'Or du Rhin et Kirsten
Flagstad, tout s'engloutira dans l'oubli mis en face
de la machine ronflante qui sait faire le bruit de vaisselle cassée sans vaisselle cassée et sa respiration secrète et surprenante venant de la berge de Vulcain
le jour même où Vénus l'a quitté; or ce bruit, qui nous
force au silence, se traduit par un ensevelissement de
notre personnalité au plus profond de nous-mêmes et
là encore, au chaud, cachés, le corps n'étant plus que
le corps, quelques livres de viande démodée, nous res-
tons sans mot dire, occupés à déterminer la nouvelle
destruction des sens : l'ouïe comme une corde tendue
entre le monde réel et celui du songe, le toucher décé-
dé de telle sorte que je ne sens plus le rembourrage
désuet dont les ressorts me rentrent dans les fesses à
travers la peau de moleskine rouge des sièges, le goût
atrophié qui pourtant devrait s'éveiller au contact
du verre de bière glacée, celle-ci bue à petites gor-
gées vite passées de la bouche aux papilles anesthésiées
à l'estomac, une finie, une autre commandée, l'odorat
mais que sentir dans cette atmosphère de fumée et
de parfum peu rare décelé au passage, soit que le
lilas ou le muguet domine, je remarque cependant
une baisse dans l'emploi d'Old Spice au profit d'East
Jade en provenance des Etats, sans doute en l'honneur
des soldats au Viêt-nam, le parfum délivré dans sa
verte bouteille, le désodorisant, la gamme de savon
blanc ou brun, le talc dans un réceptacle de plastique en forme de bouddha, ces effluves diverses enfer-
mées dans un gangue subtile et exotique se déplaçant

avec chacun d'eux comme leur double magique, les divers éléments de la clientèle de l'endroit, mâles trop mâles en veste de cuir, adolescents attardés dans des chemises roses, garçons calamistrés à l'oeil glauque attendant un je-ne-sais-quoi de rose dans leur finesse élancée et leur pantalon de velours garance mais des filles, il y en a, assises parfois, debout parfois, dansant ensemble, l'une en pantalon serré sur son gros derrière la poitrine cachée sous un ample pullover, l'autre en petite robe décolletée laissant voir les salières, ici et là haut perchées sur des tabourets de bar, hiératiques comme la montagne dominant la plaine, les genoux croisés, plus haut encore la tête aux yeux de biche dont les longs cils noircis au mascara se baissent et se relèvent deux fois toutes les quarante secondes, la bouche pincée dans un sourire entendu et amer, toujours plus haut dans les nuées des ténèbres, le flot bouclé des cheveux blonds cendrés ou de jais dont les grappes amoureuses cachent une partie du front, les grands immobiles sereins semblables à Nefertiti rêvant aux obélisques de Louqsor.

Je dis : « Bla-bla-bla. » Judith : « Hurle, je n'entends pas, j'ai compris bla-bla-bla. » Moi : « C'est bien ce que j'ai dit, je faisais un essai de voix. » Elle : « Comment trouves-tu ça. » Moi : « C'est merveilleux. » Elle : « Ça me frustre. » Moi : « Comment as-tu découvert ça. » Judith : « Montréal n'a pas de secret pour moi. » Je dis : « Si mes bottes peuvent te rendre service. » Judith : « Pourquoi faire. » Moi : « Pour aller à la rencontre de quelques postérieurs. » Elle : « Ce n'est pas ce que je voulais dire. » Moi : « Je suis à ton service. » Elle : « Pour Adolphe peut-être. » Moi : « Tu vois bien qu'il n'est pas ici. » Elle dit : « Plaise au ciel, attends. » Moi : « Même s'il l'était, cela devrait te faire rire comme une folle. » Elle : « Surveille ton vocabulaire. » Cependant Judith fouille dans la pénombre pour découvrir Adolphe comme prévu, elle ne le trouve pas cachant son énervement sous un masque de marbre, renversée dans sa chaise selon les normes de la décontraction, je l'arquebuse de mon regard introspectif perçant, je cherche à comprendre le pourquoi, le comment, dans les alvéoles plumées de sa petite tête, elle qui veut tout plutôt que d'admettre un Adolphe tel qu'il est, en dehors d'elle, comme un jeune homme indépendant qui a vécu plus de vingt ans sans elle, toujours optant pour ses analyses de caractères incohérents, mise face à tel événement elle préfère encore dire « je le savais bien » de l'air de celle à qui on ne fait pas le coup de la découverte, ou bien ne pouvant s'empêcher de parler de lui en disant du mal alors qu'elle en pense du bien, ses défauts mêmes sont ce qu'il a de plus charmant pour elle, elle le traite d'abruti volontiers, de menteur, de perverti; elle m'assure onze fois qu'il est sale, qu'il ne se lave pas assez souvent par paresse, qu'il est profiteur et veule, ou bien, pour clore une longue discussion, elle me jure qu'elle se demande pourquoi elle l'aime et combien de temps durera cet amour qui va d'humiliation en humiliation; elle le découvre enfin parmi les peuples, elle pousse un cri en le montrant du doigt, grimpe comme un liseron sur la table pour lui faire des gestes, moi la tirant en bas, lui ne la voyant pas, j'en suis presque à lui mettre un bâillon entre les lèvres, elle me jurant qu'Adolphe est un poisson, qu'il nous glissera entre les doigts; elle est la raison même, elle l'aura connu mieux que moi, baisser les yeux c'est trop, le voilà disparu, emporté loin de là par les mouvements de la plèbe trop brève apparition saisie par la prunelle mais mal gravée dans le cerveau, est-ce lui, elle et moi n'en sommes plus sûrs du tout, quelqu'un plutôt qui lui ressemble, elle continue me disant qu'il est rapace, escroc sur les bords, petit bourgeois sous ses défroques de révolutionnaire, je le vois à nouveau, je distingue sa tête, la mèche folle sur son front mais je garde ce secret pour moi. Judith dit : « Il se peut en effet qu'il n'y ait pas de trahison et qu'il ne soit pas plus pédéraste que toi, mais cela m'humilie qu'il me délaisse, moi et ma cuisine chinoise, pour militer comme il dit dans des endroits comme ça. » Je dis : « L'ambition, l'idéal, c'est de son âge. » Judith : « Il y a là une démagogie qui me déplaît, quitte à être révolutionnaire, il ne faut pas choisir les oreilles les plus disponibles pour les pervertir avec des ordures. » Moi : « Les oreilles dont tu parles m'ont tout l'air parfaitement perverties sans qu'Adolphe s'en mêle. » Elle : « Tu vois, c'est bien lui de choisir la route la plus facile. » Moi : « Les ordures, tu exagères quand même. » Elle dit : « Il dit que nous sommes les nègres blancs d'Amérique, c'est un scandale quand on sait que nous avons un bon tiers de sang rouge dans les veines. » Moi : « Si ce n'est qu'une question de couleur, ça lui passera. » Elle : « Ce n'est pas sa révolution qui m'inquiète, c'est l'image corrélative de la féminité qu'il s'en fait, tu comprends je n'ai pas seize ans, bas noirs, cheveux longs et le reste. Un jour je recevrai une lettre m'informant qu'il ne veut pas de moi parce qu'il a trouvé une femme qui comprend ses idées révolutionnaires et comme par hasard, elle aura quinze ans de moins que moi. » Moi : « Il aime trop le confort et les voitures sport. » Elle : « Bien entendu, sa romance pauvre durera deux mois mais tout sera fini entre nous et ce sera une fois de plus trop tard. » Le retrouvant enfin, elle retrouve d'un seul coup sa colère, se lève et fait un pas de l'air d'un soudard napoléonien qui repart en guerre, elle affirme qu'elle va directement lui botter les fesses et lui donner une paire de gifles de surcroît, sans préjuger de ce qu'elle pourra bien lui dire. Moi : « Il t'aimerait peut-être mieux si tu étais plus féminine. » Elle s'arrête un instant pour réfléchir. Elle dit : « A notre époque où n'importe qui, hommes y compris, se teint les cheveux, se maquille, cache son âge, j'ai raison de ne mettre qu'un peu de rouge et de porter des talons plats; dans le fond, il n'y a pas plus féminine que moi. » Je dis : « C'est une optique. » Judith : « Je vais aux toilettes, j'ai le trac, ça me calmera, tu as raison, je vais le prendre par le charme, surveille-le, qu'il ne se sauve pas. »

Imaginant volontiers qu'il faut toujours embellir le spectacle ne serait-ce que pour la postérité, nous pourrions organiser dès le retour de Judith une petite procession comme dans les jardins de Fellini peut-être, donner à chacun une tulipe qu'il tiendrait comme un saint sacrement esthétique, le bout de la longue et languide tige pincé entre le pouce et l'index, la main tenue à la hauteur du plexus solaire, le col incliné de telle sorte que la corolle blanche, jaune ou rouge s'inclinerait un peu vers le sol, de très longues, très nobles tulipes Darwin aux pétales rares et vernissés, arrivées de Hollande par avion pour la cérémonie, nous décririons de larges circonvolutions dans les allées, entre les tables, tandis que tout s'arrêterait, le pas grave, l'oeil extatique, selon les rythmes nouveaux des Fabulous Volcanoes, s'insulter mais en alexandrins classiques ou dans la langue d'Oscar Wilde, le temps joue contre moi et me vole mon effet car Adolphe me dévisage sans me voir et tout s'évanouit en la présence de ce voisin.

Voici son corps élancé, sa petite tête, il porte des socquettes en blanche laine et des chaussures en daim comme n'importe quel étudiant anglosaxon, sa voix est douce comme une peau de pêche, son sourire emploie toutes ses dents alors qu'autour de lui maints admirateurs se pressent moins pendus à ses lèvres que reluquant le pantalon, au jeu des mots s'ajoute le jeu complaisant de ses fesses, je me dresse devant lui subitement pour le simple plaisir de voir la surprise, moi-même dans cette obligation de montrer clairement que j'ai prévu le coup, ma présence ici ne pouvant être justifiée que par la sienne, il ne faut pas un seul instant qu'il n'imagine que je puisse être ici en client habituel, lui me voyant, balbutiant, rougissant, abandonnant le fil de son discours, chassant moralement sa cour qui maintenant le gêne, l'émotion de me voir ici lui tord ses boyaux élégants de droite à gauche, conjointement de bas en haut, le coeur remonté, le cerveau en quête de réponses à des tas de questions, alors qu'il lui faudrait trouver la contenance vraie en une seconde. Je dis : « Alors, c'est la grande révolution. » Il sourit mais voudrait pleurer dans le désespoir où il est de ne pouvoir trouver sans délai une phrase qui le blanchirait. Je dis : « On se délecte dans la débauche. » Il dit : « Mais non, mais non, surtout ne le dis pas à Judith, je t'expliquerai. » Je dis : « Judith est là, c'est elle qui m'a invité à cette soirée charmante. » Lui : « Comment a-t-elle pu savoir. » Moi : « Son petit doigt. » Lui : « Ecoute, ce n'est pas ce que tu penses. » Je dis : « Eh non. » Il dit : « Tu me fais marcher, tu me connais quand même, et Judith, tu ne vas pas croire. » Moi : « Mais non, je ne crois rien, voilà une demi-heure qu'on t'observe, quel orateur tu fais. » Lui : « C'est quand même inimaginable et puis je trouve ça humiliant qu'on me suive, qu'on vérifie ce que je fais, je suis libre après tout. » Je dis : « Non. » Lui : « C'est ce qu'on va voir, où est-elle. » Moi : « Aux toilettes. » Lui : « Ça lui ressemble. » Moi : « Elle ne va pas tarder à revenir. » Lui : « Bravo. » Moi : « Elle veut te foutre son pied au derrière. » « Qu'elle essaie, si elle croit que je vais me laisser faire; j'en ai assez d'être couvé comme un poulet; tant mieux si elle est en colère, ça facilitera les choses. » Moi : « Quelles choses. » Lui : « Ecoute, tu n'es pas fou, tu sais bien que ça ne peut pas durer éternellement; elle a dix ans de plus que moi, ce n'est pas sain. » Moi : « Tu veux rompre vraiment ou tu as honte. » Lui : « De toute façon, elle en a assez. » Moi : « C'est une excuse que tu te trouves. » Lui : « J'ai les yeux ouverts, tu sais; moi je n'ai le droit de rien faire, je dois être sérieux, on me soupçonne, on me surveille mais elle... » Je dis : « Si tu veux un conseil, ce n'est pas le moment, il ne faut jamais prendre Judith en état de colère. » Lui : « C'est ça qui me dégoûte, on ne sait jamais ce qu'elle est capable de faire, on dirait qu'elle le fait exprès. » Moi : « Bien sûr, elle le fait exprès. » Lui : « Eh bien, moi je ne trouve pas ça marrant. » Je dis : « File, c'est ce que tu as de mieux à faire. » Adolphe : « Tu crois. » Moi : « J'en suis persuadé. » Lui : « De quoi je vais avoir l'air. » Moi : « De toute façon, c'est fait. » Lui : « Ça, tu as raison, pour être fait c'est fait mais tu ne vas pas croire quand même. »

Judith revient. Je dis : « Il est parti. » Elle paraît de guerre lasse. Je dis : « Ne t'inquiète pas si Adolphe te quitte, il te dira ce qu'il veut, tu penseras ce qui t'arrange mais moi je te l'affirme, ce sera pour un homme ou pour une fille, pour tout ce que tu veux, qui pourrait le faire jouir, mais certainement pas pour une révolution. Elle me pince le bras, se met à rire, me gifle. Elle dit : « Ça, j'en fais mon affaire mais jamais je ne t'autoriserai à me laisser entendre qu'Adolphe est un simple hédoniste, jamais. »

Mais un manuscrit ce n'est rien, un roman moins encore, quelques feuilles de papier noirci par une plume en or qui court, s'arrête, court, les feuilles forment un tas sombre posé sur une table, rangé en bon ordre sous une couverture violine de papier fort, collée dessus une étiquette-maison en papier kraft portant en capitales le titre de l'ouvrage, sa petite vie m'intrigue dès lors qu'elle est en dehors de moi, je le regarde avec attendrissement, l'émoi me prend quand, assis devant, j'avance une main précautionneuse, je le caresse, le saisis, le retourne comme une crêpe le portant à ma bouche, à mes oreilles je l'ausculte, j'en devine la respiration, admirant dans les alvéoles des mots, le sang de mon encre noire, bien plus tard, qui sait, tout est là en puissance entre les mains d'une foule délicate suscitant son émoi, mon oeuvre, la mienne, achevée désormais, mon enfant personnel tout à l'heure, grâce à nos soins, nos efforts combinés, à la recherche de son père, moi-même la mère ayant été pénétrée d'un dard créateur imagé et sténographique, mon mon mon manuscrit, ah! que ne puis-je le regarder mille ans d'un oeil attendri, lui si charmant, si délicat que le toucher serait le réduire en poussière, là, son gros noeud rose comme un oeuf de Pâques signifiant la résurrection; Adélaïde va venir, ainsi l'a exigé Judith, Adolphe sera là en représentation, faisant du charme, jouant la fille de la maison, selon lui plutôt de nous Zeus lui l'échanson dont le travail sera de calculer avec soin l'alcool à verser dans les verres, en quantité et au bon moment, pour maintenir les euphories de l'éditeur, moi enfin, considéré sous l'angle d'un simple objet présent, mon rôle est de jouer, c'est convenu, les simples, les modestes, de remettre avec désinvolture le résultat de mes nuits d'horreur de mes veilles, nous serons tous ce soir des chevaux branlants et moi le dernier des Jésuites de Cour du grand siècle, l'oeil baissé, mes mains dans les manches de lustrine.

Bucolique, je me regarde, je m'astique, tout à l'heure je partirai mon joyau sous le bras pour me rendre à l'appartement de Judith, je traverserai les rues et je saluerai les maisons témoins de mon triomphe; mais tout nu encore je suis, je vaque aux soins de ma toilette avec un art nouveau, non pas de précipitation, ineptie de prolétaire, en direction de l'eau me savonnant sans méthode des pieds à la tête, bien plutôt comme Jérémie doit le faire, en intellectuel qui sait prendre son temps, j'y trouve, pourquoi le taire, un plaisir inexploré par moi jusqu'alors, l'arborant sans vergogne tout entier dans le sourire qui égaie mon visage d'hidalgo tandis que je peigne, repeigne mes cheveux en bandeaux noirs, de la crème nivéa sur le visage, un massage de peau entre-temps, avant de prendre une serviette chaude vite appliquée sur le visage pour faire pénétrer l'onguent jusqu'à la chair par les pores entrouverts momentanément de l'épiderme chauffé à blanc et transformé, peut-être, par ce traitement en peau de pêche, au point même que la brûlure me semble être la main de la belle Vénus enfin s'abandonnant à moi et faisant que je serai beau, je me retrouve encore dans le miroir croyant y voir le Poète, mais le peigne dans la tignasse posé tout de travers, comme un os sur la tête, me donne plutôt l'allure d'un Zoulou, pas de découragement, c'est une noble race deux fois millénaire, autant me faire une bonne fois pour toutes les grimaces de convention et trouver que, malgré tout, le Zoulou ce soir est clair, beau, facile, admirable, excellent, sublime, ostentatoire, délicieux, grandiose, aveuglant de clarté comme une nuit d'orage, noble, grand, attentif, touchant, extatique, miraculeux, notoire, et moi, sorcière, tirer de mon sac aux mirages, réticule délicat comme une chauvesouris en forme de poire brune pendue tout le jour à son arbre, l'assentiment que mon bonheur est déclamatoire, ravageur de gaieté, mélancolique, porteur de merveilles, contempteur des plus beaux désastres, les maisons de Montréal sont de grands cubes de pierres

jetés par la main de Dieu et fleurissant comme une
gerbe de dahlias mortuaires et âcres, tout est neuf,
moi en personne le divin enfant dans son moïse d'osier
bercé par le Saint-Laurent, les grains d'or du blé des
Prairies sont à moi, je suis généreux, je suis large, demain il fera jour, la nuit ne sera plus jamais maintenant que ma voix s'élève et se perd dans les nuages,
que de ma pluie de mets en forme d'abreuvoir étan-
cheront leur soif des hommes de la terre, je vais me
promenant de long en large comme un gérondif latin
dans cet accoutrement d'Hermès ithyphallique, mais
non point bouc tout à fait, attention, au coin des routes ne craignant pas cet hypocrite d'Alcibiade et son
marteau vengeur, la castration c'est pour le temps du
marbre et je suis bien vivant, la splendeur de mon état
en témoigne, mon érection ferait crier toutes les veu-
ves terrestres de joie, un peu de publicité dans le Star
ferait le reste.

Enfin cette oeuvre faite, bien bandé, il n'y a plus
rien qui m'effraie, au premier cent mille de tirage par
autorisation spéciale peut-être j'éjaculerai un fleuve
de lumière que j'aurai attendu dix ans, je me viderai
d'un seul coup des mesquineries, des affres, des re-
tours en arrière, des rancunes, des paresses, des hypo-
crisies, des débauches épistolaires, des temps perdus,
des livres des autres, des solitudes, des orgueils incom-
mensurables, des peines, des angoisses, des vertiges,
des manoeuvres dilatoires, des images toutes faites,
des tics de vocabulaire, de la syntaxe, des phrases, et
puis somme toute il est si joyeux, si considérable
dans ses dimensions hors tout, ce sexe et moi si laid,
si maigre, que je puis bien ce soir le confondre avec
ce que j'ai fait, je le prends à deux mains, je le frotte,

le turlupine, je le presse, je le malmène un peu hypo-
critement, je le caresse comme on ferait sur la tête
d'une bête domestique, plus tapotement que va-et-
vient, je lui fais un clin d'oeil, il m'échappe avec adresse quand j'aimerais le voir docile, obéissant, sous des
airs d'oiseau doté d'ailes ou papillon aux écailles multicolores se diaprant à l'éclat d'un rayon de soleil de
toute la gamme de l'arc-en-ciel, mais lui, ni coeur, ni
yeux, ni oreilles, s'obstinant dans ses allures de faux
jeton, mon vassal sans nul doute mais récalcitrant, il
faut le dresser, je le dresse, l'humilier, je l'humilie,
peut-être comme on fait d'une pâtisserie le décorer, je
le décore à coup de mousse à raser tirée de sa bombe
de fer blanc remplie de gaz carbonique mais non dangereusement asphyxiant, il l'aura voulu, je le ferai
rougir jusqu'au sang s'il ne consent à rentrer dans la
ligne : d'abord ainsi la collerette sur le nez en suivant
le sillon, puis sur le méat une rose d'hiver blanche,
c'est tout à fait charmant, un peu grotesque mais si
frais comme la comédie italienne, il se débat, il se révolte un peu, on ne dira jamais assez combien est
inégale l'épique lutte d'un homme avec son sexe, je
continue, de petites pressions un peu partout, un peu
n'importe comment, de flocon en flocon, par-dessus,
par-dessous, couvrant le corps spongieux et ses rusti-
ques dépendances de zigzags, de pâtés, de diverses
ponctuations qui restent figées un instant puis s'effri-
tent, je m'énerve à trop de raffinement, flanque un
grand coup sur le bouton-poussoir du commercial réci-
pient, agitez avant de s'en servir, ne pas placer dans
un endroit chaud, ne pas jeter dans l'incinérateur, contient du gaz, lui qui se vide en vomissant une grosse
crotte dans un soupir mouillé, je donne un shampoing

aux poils du pubis, me voilà nègre possesseur de ce corps à peau brune nanti présentement d'une plage blanche comme de la naphtaline à mon mitan, je saute, je m'agite, je me donne le spectacle gracieux d'une baguette sans chef d'orchestre dirigeant un poème symphonique de Mahler au Hollywood Bowl si possible, c'est bien mieux que Carmen Dragon, ainsi je vais et viens, j'agite tout mon corps de soubresauts charmants avec, entre les jambes, un bouquet de pivoines, immaculées comme pour l'enterrement d'un enfant; je me revois dans ces pas dansants, ces souvenirs qui jaillissent eux aussi d'un container qui a la forme de ma tête, Judith dans une grange, sa petite main dans la braguette de mon pantalon, mais nous étions enfants, et moi me défendant contre cette main, plutôt chose ornée de cinq petits sexes, alors que moi je n'en ai qu'un transi et retranché dans ses repaires, elle voulant voir à tout prix, en effet le voyant enfin malgré mes convulsions, moi yeux fermés pour échapper à cette horrible scène, elle faisant la moue déçue, se sauvant, me laissant seul à ranger dans ses linges le phénomène.

J'en ai assez de ma pudeur hétéroclite, aujourd'hui je me paie mon dérisoire viol, ma défloraison personnelle, mon minuscule inventaire, mes seins mais insensibles, du moins je les crois tels, quoique zone érogène dans tous les livres de sexologie sérieux que j'ai lus autrefois à la bibliothèque, mon nombril, ma taille, mes lèvres, l'intérieur des cuisses, le cou, le lobe des oreilles, Adélaïde devrait pouvoir me renseigner là-dessus, accepterais-je qu'elle fasse de moi un de ses étudiants attentifs et sournois, futurs médecins, croyant dur comme le fer aux zones érogènes, à l'homme fait principalement d'une âme et de cent soixante livres de merde et, pour me le prouver, m'attirant dans un guet-apens indigne d'elle, m'assommant, me couchant sur la table de marbre, brandissant un scalpel, à ces paroles, mesdames et messieurs, toutes les têtes blondes et brunes qui se lèvent, se penchent, elle incisant l'objet délicatement, le sang jaillit comme un petit serpent de sa boîte, s'écoule dans la rainure latérale, l'enfant de mon père comme une baudruche se dégonfle, tellement qu'Adélaïde ne m'aime plus, rien d'autre à faire que le dépecer sauvagement, elle se prend pour Molière purgeant mon corps à grands coups de clystères et me tuant par le fait même, ne sachant pas qu'elle est en train de tuer un poème, celui de la place Ville-Marie quand tombe sur elle le prépuce d'un nuage d'argent.

Je suis élémentaire, j'ai de la biologie des notions désuètes, naïves et charmantes : je crois que les phallus ont des ailes et servent davantage à la création qu'à la procréation, que ce sont des testicules que les femmes ont sur la poitrine, remontées lentement sous la peau du ventre dans un temps de maturation, frôlant les intestins, l'estomac, les côtes, qu'elles grossissent en forme de seins un beau jour, qu'Adélaïde est femme depuis qu'elle a, pour ne pas me ressembler, avalé son sexe dont elle était tout comme moi munie à l'instant de sa naissance et que cela la rend malade de jalousie et méchante, que cette méchanceté se voit dans l'attribut déplaisant à l'ouïe d'une voix de crécelle, que partant plus les hommes ont une voix basse plus ils sont bons, et enfin que ce qui remonte aux hommes le long du ventre pour envahir la poitrine, ce sont les poils non pas les couilles, défense, obstacle insurmontable pour les olivâtres glandes trop faibles pour se faufiler entre les troncs de cette forêt sombre, ramper, farfouiller, escalader et, trop bêtes pour les contourner, ces glandes n'ayant pour elles que la volonté malfaisante de tout mêler, si la nature ne veillait sous les traits bienveillants de Bernardin de Saint-Pierre, de transformer tôt ou tard tous les hommes en femmes si les poils ne les arrêtaient, par là même les hommes devant des espèces d'anges mamelus et poilus, rendant leur contact répugnant, dont je ne suis.

Bien entendu, ce sont des sortes de raisons que je me cherche maintenant que je suis en caleçon rouge devant Adélaïde, me pavanant ainsi vêtu pour voir sa tête, elle dans un manteau d'automne de drap parme, la martingale très basse, ses jambes pas mal mais rendues détestables par la fierté inexpugnable de son second orteil patricien, je la considère l'air bête alors que je devrais, tout simplement, la tarabuster sur le lit, lui enfoncer raidement un enfant dans le ventre sans souci des humeurs qui y règnent, sans trop me demander si elle est saine ou juive, si par conséquent le fruit de mes entrailles finira au sanatorium ou dans les inévitables futurs Treblinka, Buchenwald, Dachau, ce n'est pas pire dans le fond que, pour mon manuscrit publié la première critique, moins probable quand même, ce n'est pas une question de beauté, somme toute, à l'instar de n'importe qui je peux fermer les yeux si je veux, mais alors à quoi servirait mon regard.

Avec elle dans la rue, je marche légèrement en avant pour ne pas paraître tout à fait avec elle, ne me faisant pas assez honneur par un esthétique accompagnement, elle babille par-dessus mon épaule sans s'étonner vraiment, c'est-à-dire d'une façon qui pourrait devenir pour moi gênante au niveau des explications mais pour elle, sans doute, un état théorique de lévitation en ce qu'elle est avec celui qu'elle aime, je porte l'oeuvre écrite avec componction et rituel comme si c'était les derniers sacrements menés à l'éditeur en viatique, nous allons à petits pas jusqu'à l'appartement de Judith qui nous accueille, moi avec faste, jouant le jeu de la femme du monde qui reçoit un académicien et sa bénévole secrétaire, Adélaïde refoulée dans le salon sur un coup de tête trop aimable, malgré tout sec; Judith me choit dans les bras, je tombe à la renverse, elle platine aujourd'hui, blanche presque, comme Jeanne Moreau dans « Eva », les sourcils noirs, les lèvres en bonbon et son maquillage trop rosé de fausse blonde. Judith dit : « Miss Clairol évidemment. » Je ne dis mot saisi par une surprise extrême, outre la chevelure, forcé de la découvrir en une robe de soie verte qui lui va jusqu'aux pieds, même traîne à terre, assez étroite par le bas, large aux hanches en deux plis, décolletée profond afin de permettre l'examen de la naissance de ses petits seins renforcés de caoutchouc mousse par un soutien-gorge spécialisé. Elle dit : « Suis-je assez féminine. »

Sous tout cet attirail submergée, et le boléro de guipure qui traîne près de la cuisinière dans le seau aux oignons, abandonné, Judith l'air plus étonné que moi-même de tant de vénusté, ravie de ne pas elle-même se reconnaître, ni la coiffure, ni la robe, ni le parfum qui émane de cette personne étrangère, la seule chose étant vraiment d'elle la serviette éponge cramoisie posée en guise de tablier de cuisine et retenue à la taille par une cravate d'Adolphe désaffectée de sa fonction première, ses doigts sentant l'ail, le thym, le laurier d'une pitance semi-italienne mais une entrée de poisson hawaiienne cuit cru dans un jus de citron rehaussé de cannelle, mets servi dans les occasions distinguées. Je dis : « Tu ressembles à une couleuvre avec une botte de paille sur la tête. » Elle dit : « J'ai suivi tes conseils, quand je m'y mets je m'y mets mais je me tords quand même les chevilles. » Or imaginant, je rigole, la perturbation qui résulte de cette apparition dans la tête d'Adélaïde pour qui, décrite cent fois par le menu, Judith doit être dans sa tête classée dans la sous-catégorie des êtres hétérogènes à précautionneusement disséquer, quelque chose comme un garçon plus ou moins manqué, portant des tailleurs stricts de tweed, des talons plats, le vocabulaire volontiers celui d'un pilier de taverne, avec selon mes explications fumeuses, un quant-à-soi caché d'infiniment séduisant, de féminin par la bande, à découvrir lentement comme on découvre un noyau dans des confitures de cerises ou, sinon, tellement éberluée par sa présence, qu'on risque de l'avaler ou de se casser une dent, certainement par cette apparition de fille de ferme un soir de fiançailles villageoises, Adélaïde faisant exactement cette grimace, elle n'osait ni rire ni pleurer de peur de me déplaire par ces excès, elle prétend, en un sourire figé coincé comme elle dans la porte que de connaître Judith « elle est enchantée, vraiment enchantée » mais déduisant de mes descriptions l'étendue de mon imagination littéraire je suppose. Judith dit : « Adolphe sera un peu en retard, il m'a dit, il viendra déguisé en cousin et si jamais l'envie lui prend de me pincer les fesses ce sera dans la cuisine sur ma formelle recommandation; il ne faut pas prendre de chance côté de la moralité, après tout il y a encore des gens qui ne sont pas agnostiques et l'éditeur est peut-être de ces catholiques angoissés comme il s'en trouve de temps en temps dans la littérature. » Adélaïde dit : « C'est charmant chez vous. » Judith : « Ici, en toute saison, le même chaleureux accueil. »

Pour moi, je suis donc aux confins des béatitudes dantesques de voir que tout marche bien, ayant craint, sans raison, de voir Judith et Adélaïde se comporter étrangement et, plutôt que de s'accepter mutuellement telles quelles, se sentir un long temps sous les cuisses comme des chiens; Judith prend Adélaïde par la taille pour l'asseoir sur le sofa rustique du salon et se poser près d'elle en lui tenant gracieusement les mains. Je dis : « Adolphe est l'amant de Judith. » Judith : « Mon jeune amant s'il-te-plaît et non pas mon amant, je tiens au jeune, que je puisse croire au moins que je suis George Sand. » Elles sont toutes les deux enlacées, la robe verte tranchant bien sur le manteau parure. Je dis : « Adélaïde va avoir chaud. » Judith se relève s'excusant mille fois, elle tire Adélaïde par le bras pour lui arracher presque la pelure qui s'envole tirée d'une main vigoureuse et aussitôt rattrapée, repliée sur le bras, jetée au travers de la pièce comme une comète fulgurante, en intime de la maison connaissant ses secrets jusqu'au désordre des garde-robes, il me faut aller l'y cacher, la suspendre au cintre de laiton, le manteau comme la peau pleine d'ecchymoses d'un jeune mort écorché, puis je reviens pour les trouver encore dans les bras l'une de l'autre, marchant à petits pas pour visiter ensemble la pièce, l'appartement, Adélaïde gloussant, Judith docte, moi discret, fumant dans mon coin sans mot dire tant l'ordre règne, leurs mots, leurs chuchotements, me parviennent d'un autre monde d'un seul coup, aidé par cette atmosphère détendue et tendre, je me retrouve beaucoup plus jeune que je ne suis quand j'aimais Malraux et Saint-Exupérys, Camus, les primitifs flamands, ce qu'en définitive tout le monde aime et par là même réconfortant. Je dis : « Que mangeons-nous. » Judith : « Entre autres une truite aphrodite. » (Laitue en lit, estragon dans le ventre vidé du poisson des rivières, noix de beurre et jus de citron). Tout est si calme, si facile, je me laisse couler, je me sens qui me liquéfie, tout renaît de ce que j'aime dans un mouvement merveilleux, Mozart, les chandelles, le whisky qui m'échoit, le baiser vite posé sur ma joue par Adélaïde, la nappe blanche, la pénombre, le sourire fugitif qui éclaire d'un seul coup le malicieux visage de Judith, ce sentiment de gaieté folle qui est en moi à l'humus planté d'une graine nostalgique qui va pousser, qui pousse, non qui ne pousse pas, l'état de grâce venant ici de ce délicieux déséquilibre; Adolphe entre, ajoutant à cette harmonie quelque langueur dans le maintien de Judith, de la surprise chez Adélaïde considérant sous ses lunettes la jeunesse, la douceur brisée, l'habileté qu'il possède de glisser sans rien déranger dans le climat délicat de cette soirée, la légèreté du jeune diplodocus fossile. Je dis : « Mais quand donc arrive-t-il, n'est-il pas en retard, je croyais. » Judith dit : « Patience, patience il n'y a pas de soufflé au four. » Je dis : « Ce n'est pas une question de soufflé. » Mais que certaines gens ont le confort facile, la vie aisée, attendre pour eux ce n'est jamais qu'une question de minute et non pas d'angoisse qui croît et mon coeur qui saute dans sa cage d'os. Adolphe dit : « S'il ne venait pas. » Judith dit : « Ne sois pas monstrueux. » Adélaïde : « Il va venir, il va venir. » Adolphe d'un bond debout oubliant sa première réserve fonce sur Judith qu'il considère sous le nez. Il dit : « Tu es blonde maintenant. » Judith : « Mais mon chéri, je l'ai toujours été. » Lui : « Depuis quand. » Elle : « Depuis au moins deux heures, ça fait plus féminin, ça te plaît. » Lui : « Ça te vieillit, le blondasse. » Elle : « D'abord, ce n'est pas blondasse, c'est platine et puis ça ne me vieillit pas, ça me change. » Lui : « C'est pareil. » Adélaïde : « Moi je trouve. » Adolphe : « C'est hideux. » Judith : « Comment pouvez-vous comparer, c'est la première fois que vous me voyez. » Moi : « Je te l'avais dit. » Elle : « Toujours à te contredire, toi et tes conseils de féminité, je vais tout arranger. » Moi affolé à la seule pensée de la voir se plonger la tête dans une bassine de teinture auburn, je me prosterne, la cajole, la supplie, je l'imagine trop bien, l'éditeur arrivé, le recevoir les cheveux mouillés, horrible à voir, dégoulinante, le visage zébré de rigoles brunes. Je dis : « Nous n'avons pas le temps. » Elle : « Je m'en fiche. » S'arrachant à nos bras, elle disparaît dans la salle de bain, faisant fi de nos regards consternés, elle réapparaît bientôt. Elle dit : « Ce n'était que des cheveux postiches. »

Mais nous voici par un concours de circonstances étranges, ou plutôt dans le fond, nous nous préparons depuis longtemps et nos gardes dehors dès avant le coup de sonnette; à l'instant où la portière du taxi claquera, sortira, non pas un homme, mais un pas et, clac, la portière à nouveau, nous émus, suspicieux en même temps, ce ne sera pas lui dix fois, vingt fois, cent fois, jamais peut-être, dressant à tout instant, ne voulant pas le laisser voir, l'oreille, comme un berger allemand, quand le bon, le vrai arrive, d'abord nous ne le croyons pas, la sonnerie mi-impérieuse mi-timide, « est-ce bien le bon appartement », pense-t-il, « ce vieux Montréal est si curieux, si malcommode, sans plaque de cuivre sur le tableau de bord de l'entrée des appartements, sans nom, ni même de numéro, » déjà le toc toc à la porte; vite Judith arrangeant une dernière fois ses cheveux, moi derrière, nous courons à pas mesurés, la hâte n'est que dans notre tête, après tout nous avons aussi notre pudeur, notre timidité, jusqu'à la porte et qui ouvrira, moi ou elle, non je reste, tandis qu'Adolphe s'assoit dans le salon plus confortablement pour se relever plein de grâce d'un seul coup de jarret et qu'Adélaïde suffoque. Je dis : « Pas de gaffe, je crois qu'il est le père de cinq enfants. » J'entends de Judith la voix haute, le rire dans la gorge, un peu rauque, un peu haut, disant d'entrer, déjà je tends les mains pour recevoir le manteau qui m'échoit, Adolphe s'incline suivi d'Adélaïde qui se lève dans un temps d'enthousiasme que l'homme ne remarque pas, son visage baissé à cause d'un oeil poché dont on distingue le bleu à travers le verre teinté de lunettes de soleil. Il dit : « Une histoire d'auto-stop, on rencontre des voyous partout. » Judith acquiesce, me donne un coup de coude. Je dis : « Quelle honte, la police. » Lui : « Mais non, mais non, c'est amusant. » Moi : « Si vous le prenez ainsi, follement. » Lui : « Pas follement quand même. » Je fais donc les présentations. Je dis : « Nous avons l'honneur d'avoir parmi nous le célèbre éditeur du Père Untel. » Judith : « Je ne vous félicite pas, sinon pour le tirage. » Moi écarlate d'un seul coup, entre l'évanouissement et la colère, mais lui sourit, dodeline de la tête, regarde Judith qui sourit de ses belles dents et le fixe en souriant. Je dis : « Judith veut dire, elle ne l'a pas lu. » Lui : « Elle a bien raison. » Judith : « Je vois que nous nous comprenons; a-t-on idée d'être en retard quand même, si vous saviez avec quelle hâte nous vous attendions; néanmoins pour un éditeur célèbre vous êtes tout à fait charmant. » Adolphe dit : « Attention, telle que je la connais, elle va vous faire du rentre dedans. » Lui : « Je me laisserais faire. » Je m'évanouis. Judith dit : « On n'est pas plus galant. »

Mais la cuisine nous accueille, la grande table de bois la vaisselle en faïence blanche et bleue, le luminaire au plafond, gros, demi-sphérique, recouvert comme autrefois de linon blanc empesé, bordé de dentelle, les chaises vivement reculées, le temps qu'Adélaïde et Judith s'asseyent, nous après dans un mouvement d'ensemble charmant, mais Judith aussitôt relevée s'affaire autour du réchaud à gaz moderne style, lui les mains croisées au-dessus de l'assiette souriant finement en attendant les mets que Judith touille et goûte en faisant claquer sa langue, d'un air satisfait, contre ses dents, elle revient nantie de la soupière, nous sert comme si nous étions ses enfants, Adélaïde et Adolphe nous lâchent, se taisent, piquent leur nez dans les assiettes où repose le brouet de cresson d'un vert un peu morbide mais, dès qu'on ose le manger, assez bon tandis que le morceau de beurre fond lentement et se transforme en yeux comme sur une queue de paon. Il dit : « Alors il paraît donc que vous écrivez des romans. » Je dis : ‹ Un peu, un peu, je n'ai pas cette prétention. » Lui : « Si vous voulez être écrivain, c'est la seule qu'il vous faut avoir. » Judith : « Jonathan est un faux modeste, ne vous inquiétez pas, il a toutes les prétentions par conséquent celle même d'écrire des romans. » Lui : « Ce potage est très bon. » Moi : « En ce qui concerne mon roman. » Judith se lève précipitamment, ramasse les assiettes, les pose sur l'évier, sort du four la volaille mais se brûle, crie, abandonnant tout pour revenir vers nous, elle tend son doigt meurtri à l'éditeur. Elle dit : « Soufflez dessus. » Moi : « Il faut mettre un peu de beurre. » Adélaïde : « Trempez votre doigt dans l'encre, le tanin calme la peau vous ne sentirez plus rien.» Judith dit : « J'aurais le doigt comme son oeil, non merci. » Il dit : « Le plus simple quand j'étais enfant, je me souviens, juste un peu de salive, c'est suffisant. » Elle dit : « Essayons. » Il prend sa main, l'approche de ses lèvres, il sort une langue un peu rose, pointue, qu'il passe sur l'index dressé, le lèche comme un jeune chat qui lape sa pitance. Judith dit : « Voilà, je ne sens plus rien, je ne savais pas que les éditeurs étaient si bons médecins. » Il dit : « Assurément, vous ne sentez plus rien. » Judith : « Plus rien, un miracle de

la science. » Lui : « La science populaire. » Judith :
« C'est la meilleure. » Je dis : « Mon roman. » Lui
fier manifestement de sa prouesse immense, si tant est
que Judith se soit brûlée vraiment, me dédaignant, il
regarde Judith et mange, je me sens nettement hors
du coup, je comprends confusément qu'en certaines
occasions il vaut mieux se brûler qu'écrire un roman,
je mastique faute de mieux dans une bouche désillu-
sionnée et amère, je trouve tout insipide, dégoûtant, le
poulet à la menthe selon une recette berbère prise
dans le « Family Circle » cependant que Judith, heureuse de notre silence, tire la couverture à elle, parlant de ses affaires et non des miennes, (mon roman,
mon roman, mon roman) l'angle de vue pris de telle
sorte que des histoires elle est toujours la vedette.

Histoire de New York selon Judith : elle y a passé,
je le sais, des après-midi entiers, allongée près du
bassin d'eau à regarder les barques, les canards, en
cette époque où elle trouvait plus que les Canadiens
les Américains propres et beaux avec leurs ongles
ronds, leur nez retroussé, leurs grands pieds, plus
Hollandais qu'Allemands, avec un rien de juif qui leur
donne ce vague éclair dans le regard, les étudiants
ou les militaires qui lui offraient des promenades sen-
timentales, elle réfléchissant longuement et acceptant,
soudain romantique à souhait sous les saules pleu-
reurs de l'Ile en rappel d'Edgar Poe, sa main dans
l'eau; autre histoire de New York tandis que l'éditeur me tourne le dos : ses rencontres faites sur
la quarante-deuxième rue ou cette autre perchée
au cinéma Empire, elle assise près d'un jeune
nègre, tout deux sans s'en apercevoir d'abord qui se

font du genou, la rencontre et la correspondance qui s'ensuivit, lui trop jeune habitant chez sa mère, innocent, ne sachant pas encore qu'un jeune noir n'épouse jamais une blanche à New York ou à Montréal mais tendre dans ses mots; elle se lève brusquement. Je dis : « Mon roman. » Elle revient brandissant une liasse bleue ciel. Je dis : « Mon roman. » Elle: «Des lettres pareilles ça vaut tous les romans du monde. »

Première lettre : « Chère Judith, le temps est froid ici et nous avons même eu quelques averses. Quel temps fait-il à Montréal ? Je suis désolé de n'avoir pas tenu ma promesse de vous écrire deux fois par semaine. Je trouve que c'est trop difficile à faire. Donc je ne vous écrirai qu'une fois par semaine dans le même esprit que si je vous écrivais deux fois. Je vous ai eue constamment avec moi dans ma tête. J'ai décidé que je ne vous téléphonerais pas avant que j'aie l'argent nécessaire pour le faire et j'espère que vous comprendrez mes raisons. Je trouve que c'est un non-sens que de vous faire payer un compte de téléphone énorme. Simplement parce que je crois que ce n'est pas bien et que je ne veux pas faire ce qui n'est pas bien. Mais j'ai grand plaisir à parler avec vous. Travaillez-vous fort ? J'ai travaillé dur ces temps-ci et je n'ai pas eu le temps d'aller nulle part sinon de revenir à la maison pour me mettre au lit parce que j'étais réellement fatigué et je n'avais rien envie de faire sinon dormir. Dernièrement j'ai eu envie de retourner dans le Sud (Caroline du Sud) mon oncle et sa famille passent l'été là-bas et j'aurais pu les suivre. Les voisins y sont plus charmants qu'à New York et j'aime bien la campagne. Pensez-vous souvent à la maison où vous êtes née, même si c'est loin. Je pourrais bien vous appeler un soir de la semaine prochaine. Mais ce n'est pas une promesse parce que le temps et quelques autres petites choses... (argent). Bon. Je n'ai plus grand-chose à dire. Je vous quitte en pensant à vous. Sincèrement vôtre. William. »

Deuxième lettre : « Chère Judith, je suis encore désolé de ne pas vous avoir écrit la semaine dernière. Je n'en fus pas capable car je n'ai jamais autant travaillé de ma vie. C'est-à-dire que je ne pourrai pas venir à Montréal ces temps-ci. Je sais bien que c'est un crève-coeur mais je ne peux rien y faire. Parce que depuis les trois derniers samedis j'ai travaillé jusqu'à midi, il ne reste donc plus assez de temps pour un week-end normal. D'ailleurs mon chef d'atelier m'a dit que ce serait comme ça tout l'automne. Je n'ai rien dit à ma mère à propos de vos lettres bien qu'elle soit curieuse de savoir qui m'écrit de Montréal. Je les cache et je suis sûr qu'elle ne peut pas les trouver parce je les mets où jamais elle n'aura l'idée de fourrer son nez. Ça peut paraître stupide mais je les mets tout simplement dans un album dont je suis fou. C'est trop simple pour elle. Ma mère m'a dit qu'il faisait plus froid à Montréal qu'à New York. J'arrête de travailler aux alentours de Noël et je ne reprends que vers mars. Je pourrai donc venir vous voir à Montréal vers janvier. Mais pourquoi ne pas venir me voir à New York. Si vous pouvez, venez et peut-être nous pourrons nous voir mais je ne pourrai pas découcher, ma mère ne le permettra pas. Si vous venez à New York, je pourrai vous présenter à ma mère. Ce ne sera peut-être pas une sage décision.

Ecrivez-moi, s'il-vous-plaît. Parce que je suis sûr que ma mère n'ouvrira pas vos lettres avant que je ne les lise le premier et je peux toujours l'empêcher de les lire. Je vous appellerais bien mais je ne veux pas vous faire payer un gros compte de téléphone et écrire est toujours meilleur marché. Je dois vous quitter en souhaitant que nous nous revoyions bientôt. Sincèrement vôtre, William. »

Troisième lettre : « Chère Judith, c'est horrible de ne pas avoir de nouvelles de vous. Je sais que vous ne tenez pas à écrire à cause de ma mère mais je ne peux plus supporter ce silence plus longtemps. Je sais bien que c'est ridicule de désirer une personne comme je vous désire. C'est comme si j'avais besoin de vous. Le tourment que j'en ressens est pire que celui que me donne une dent en ce moment. D'accord, il vaut mieux que ma mère ne trouve pas vos lettres. Mais je m'en fiche. La seule chose que je veux c'est recevoir de vos nouvelles. De toute façon si ma mère trouve votre lettre ce ne sera pas pire que de n'en pas recevoir du tout. S'il-vous-plaît écrivez-moi bientôt, sincèrement vôtre, William. »

Quatrième lettre : « Chère Judith, je suis assis en train d'écouter un disque de Chuck Jackson intitulé « Nothing but you » et, dans un certain sens, cela me fait penser à vous et après j'ai comme le sentiment que j'ai besoin de vous. Le refrain de cette chanson dit « Baby write me a letter and tell me what's wrong with you. » C'est ça qui me fait penser à vous et me suggère de vous écrire. Quel temps fait-il à Montréal. Il fait beau ici. J'attends avec impatience ce temps où nous nous reverrons. Je ne sais toujours pas quand cela sera possible et j'attends, j'attends. J'aimerais pouvoir vous appeler mais je ne peux pas (argent). Juste cette petite lettre pour vous dire que je pense à vous tout le temps. Sincèrement vôtre, William. »

Judith dit : « N'est-ce pas que c'est frais et charmant. » Je dis : « Mon roman. » L'éditeur dit : « Frais et charmant. » J'aimerais, enfin, avoir de bonnes grosses jambes comme un poulain fixées à des hanches un peu fortes et rondes, j'imagine avec quelle aisance je m'enfuirais dans un autre lieu que ce salon maussade et sa moquette orange, je fixe le rond bleu sur fond blanc de Tousignant, Adolphe qui songe, Adélaïde qui bâille.

Cinquième lettre : « Ma chère Judith, j'ai été content de recevoir votre lettre et si j'ai différé d'écrire c'est que je savais qu'elle finirait bien par m'arriver et voilà qui est fait. Vous me demandez dans votre lettre ce que vous pourriez faire pour changer les choses. Vous dites qu'il m'appartient de prendre une décision. J'y ai pensé mais sans parvenir aucunement à une solution. La seule chose dont je sois sûr c'est que moi que je décide cela aurait un effet sur ma vie. J'ai pensé à quitter mon travail pour venir aussitôt à Montréal mais ma mère ne pourrait que refuser cette solution. J'aimerais énormément que vous veniez à New York ce week-end. Je suppose que vous avez raison quand vous dites que ma mère est bonne pour moi mais ma mère m'a trop couvé quand j'étais petit bien que je sois l'aîné de la famille. Un père, c'est quelque chose et je ne sais pas très bien ce que c'est parce que mon père a quitté ma mère quand j'étais encore petit et maintenant il est remarié. Je le connais et sa seconde femme aussi mais je sais peu de choses sur lui pas plus que je n'en sais sur vous. Je ne vous ai vue qu'une fois il y a deux mois maintenant. Il pleut ici cet après-midi. Le temps se rafraîchit mais les New-Yorkais disent qu'il va encore faire plus froid et que le peu de froid qu'il fait actuellement n'est rien en comparaison de ce qui nous attend. Je ne peux pas supporter le froid et tout probablement je redescendrai dans le Sud en décembre mais je ne peux pas en être trop sûr si les choses ne tournent pas comme je les attends mais j'espère quand même venir vous voir une semaine en décembre car je ne pourrai pas quitter mon travail d'ici là je le crains. Allez-vous m'écrire encore ou venir à New York ? Je m'arrête ici, sincèrement vôtre, William. P.S. Qu'est-il arrivé à votre mère ? Avez-vous eu le temps de la connaître? Au revoir et love. » Fin de l'histoire de New York.

Judith dit : «C'est extraordinaire ces lettres, que c'est agréable la jeunesse. » Adolphe dit : « Moi je trouve que tu es indiscrète. » L'éditeur : « Ce jeune garçon est un poète. » Judith : « Rien ne vaut la poésie naturelle. » L'éditeur dit : « Je m'excuse mais le devoir m'appelle. » Je vais lui chercher son manteau, je le pousse, je le presse, adieu plaisir de l'édition, je ne sais plus si je dois rire ou pleurer. Je dis : « Merci de vous être donné tant de peine. » Déjà sur le palier, il revient au salon en me demandant où donc est mon roman. Je dis : « Ce n'est pas nécessaire. » Lui : « Si vous le permettez, je le prends quand même. » Judith est près de moi et se penche vers mon oreille. Elle dit : « Le taureau a ses banderilles; tout va très bien;

si j'arrive à tenir le coup, nous avons gagné. » Elle me quitte après m'avoir tapoté la joue en silence et dévale les escaliers. Elle crie, elle demande qu'il l'attende, qu'elle va le raccompagner. Je ferme la porte lentement mais non point à regret, je préfère être seul ici, ne plus craindre tout ce qui eût pu encore arriver si l'éditeur n'avait pas écourté la veillée. Adélaïde me regarde d'un air éploré. Je dis : « Bon, il vaut mieux que vous rentriez.» Adélaïde: « N'allez pas croire que vous ayez échoué, vous avez fait très bonne figure. » Moi : « Si vous voulez dire que je n'ai dit un mot. » Adélaïde : « Vous vous êtes très bien débrouillé, venez me voir un de ces jours, je vous ferai une tasse de thé. »

Voyant que c'est bien raté, il faut donc tout re-combiner, me prendre pour un génie méconnu, me suicider en ouvrant le fourneau à gaz ou en me plongeant un couteau de cuisine dans le ventre, je dis tout haut des phrases de mon livre qui me reviennent, je les psalmodie, les chante, les répète, puis je m'arrête, mon inspiration épuisée. Adolphe dit : « Tu sais, je t'ai souvent engueulé mais moi je crois que tu as du talent. » Je dis : « Ne te fatigue pas, garde pour Judith tes bons sentiments. » Il dit : « Ce n'est pas pour te consoler. » Moi : « Je suis un grand garçon ; je sais très bien me consoler moi-même. » Il dit : « J'en ai pris pour mon grade moi aussi. » Moi : « Tu ne vas me dire que ces lettres, elles t'ont fait de la peine. » Lui : « Toi aussi tu viens d'en perdre des commodités. » Je dis : « Ce n'est pas parce qu'un éditeur vous refuse un livre qu'on devient un exemple de moralité. » Il dit : « Si tu tiens le coup, je peux faire de même. » Le télé-phone sonne, je réponds. Judith : « Tout marche; tu ne lui as pas fait une grosse impression mais il a le béguin, nous sommes dans un bar. » Je dis : « Est-ce que ça va marcher. » Elle : « Ton roman je n'en sais rien, en ce qui me concerne, j'ai bon espoir. » Moi : « Fais-lui le coup de l'amalgame. » Judith : « Je ferai ce que je pourrai ; Adolphe est-il là ? » Moi : « Il vient de me quitter. » Judith : « Ton type m'a invitée à aller à Québec ; il faut que je prévienne Adolphe ; je serai absente deux ou trois jours. » Moi : « Ne t'inquiète pas, je lui expliquerai. » Je raccroche, je m'assieds. Je dis : « Tu sais pourquoi nous avons invité ce type ce soir. » Adolphe : « Pour ton roman. » Moi : « Il y a des raisons plus précises. » Adolphe : « Dis toujours. » Moi : « Ma prose ne lui plaît guère mais Judith lui plaît ; ils partent tous les deux à Québec ce soir. » Adolphe : « Bon. » Moi : « Tu te doutes que ce n'est pas pour enfiler des perles. » Adolphe : « J'ai fort bien compris, malgré mon âge. » Moi : « Et tu n'as rien à ajouter. » Adolphe : « Je ne te crois pas. » Moi : « Judith te le confirmera. » Adolphe : « C'est avec toi que je dois me fâcher alors, pas avec elle. » Moi : « Tous les deux si tu veux. » Lui : « Tu me fais marcher. » Je dis : « C'est la stricte vérité. » Lui : « C'est dégueulasse. » Je dis : « Il faut payer, je paie. » Lui : « Tu veux dire que c'est Judith qui te sert de monnaie. » Moi : « Si tu veux. » Lui : « Pourquoi me le dire. » Je dis : « Tout à l'heure tu voulais la quitter ; je t'offre ton prétexte. » Il dit : « Tu es dévoyé. » Moi : « Pas même. »

Ceci l'adolescence nonchalante, quel ennui d'avoir été un enfant, ne fut jamais qu'un souvenir cuisant des mille et une nuits car j'étais boutonneux à seize ans, tendu comme un arc dans un western de John

Wayne, écorché par tous les Iroquois d'Amérique septentrionale; le hot dog avalé si bien roulé, si bien haché menu et mastiqué avec facilité, provoquant par son état même l'idée que je pourrais mieux faire qu'écrire : me choisir, bien plus qu'une destinée, une carrière, être médecin, chef-comptable, ou devenir rêveur professionnel, parler tout seul à longueur de temps, devenir ce que les autres sont que je ne peux pas être, me considérer, par exemple, comme un jeune expéditionnaire nordiste dans le désert texan, habillé de bleu, la petite casquette basculée en avant sur la tête, manger le soir autour d'un feu de camp en attendant, comme dans les nouvelles d'Ambrose Bierce, l'attaque de ces sales sudistes arrogants ainsi que nous l'imaginions autrefois avec un Victor mal rasé dans les temps de la fenaison, que Judith allergique au pollen éternuait dans le creux de sa main, nous riant, tous les larmes pleins les yeux pour de différentes raisons ; demain à une heure, il faudra regagner le journal, pour la dernière fois peut-être refaire les gestes quotidiens, le maximum de sérieux dans les gestes et le regard, l'esprit conçu de telle sorte que le quotidien devient éternel. Mais c'est mal de se prendre pour l'Hercule de l'actualité, les nouvelles pour les pommes de fer blanc du jardin des Hespérides, alors qu'analyser, synthétiser, réduire, commenter, traduire, critiquer, ce n'est rien, ni plus ni moins que le bruit de machine des télétypes qui se dévident en longs copeaux et, partout dans le monde, les mêmes petites nouvelles, les cuisses des majorettes, la fanfare des garçons, les récitals, les expositions, Salvador Dali fait des siennes, les danseuses du ventre guatémaltèques, les sopranos de la finance, leur contre-ut, les toréadors de la politique en habit de lumière, le jazz, les artisans, les orfèvres, les photographies noir et blanc, la France, la Suède, le Japon, les Etats-Unis d'Amérique, la Chine, l'Australie, le Nord, le Sud, l'Est, l'Ouest, tous les mêmes dessous de différents jupons, l'enfant asiate et les uniformes de guerre, les préparatifs de l'attaque, grignotant un biscuit soda, assis sur un tas de cadavres, les odeurs de sperme, d'essence, de poudre, d'alcool des champs de bataille, souriant de voir les obus qui s'enterrent comme des oignons d'où surgissent d'immédiates fleurs rouges, jaunes, blanches, la corolle se perdant dans les ciels, les racines ébranlant jusqu'au centre du monde, se promener au milieu des bambous, dessiner des oiseaux sur du papier de riz granuleux et passer, à la une, pour un jeune mandarin ténébreux mais ici tout est simple : les noctambules fatigués de la politique, des arts, de la finance se réunissant pour les dernières agapes à trois heures du matin quand les clubs de nuit ont fermé derrière eux, sortant un peu ivres et pas si joyeux, leurs lourdes portes de bois de cèdre, les hommes pissant à grand bruit leur bière, les femmes replâtrant dans la glace des toilettes leur maquillage fatigué. Où est ma place dans tout cela.

Ma jeunesse courageuse passera aussi vite que la beauté de Jérémie, nous resterons tous deux surpris et terrifiés de n'y avoir vu que du feu et, malgré nos promesses, nous n'aurons pas su ni les uns ni les autres saisir l'instant où l'on passe de la verdeur acide à la maturité ; le coeur à l'ouvrage aurait donc manqué mais, pourtant, si je me souviens, Victor même, lors de ces journées de négligence où rien n'eût pu le faire bouger de son lit qui supportait des heures entières son grand corps effondré, remettant à demain, puis à demain encore, le moment de placer en quelques minutes sur la toile de lin vierge ses grandes taches blanches et noires sous prétexte qu'il n'arrivait pas à les équilibrer, dans cet état où il était alors de flottement extrême qui l'empêchait de voir, comme il se doit, l'oeuvre finie avant même qu'elle ne soit commencée et par cette théorie excusant son émouvante paresse.

Je nous vois tels que nous devons être, et mon rôle étant possible ou pas, d'y arriver à force de sourires et de tendresse : Jérémie toujours beau, Judith toujours jeune, moi m'appropriant les aventures de Judith, son aisance, sa désinvolture, sa gaieté et de Jérémie ce que j'ai tant envié, ses cheveux blonds, ses cuisses de Viking, ses pommettes saillantes, son petit nez, ses allures de danseur de corde, ses muscles de Steve Reeves, son port de doryphore, son sourire d'ange, tout cela qui doit susciter l'amour et l'amitié, moi, comme un ludion dans son bocal, montant, descendant sous l'effet d'une divine baudruche à la recherche d'une position moyenne que je ne trouve jamais et, sitôt arrêté, repartant dans la seconde en haut ou en bas, tournant sur moi-même comme une toupie chantante pour les célébrer ; ce sont eux qui devraient, le moment venu, signer mes oeuvres et ce roman qui est à mon image par ce qu'il a de laid, un cheminement obscur, un nez long, de grands pieds, ils sont trop malins pour cela et ne le ferons pas, bien sûr. Savoir Judith à Québec, l'imaginer indécemment la raison transitoire et catalysatrice d'une gloire qui sera mienne, sa complaisance, ses chattemites, ses arrière-pensées dans les bras d'un éditeur vicieux, conscient de son chantage larvé, m'ennuie ; Judith à son bras qui se promène autour du Campus de Laval, moi me servant de tous : autrefois l'argent de Jérémie, aujourd'hui cette vénalité aceptée par elle qui de l'amour ni du sexe n'a jamais connu les bilans, profits et pertes. Tout est là, tout se tient de ma vie parasitaire ; pour un livre à publier, je boirais de la pisse, je mangerais de la merde, je crucifierais père et mère, c'est un peu triste mais nécessaire peut-être et tel, du moins, je me conçois, le gui vaut bien le chêne sinon qu'est-ce que les Druides et Noël deviendraient, ô mon hiver.

Dans cette nuit recouverte de neige, je joue parmi les flocons portant ma pinte de lait, des meringues à la crème achetées aux Délices pour ma petite semaine, la suave poudrerie de l'hiver, aussi perdu que Maria Chapdelaine, n'ayant même plus mes raquettes bien collées aux réalités quotidiennes, quérir l'eau, atteler le traîneau, écouter le curé et dire, penser « rien n'a changé et rien ne changera jamais jamais jamais au pays du Québec, » dans cet hiver incessant qui transforme tous et tout en délires immobiles et glacés alors que tous et tout sont tournés, héliotropes innocents, vers un hypothétique soleil, moi sans chapeau, sans gants, un pantalon de toile légère, un manteau troué sur un chandail qui fut tricoté par Armande pour Jérémie, le col de la chemise ouvert, j'enjambe les bancs de neige, la rue Sainte-Catherine est pleine de monde, la circulation automobile est bloquée, tout gèle, s'immobilise, meurt dans un trépignement de pieds martelant la nuit de six heures, les lumières sont partout allumées, au foyer les épouses veillent, la neige crisse sous mes pas, le vent me blanchit le bout du nez et les oreilles, je suis juste comme Salomon, je compte cent pour chaque main, une sortie tenant les ingrédients et l'autre enfouie au fond de la poche, le petit doigt chatouillé par le sang qui circule, je cours presque pour plus vite rentrer, conjointement je prends plaisir à me sentir congelé, recevant les rafales de vent comme un baiser de fée et dans l'attente tout meurt.

Lettre de Judith : Mon cher Jonathan, je suis folle ou plutôt je le serais facilement si je me laissais vraiment aller. Tu ne peux pas savoir ce que c'est partir, comme ça, brutalement la nuit et se retrouver seule passé le pont Jacques-Cartier, Beloeil et toutes ces misères sur la route déserte en direction d'on ne sait où vraiment. J'ai roulé comme un bolide ; au moins trois fois j'ai manqué de me retrouver dans le fossé et si c'était arrivé je crois bien que je m'en serais moqué. Quand on roule vite on ne pense à rien, c'est sans doute pour cela que j'aime les voitures sport. Quand je t'ai téléphoné pour t'informer de mon départ, j'étais loin de savoir où cela m'entraînerait. Voilà si longtemps que je n'ai pas quitté Montréal. Ce petit voyage, je l'ai ressenti comme si je m'enfuyais au bout du monde ; non, j'exagère ; mais très loin quand même. Oh ! j'adore ça, tu sais. Bon. D'abord, il faut que je te fasse un petit aveu bien drôle. Je ne suis pas avec ton éditeur. D'ailleurs tu dois bien t'en douter. Rien qu'à le voir, on voit que ce n'est pas le genre d'homme à partir même en proche banlieue, passé dix heures du soir. On a tout simplement été prendre un café ensemble. On a bu, on a bavardé. Je ne vais pas te faire languir. Ton petit roman dont il grappillait des pages n'est pas, déjà, sans l'intéresser. Et pas à cause de mes charmes, j'en suis presque frustrée ! Tout compte fait, cela ne me déplaisait pas de me dévouer, moi qui étais fine prête pour les derniers outrages. Il n'a parlé que de littérature et s'il m'a fait un peu la cour, c'est par politesse. Je suis verte de jalousie. J'ai d'ailleurs l'impression que je ne lui plais pas beaucoup. « Vous paraissez si libre, » m'a-t-il dit ; « libre, » je te le demande. J'ai fini par comprendre que dans le fond ce ne sont pas tellement mes trucs qui lui ont plu. Mais toi, tu le fascines. Il te trouve odieux, prétentieux, enfin toutes les qualités que nous te connaissons et ça le fascine, je n'en reviens pas encore. Il m'a interrogée sur toi. J'en ai rajouté. Il trouve que tu as une personnalité. Si j'ai bien compris, un éditeur ça doit surtout faire confiance aux personnalités. Je ne sais pas si c'est cuit. En tout cas, je retire mes billes du jeu. Il te téléphonera un de ces jours. Je suppose que tu te fous de ma frustration et que tu es content. C'est après, que j'ai décidé d'aller à Québec. Je n'avais pas le courage de rentrer, ne me demande pas pourquoi. Une inspiration, voilà tout. J'ai appuyé sur l'accélérateur. Comme après un rêve, je me suis retrouvée sur la terrasse après voir garé ma voiture dans le parking de l'hôtel Frontenac, toute bête de ne pas retrouver, il était presque tard, les fiacres autour de la fontaine, les militaires du 22e marchant au pas sur les planches de la promenade, les Québécoises, les Québécois et les touristes américains flanqués de leur appareil photo-

graphique. Je me suis assise sur un banc et j'ai regardé Lévis très longtemps droit devant moi. J'ai
pensé à toi, à Jérémie. Je me suis aperçue que je ne
peux pas penser à toi sans sourire d'une façon un peu
condescendante, ni à Jérémie sans ressentir comme
une sorte d'apitoiement passif, un peu indulgent, un
peu tendre. Tout cela n'est pas très intéressant. Tu
sais que mon dernier voyage à Québec remonte au
moins à cinq ans. J'étais plutôt jeune. Sitôt la nuit
venue, j'allais sur la promenade du gouverneur, je
me faisais siffler des fenêtres de la caserne, je trouvais ça follement émouvant pour une fille de se
faire siffler par des mâles et jouer jusqu'à deux heures
du matin à Wolfe et à Montcalm dans les buissons des
plaines d'Abraham avec les fantassins du 22e Régiment. Puis de nouveau la bonne réalité du temps
présent : il y a deux agents de police qui sont venus
me demander si je n'étais une jeune fille en détresse.
En détresse peut-être, mais jeune fille, c'est si loin
maintenant. J'avais envie de leur jouer un tour mais
j'ai dit non pour plus de simplicité. Leur conscience
de bons policiers pères de famille apaisée, ils m'ont
fait un peu la cour, d'abord gentiment et puis d'une
manière de plus en plus salée, ils y tenaient à leur
partie de plaisir gratis sur la terrasse de Québec. J'ai
joué les idiotes romantiques, ils m'ont dit d'un ton
sec que je ferais mieux d'aller me coucher. Je me
suis servi de toi. J'ai dit que j'étais poète et que je
cherchais l'inspiration. Ils sont partis un peu à regret,
ils m'ont surveillée de loin un moment ; puis ils ont
disparu. J'ai trouvé ça très triste que la poésie ait
cet effet anti-sexuel. Pourtant poétesse rime avec

fesse. Je suis bien contente de ne pas être poétesse. Alors j'ai pensé à Adolphe, exactement ce qu'il ne fallait pas faire. Il faisait épouvantablement froid malgré mes fourrures, c'était presque le petit jour. Je me suis demandé pourquoi je l'aimais cet olibrius-là et puis aussitôt après le pourquoi du pourquoi, ainsi de suite comme une image renvoyée éternellement dans des glaces qui se font face. Soyons francs, j'ai surtout pensé à moi. Ce que je pouvais bien foutre dans ces petites histoires d'amour sordides, tout ça et le reste, tu sais, les cérémonies de boxeurs où on foule les drapeaux aux pieds, le Tropicana, tous ces sentiments français, ces faux idéaux à base de complexes et de refoulement, ce manque de courage, et puis à la fin et de toute façon s'arranger pour que ça profite d'abord à soi. Je hais Québec et tout ce qu'il représente, le fait français, la promenade avec les petits kiosques 1900, la rue Saint-Jean et ses façades vieille France, la rue du Trésor, l'entrée Jésuite de l'ancienne université Laval, le séminaire des missions étrangères, la porte Saint-Louis, l'infâme carnaval, les femmes en bigoudis le matin pour être belles, ou se croire telles le soir dans leurs robes d'organza, la bonne cuisine, la galanterie, le bon parler, le bon air de la douce province, tout ce fatras démodé, insupportable de fatuité et, en dessous de moi, les flots gris et lassés de ce vieux bidet de Saint-Laurent. Bien entendu, les petits matins ne sont pas toujours gais pour une fille comme moi, celle qui s'est bien amusée, qui a bien baisé, celle qui a profité de la vie, qui a brûlé la chandelle par les deux bouts, la fille libre d'esprit, pas de barrières, pas d'embarras, on choisit dans le tas mais qui n'a pas connu l'amour avec un grand « A » et les joies de la maternité peut-être. Ça me choque cette question de maternité, je me sens toute gâteuse devant un enfant maintenant comme si ça me manquait, de quoi mourir de rire, à mon âge mais quand même je trouve un peu touchant dans le fond la maternité, ce petit paquet sanglant qui vient de soi seule surtout, tu entends pas d'homme ; oh ! non, cette sorte de côtelette qui vagit mais je m'arrête car je déconne. Je suis actuellement dans une petite chambre qui sent le renfermé. La patronne est une petite vieille trop polie à la manière de Québec, mais sournoise dans le fond avec un trousseau de clefs à la main comme dans un roman de Balzac ; elle m'a loué sa chambre pourrie presque à regret se demandant ce que peut bien faire une fille toute seule à Québec, à cinq heures du matin, par ce froid. J'ai soigneusement inspecté les murs tendus d'un papier à fleurettes ; comme prévu, j'ai trouvé des trous, minuscules et cachés dans les bouquets. Pas pour la vieille, bien entendu, encore qu'elle doive s'en servir à l'occasion, mais pour les voyageurs de commerce un peu voyeurs, il faut bien se distraire. Hier ça m'aurait amusée et j'aurais regardé dans les trous, mais me voilà avec les restes d'un sandwich en train de boucher les orifices un par un avec le souci paranoïaque de ne pas en oublier un. Ça m'a pris un temps fou mais quand même je me sens mieux comme ça isolée dans mon île personnelle toute à moi pour t'écrire cette longue lettre. (Le lendemain). Il était dit que je tromperais Adolphe à Québec et pas avec un éditeur. Un beau type ma foi, plutôt grand, dans le genre Jérémie en vulgaire. Je croyais avoir oublié et bien non, on se souvient très bien. L'amour n'efface rien, ne retranche rien, ne tue rien, il dissimule, l'amour est un hypocrite voilà tout. Tout, tu entends tout, les épaules, la peau, l'odeur, tout ce que j'aimais et que j'aime ; je l'ai redécouvert merveilleux et intact comme si c'était hier. Ç'a été très bon, très lent et très bon. Et puis après, la catastrophe. Me voilà en sanglots. Lui plutôt gentil qui me demande ce qui ne va pas, qui me console, moi rien rien, tu penses, et puis lui disant tout, que j'aime Adolphe, que c'est la première fois que je le trompe, etc... le voilà plus consterné encore que moi. J'ai trouvé ça très beau, sa réaction, sa consternation de le voir ainsi désolé d'avoir participé, même l'ignorant, à quelque chose qu'il estimait mal. Québec redevenait une ville sympathique, mais il n'était pas Québécois, manque de chance, il venait de Montréal. On est sorti ensemble boire un peu et puis quand on a été saouls on a remis ça. Lui aussi oubliait son premier devoir d'homme sensible, mais le second il le faisait très bien, c'est toujours ça. Quand il est parti, je me suis fait des phrases : tout disparaît, l'amour, le sexe, le bonheur, la vie, tout, rigoureusement tout, nous disparaîtrons tous, et Québec disparaîtra aussi, et Montréal disparaîtra aussi, et puis le fait français disparaîtra aussi, il y a peut-être ici quelques moments possibles, alors pourquoi se fatiguer. Tu vas me dire que c'est idiot et commode de raisonner comme ça. Je ne trouve pas. On a toujours trop d'idéaux. Adolphe est mieux que ça. Par exemple, il ne m'a jamais aimée que par lettre. J'entends le mot ; il me l'a écrit, oui, mais il ne l'a jamais dit. Lui, menteur comme il est, connaît mieux les limites des mensonges que moi. L'atmosphère de Québec est extraordinairement lénifiante. Même ce français que l'on y parle tellement mieux qu'à Montréal, et ce dont les Québécois sont tellement fiers, m'horripile comme une descente de police dans un cabaret clandestin. Le français de Montréal est pourri mais as-tu remarqué comme il est frais et vivant. Ici, il sent la poussière, tout sent la poussière, le terroir, les fèves au lard, le whisky blanc de contrebande, le curé. Quand je pense que, moi aussi, je me prenais autrefois pour Maria Chapdelaine et que mon grand amour, je le voyais campagnard, maladroit, fort en muscles mais un peu sale, merveilleusement québécois allant par une poudrerie en raquettes et que nous serions lui et moi les habitants d'une terre presque française, quelque part près de Rivière-du-Loup, dans une maison de bois à silo rond sur le flanc d'une Laurentide. C'est peut-être pour cela que j'aime Adolphe, à cause de ses idéaux nationaux. Et ce type, quand j'avais quatorze ans et qui s'appelait Victor, tu te souviens, notre Victor, il avait beau jouer les trappeurs, les coureurs de bois avec ses ridicules mocassins indiens achetés à Pointe-Bleue et nous parler de la Sagesse, c'était un faux trappeur, un faux coureur, un faux bûcheur de bois, un faux philosophe, une bulle énorme et prétentieuse, qui croyait que se déguiser suffisait pour être Québécois, les bonnes qualités de la terre de chez nous, les gros rires, la bière, la flanelle qui sent la sueur, les plaisanteries grasses, et puis se laver, l'été, les pieds dans la rivière, d'un air merveilleusement sensuel en soupirant d'aise et en agitant les orteils pour effaroucher les petits pois-

sons. Je devais être jolie à quatorze ans, une jolie petite fille un peu civilisée, un peu indienne, avec mon
nez retroussé, mes hanches de garçon, mes cheveux
noirs sur le front, un chromo de petite fille délurée,
je suppose, et d'autant moins dangereuse qu'elle ressemblait, vivant avec des garçons, à un garçon, les
ongles cassés et les genoux toujours écorchés. Ce n'est
pas de sa faute, évidemment, si Victor était un peu
pédéraste sans le savoir, il paraît que tous les hommes
le sont, et moi-même je devais tout faire pour qu'il le
soit, la petite fille-garçon de quatorze ans que j'étais,
me roulant dans les herbes avec un garçon de vingt-
cinq ou quelque chose d'approchant. Il pouvait bien
prêcher le retour à la nature avec des phrases de gale-
ries de peinture, Victor. La nature ne doit pas avoir
de sexe théoriquement. Nous étions tous si naturels
quand nous nous battions, qu'entre vous et moi, c'est
vrai peut-être qu'il ne voyait pas de différence. Dans
le fond, c'est peut-être moi qui l'ai provoqué. J'imagine
ce que j'aurais dit si je m'étais mariée à vingt ans
avec un futur pharmacien et de quels horribles mensonges j'aurais habillé tout cela et de quelles compli-
cations freudiennes. J'aurais dit qu'un affreux vicieux
m'avait violée dans un bois quand j'étais une enfant,
ou bien, pratique comme je suis, je me serais fait
remplacer l'hymen, ça se fait, j'ai lu ça dans le
« Reader's Digest. » Mais je ne devais pas être comme
les autres enfants, j'étais naïve vraiment et tout à fait
simple, raisonneuse mais naïve, simple et naturelle.
C'est facile et pas désagréable de se laisser faire. Il
aurait ri alors après s'être reculotté, c'est si ridicule
un homme qui remet sa culotte ou qui referme sa

braguette comme on fait d'une serrure sur un petit coffret précieux, j'aurais ri moi aussi de cette bonne farce mais, voilà où l'on découvre la différence, le faux homme des bois redevient après l'amour civilisé. Pour moi le rire à quatorze ans, cela remplaçait la tendresse. Je me suis levée, nous sommes revenus silencieux d'abord, manifestement gênés, moi un peu étonnée. Puis il s'est mis à parler de tas de choses ennuyeuses; il s'est même excusé vaguement; j'ai retenu qu'il ne fallait jamais rien dire de ce qui venait de se passer, que c'était un secret entre lui et moi, qu'il me faisait confiance. Pauvre Victor, tout devenait compliqué. Il y a seize ans que ça s'est passé. Victor avait raison de bien me recommander le silence puisque je t'en parle aujourd'hui et pourquoi, je me le demande, pour faire quelque chose de mal peut-être ou pour rien, par ennui, par désoeuvrement. Ou tout simplement parce que ça n'a pas d'importance. C'est même risible à bien y penser. Doué pour tout, Victor, pour le sport et pour la philosophie, pour la magie des mots, les histoires, il pouvait bien aimer Moby Dick et Lawrence d'Arabie, il pouvait bien parler de force et de courage, entretenir ses muscles et lire les Grecs dans le texte, il avait tout ce dont un homme peut rêver mais rien dans les pantalons, à la belle machine il manquait la bielle motrice. C'est affreux ce que je te dis là, et d'autant plus affreux que je le dis pour te faire rire et pour me faire rire moi-même dans cette horrible chambre, avec la présence saugrenue de la sauterelle de propriétaire et toutes ses clés cliquetantes. Ce qu'il y a de pire, c'est de découvrir la faille dans ce qu'on admire et que cette faille est toujours si dérisoire et si ridicule que l'on ne voit plus qu'elle ; c'est ainsi que l'on devient méchant. Cher Jonathan, je suis très contente que tu sois sur le point de te trouver un éditeur, espérons qu'il en aura plus dans la tête que Victor dans le pantalon. Moi, je vais rester ici quelque temps ; être à Québec c'est un peu mourir d'ennui mais mourir quand même et c'est si bon que je finis par trouver la vie belle. Je vais faire de longues promenades. Je t'embrasse.

Pris de court et ne le croyant pas d'abord, ou plutôt le croyant et l'acceptant comme un dû, cet éditeur intéressé à moi peut-être, à moins que Judith mente, dans cet état d'esprit je vais et viens un instant dans ma chambre et, couché aussitôt que l'énervement le permet, ni café ni thé ne l'entretenant, j'imagine fort bien, en rêve, le résultat de ma gloire future encore mais tangible ; je change d'aspect et Montréal change d'aspect, me voici jouant le triomphe des muses sur les nymphes transformées en oiseaux, demain tout sautera propulsé dans les airs par une bombe personnelle qui n'est pas à ma vie rigoureusement inutile, moi-même j'exploserai, je dissiperai dans les airs perturbés mes avatars d'odieuseté, de haine larvée, de jugements cassants, de paradoxes, de délires minuscules organisés à partir d'un verre de scotch, de dédain, de dégoût, de mépris, d'orgueil, de mensonge, de vanité, de jalousie, tout ce que je suis ce sera comme un fabuleux feu de joie sifflant au-dessus de ma tête, retombant loin de moi sur des têtes plus jeunes d'auteurs non édités, mon hypocrisie, ma lâcheté, ma mesquinerie, ma hargne, mes bêtises, mon opportunisme outrancier; tout est beau désormais, grand, noble,

Montréal devient la Venise nordique où je suis, je me tâte les cuisses, je ne suis plus si maigre, mon nez pincé n'est plus si long, même cela pourra donc être aimé.

Je vois Adélaïde qui s'avance sur la rue Durocher, en chapeau blanc à large bord, vêtue de gaze aléoutienne, son pas leste, sa petite tête en haut et ses pieds patriciens en bas, venant, volant à ma rencontre, moi la trouvant admirable d'élégance dans le maintien, Montréal autour de nous se recouvre de nuages roses, le froid de l'hiver s'oublie devant la pureté de l'air, on voit loin et haut de la terre fendue s'élever ces bijoux d'émail et de pierres, la rue Saint-Laurent devient une artère de luxe, ses étalages de tissus en solde, des devantures de grands couturiers pour une Judith en tailleur gris perle, chaussée de crocodile, une étole de vison sauvage sur le ventre, nous sommes tous des princes et le Nord nous envoie ses canards sauvages en hommage, le fleuve se recouvre d'icebergs plus gros que des maisons sur lesquels les ours font des galipettes et les pingouins, nous voyant arriver, se confondent en déférentes courbettes, je suis un cervidé, comme l'orignal en nuit de noces, je saute autour de mon troupeau. C'en est fait, richesse, célébrité, cela signifiant à proprement parler et dès demain : par un transport de gestes des centaines de papiers, lettres et communiqués de presse, volant dans l'air de mon bureau comme des papillons, moi fourrageant dans les tiroirs immondes, en extrayant pour les lancer dans les éthers par la fenêtre, comme au retour d'un cosmonaute illustre, tous mes malheurs en forme de morceaux de papier, autour de moi mes confrères réunis ne comprenant pas la raison de ces manifestations démentes, soufflant, criant, jurant, pleurant, tout en même temps, plus d'horaires de télévision à faire pour cent mille lecteurs délirant devant les exploits répétés de Batman ou de « It's your move, » à bas les encriers, les timbres-poste, les télétypes de cinq à neuf, la pente douce et les pays d'en haut, l'information, l'actualité, se transforment en tragédie grecque, Ben Barka se fait assassiner par Vatican II sous les yeux de l'élection fédérale qui épouse enfin Carlo Ponti en France, les pages féminines et les rubriques sportives, on ne dit pas « en page » mais « à la page, » « en vedette, » « je suis intéressé » sont tous deux des anglicismes déguisés mais « dans le cadre de » appartient au langage du « Monde, » l'Expo 67, la saisie des revues pornographiques, encore un pauvre policier assassiné par un gangster sans coeur, le tirage monte mais la presse fait des siennes, vous êtes un empereur dans votre service, quand c'est Evelyn ou Jean-V., son papier passe toujours à la une, ou sur quatre colonnes à la trois, le responsable de l'éducation fait une dépression nerveuse, le reportage est mauvais, l'éditorial tourne autour du pot, les linotypes sont folles, elles font de la musique concrète, si le journal était plus intéressant il se vendrait mieux, nous avons le style maison, ça ne s'explique pas, c'est un esprit, on l'a ou on ne l'a pas, ne rentre pas ici qui veut, l'esprit moderne, l'esprit moderne, l'esprit moderne, le journaliste doit s'effacer devant la vérité et penser qu'il est au service du public, c'est un miracle que nous sortions tous les matins depuis cinquante-deux ans, le prote de nuit est un imbécile, on ne peut pas plaire ici à son directeur et à son rédacteur en chef, et moi hier, prenant des notes lors d'une conférence de presse, croyant écrire le « Festin nu » de Burroughs par la copulation journalistique et quotidienne, voyant ce rêve : tout cela enfoui dans la nuit des temps, mon talent m'a tiré d'affaire et seul, crâne au vent, je déambule, promeneur qui rit entre les acacias en fleurs d'une rue Sainte-Catherine grâce à moi mondialement célèbre, me dirige d'un pas alerte vers le lagon des étranges oiseaux aux plumes bleu aztèque, moi le nordique écrivaillon, je bombe le torse, je frappe du talon l'asphalte, je croise, aussi faux que des enseignes au néon, tous les Montréalais comme Lollobrigida dans « La Revanche des Gladiateurs » une urne funéraire pleine de merde en guise de chapeau sur la tête.

Mais aussi bien écrire, pourquoi s'en étonner, ce fut aussi simple dans le fond que de regarder le soleil à travers les nuages d'un ciel noir d'orage ou bien de planter des carottes dans un champ, ce ne fut nécessaire ni à ma vie, ni à ma mort, rien qui ne m'ait poussé, rien qui ne m'ait forcé, un gamin de douze ans de sexe nettement mâle pourrait en faire autant avec ses boucles blondes en grappes sur le front, ses yeux de gazelle candide, rien qu'en soufflant sur les mots comme dans une paille d'où surgissent les bulles de savon des phrases, il ne fallut rien d'autre, vraiment, que de me mettre couci-couça dans un état second mais ne pas m'endormir, éveillé si possible en même temps, ou sinon mieux vaut alors frotter les planchers ou laver la vaisselle accumulée de semaine en semaine, je vécus au ralenti devant une machine à écrire de location qui grésillait comme une poêle à frire, jamais la torpeur ne me prit, tant bien que mal, n'ayant rien de bien important à dire, sans rien autour de moi pour exciter mon imagination, j'ai quand même pu transformer un champ de maïs en une arête de poisson volant.

Ni l'angoisse à l'idée d'avoir envoyé dernièrement le manuscrit à un Jérémie distant, ni ce coup de téléphone reçu nuitamment, ni même Anne ici accouchée à l'instant, rien ne fera donc que je sois triste, j'arbore un joyeux sourire pour l'occurrence, arpentant un peu nerveusement le couloir en attendant que Jérémie daigne apparaître, je crains conjointement qu'il ne vienne et moi le retrouvant après de si longues semaines non pas exactement changé mais différent par mille riens visibles à mon seul regard vigilant, je me demande quelle tête il faudra que je fasse s'il y a désastre, si je dois simuler, ne faire semblant de rien, tendre la main, ne parler ni de son visage bouffi ni de mes proses, attendre que tout vienne de lui, qu'il me dise « c'est très bien » ou « j'ai grossi, hein, que veux-tu, l'âge » et moi je penserai trop de riz et trop de pommes de terre, le repos du guerrier, le confort quotidien, la lassitude, l'argent, les affaires austères, lui taper sur l'épaule et dénier la vérité même en lui donnant une petite bourrade ou le simulacre d'un coup de poing dans le ventre comme deux vieux cons de copains, partenaires au temps du collège, au bridge ou co-équipiers au baseball, mais surtout le sourire obligé, pas de gaffe, tout prévoir pour les revoyures : le moment venu quand il apparaîtra, je laisserai filer un peu d'émotion dans ma voix en susurrant les plus doux souvenirs de naguère, non pas les vrais qui trop le blesseraient mais ceux que l'on appelle légers comme l'air, j'agence calmement ce qu'aujourd'hui je veux être tandis que le temps passe lentement dans ce temple du silence blanc où tout semble fuir secrètement, les odeurs, les bruits la lumière, par de minuscules meurtrières; Anne dort dans la chambre voisine, son bébé dans une autre chambre plus petite repose lui-même non loin de là sous le globe de plastique de la couveuse artificielle, il faudra bientôt affronter tout cela, dire les mots que j'ignore, les congratulations, « c'est ainsi » « personne n'est fautif » «inch Allah » mais ne le croyant pas, imaginant trop bien le vagin d'Anne ouvert comme une fleur sanglante, propulsant dans le monde le fils de Jérémie, son petit double sur terre plus beau que lui mais, quand les jambes se referment, le silence du médecin, les pleurs de la jeune mère voyant cela, Jérémie comprenant et ne comprenant pas, plaçant instinctivement ses deux mains en forme de rempart à la hauteur de son bas ventre, l'air de dire par ce geste « ça ne vient pas de moi » et voulant être en cet instant le plus castré des castrés de la terre.

Il arrive surgissant devant moi comme Faust d'un miroir après son long voyage, toujours jeune, toujours beau, seul son visage est un peu plus maigre peut-être et ses cheveux un peu plus fous, sa main est dans la mienne, je la retrouve chaude, charnue, la paume large et sensuelle, longue carrée, le bout des doigts presque en spatule, l'auriculaire nettement plus long que l'index, le médium autoritaire, le pouce largement écarté, tout de lui de la tête aux pieds, les genoux, les épaules,

les hanches, élégant et désabusé sous la chemise de linon, le pantalon de coupe française large du bas, serré du haut, lui devant moi, oiseau-mouche qui fascine le serpent, il me fixe de sa prunelle d'argent et le sourire un peu las qui perce. Il dit : « C'est affreux n'est-ce pas ». Je dis : « Oui ». Il dit : « Je n'ai jamais été dans un état pareil ». Moi : « Tu n'en as pas l'air, tu as l'air en pleine forme ». Lui : « Ce n'est pas de ma faute si, quoi qu'il arrive, j'ai toujours l'air très bien; à l'intérieur malheureusement, je fais une autre tête ». Tête de Jérémie à l'envers; un million de minuscules bielles, pistons engrenages savants, jouant sous l'enveloppe cervicale, allant, venant, lubrifiés à son contentement, calculant comme une machine électronique, mécanique, à coup sûr, sans faillir, qu'il fasse beau ou laid dans son horizon personnel, comment séduire, attendrir, attrister, rendre gai, ou émerveiller, une belle locomotive en effet, tirant son train de sentiments. Il dit : « Anne m'en veut; ça n'arrange rien ». Moi : « C'est le choc ». Lui : « Non. Elle m'en veut; comme si c'était de ma faute ». Moi : « C'est un peu vrai ». Lui : « Par moitié; je pourrais moi aussi ». Moi : « Le fais-tu ». Lui : « Je ne sais pas ». Moi : « Franchement ». « Eh bien ! oui : un peu; c'est normal je suppose, tu comprends, j'attendais tout de nous, les pires catastrophes, tout y compris le viol, le meurtre, tout ce que tu voudras, sauf ça ». Je dis : « Ça pourrait être pire ». Jérémie : « Non, parce que j'ai honte de moi ». Je dis : « Si ce n'est que la honte, sois tranquille, c'est un sentiment transitoire, tu t'en remettras ». Jérémie dit : « Toute honte bue, je connais l'expression, je crois savoir ce que cela veut dire; une belle ivresse que tu me proposes là. » Moi : « Elle en vaut une autre. » Lui : « Je finirai par croire que je suis le siège d'une fatalité tragique, si Judith le savait, elle serait remplie de joie. »

Objet d'un sentiment purement égoïste, je ne devrais penser qu'à mon roman mais je ne le peux pas, devant les coups du sort, j'ai encore beaucoup à apprendre, j'écoute Jérémie et je veux ne l'entendre pas pour ne pas me donner la peine de savoir si sa peine est simple et réelle ou teintée, il se peut, teintée par un relent de vanité surgissant de cette phrase osée « cela venant de moi », moi distrait de cette analyse par l'envoi de mon roman, l'a-t-il lu, au moins l'aime-t-il, ne l'aime-t-il pas, un moment j'étouffe sous ce poids, décidé de lui en parler toute affaire cessante s'il ne m'en parle pas, puis je relègue mes inquiétudes littéraires aux oubliettes devant son visage défait et la tristesse de son regard, ce que je suis, ce que j'ai fait s'estompent au profit d'une fraternité mutuelle dont je ne puis pas m'empêcher de faire grand cas et furieux, dans le fond, de ressentir cela au souvenir de l'abandon où, par la faute de Jérémie, j'étais encore hier quand il n'avait pas besoin de moi, mais inconsciemment devant son abattement je me vois qui prends la relève, lui tombé, moi debout, l'ennemi ne passera pas, déjà j'organise la route à suivre, les issues de secours, quoi qu'il arrive les coups du sort ne nous atteindront pas. De quoi donc sont-ils faits nos rapports entre lui et moi pour qu'ils se perpétuent ainsi malgré nous et de quel bois est-elle cette fraternité dont on dit qu'elle éclôt en ces instants où la vie entière est adverse, se peut-il qu'une source lointaine :

quand nous étions plus jeunes, et nous l'étions hier encore malgré nos trente ans, nos idées noires, nos rides, dans une sorte de sensation comme celle qui relie un chiot à son frère tétant solidement le ventre de leur mère, un esprit de nichée fait d'une odeur, d'un goût ressenti de concert, un sentiment vital et non pas vraiment une communauté de coeur, ou bien un faisceau d'intérêts inconnus mais communs, l'amitié comme l'amour n'existe pas aussi facilement, aussi naturellement que ça, la raison est peut-être bien plus élémentaire encore, c'est que nous nous connaissons si bien, lui, moi et Judith comme des vases communicants, le liquide, les sentiments, dont le niveau reste égal, chacun de nous ayant sa juste part ou très haute ou très basse selon l'inclinaison des récipients mais toujours rigoureusement horizontal, que l'on relève, que l'on abaisse les vases biscornus, aussi fin soit le canal qui les relie, ou bien encore une question élémentaire de grain de peau, de pore, l'acidité, deux chaleurs qui se combinent et se complètent, le contact repris dès lors que nous nous touchons la main, ce souvenir de nos batailles, et nous nous entre-tuions si souvent à tout propos, et que se batailler, pour nous adolescents, c'était comme faire l'amour et le plaisir naissant quand nos deux corps épuisés, râlant, crachant, couchés à terre les bras en croix, les cheveux collés sur le front, soufflant comme des baleines, les bouches tuméfiées, les cuisses écorchées, proches jusqu'à nous toucher mais incapables de nous frapper encore, les muscles morts, les poumons déchirés, sans souci de quiconque, ni de Victor qui comptait les points, ni de Judith qui accourait une serviette mouillée dans chaque main pour nous laver le visage et le reste, comme des chiens nous éjaculions l'un vers l'autre un torrent ténébreux de sentiments haineux où se mêlaient, dans la suffocation, des projets de machinations, de coups bas, de surprises méchantes, jusqu'au crime parfait ou à l'amputation d'une jambe, des caves secrètes remplies de chaises, des rafales de mitrailleuses atomiques, le piétinement par une horde de chevaux, tout cela impuni et le corps mortifié, enseveli dans la mer jusqu'à l'instant où Victor nous chatouillait et nous nous relevions en riant.

Jérémie dit : « Vas-y, tu vas voir; je te laisse seul, je ne peux plus supporter ça, encore immobile dans un bocal plein d'alcool, mais vivant, non, je ne peux plus supporter ça. » Un enfant c'est beau comme une petite écrevisse maladroite dans ses eaux; je vois enfin le fils de Jérémie, il est là qui sommeille, un front lisse, quelques cheveux épars sur le crâne, les deux mains cachant le visage juste, le nez en dépassant couvert de taches de rousseur charmantes, les couvertures roses légèrement irisées par la lumière que filtre, le dôme de plastique, lui serein et tranquille sans souci que je le regarde et l'examine, d'abord les yeux mi-clos de crainte de bien voir puis ouverts tout à fait, je ne découvre rien sinon, entre les doigts et plus grande que la bouche, une drôle de raie noire comme si l'enfant souriait en faisant de beaux rêves, moi ému devant le petit corps aux membres presque immobiles et pourtant parcourus par le frissonnement des vivants, le pied et le genou de la jambe gauche saillant un peu sous l'emmaillotage, je souris, j'agite mes doigts comme des marionnettes, je fais quili quili tacitement pour séduire le petit être bien protégé des miasmes ambiants dans son cocon moderne, je veille sur lui, parrain, déjà presque grand-père, je lui apporterai demain des bonbons et des polichinelles, de là m'imaginant le père de quarante-sept enfants, ou bien bébé encore moi-même dans le ventre de ma mère tapissé d'humeurs sucrées et diverses, lui d'abord qui grouille un peu, informément des pieds et de la tête, les phalanges ·ornées de minuscules incroyablement roses ongles, voici que les deux mains remuent et puis s'abaissent pour s'étaler sur la couverture de laine, deux grands yeux qui s'ouvrent, me regardent à peine, bordés de cils fins presque blancs, écartés l'un de l'autre mais point trop et séparés par la naissance d'un nez qui va nettement en trompette, aux narines diaphanes, très largement ouvertes aspirant l'air du monde autant qu'il faut pour oxygéner les poumons et de là toute une participation déjà à la grande valse des corpuscules terrestres, deux trous bleus qui s'éveillent, les paupières juste froncées assez pour marquer une réprobation envers moi qui suis là, penché vers eux et les scrutant, alors que je ne devrais pas l'être, inutile que je suis, indiscret pour lui bien au chaud dans son aquarium heureux et las un peu, sans doute, comme l'indique la main abandonnée à paume ouverte, je me recule, tout chavire de ce visage tant heureux et se résorbe dans une bouche triangulaire par l'ouverture de laquelle pointe un bout de langue mouillée, une bouche prolongée quasi jusqu'aux oreilles de chaque côté contournant les pommettes par une blessure ouverte, la joue ainsi coupée en deux, la lèvre inférieure rentrant, s'appuyant sur les gencives, l'autre la recouvrant dans une courbe byzantine ou figurant d'Héliogabale l'horrible bouche trouée du suceur, à moins que Jérémie et Anne n'aient donné naissance au premier Martien de la terre, issu normalement de la surabondance de notre race dans l'univers, ou cet enfant, plus qu'Adolphe, image concrète d'une révolution dans l'utérus de l'île Amérique, témoin québécois ressurgissant d'une ancienne Atlantide engloutie rappelant, au terme d'une montée lente dans la nuit des temps, les charniers indiens, les os de safran mêlés aux yeux des verres des anciens missionnaires, je ne regarde point et vois timidement le monstre, j'imagine, dans un concert de vision folle, les spermatozoïdes de Jérémie nageant dans le liquide prostatique non pas nantis de queue à pouvoir vibratile mais eux-mêmes déjà affublés d'une grosse tête, de pieds en trop, ressemblant alors à des scolopendres, trois yeux, au bout de la spirale d'Anne, un ovaire en son alvéole, lourd et noir comme un oeuf chinois vieux de mille ans et la conflagration qui s'ensuivit eux deux se rencontrant, neuf mois plus tard, à l'issue de quelle bataille, naissant, nouveau tyran pour un nouveau monde, cela d'abord peu dangereux enfermé dans son palais de cristal mais bientôt grandissant, grandissant, le bébé et sa face hilare devenant la norme, nous montrant du doigt un beau jour, nous et nos laides faces la bouche si ridiculement petite et l'hermétisme de nos joues, à vingt ans, et toujours riant comme le célèbre personnage de Victor Hugo, à lui seul perpétuant le monde par l'apparition nocturne de son visage, fini donc tout ce que nous faisons, aimer, manger, construire, écrire des romans, peindre, pleurer, soigner les lépreux dans un but de célébrité charitable, construire des métros, des opéras fameux, jeter des ponts, ouvrir des canaux, inventer une nouvelle sorte de confiture à la rhubarbe, nos choses bien à nous, tourner sérieusement avec une cuillère de bois une sauce béchamel pour qu'elle ne colle pas au fond, chasser le renard blanc des steppes, perdre sa mère, ensevelir un corps aimé, tirer du fusil à la foire, se promener en avion supersonique ou en dirigeable, ouvrir un compte chez Eaton, Ogilvy's, Morgan, et lui riant, riant, toujours riant, silencieux et inexorable, cela ne se peut pas que Jérémie et Anne aient mis un justicier au monde, cela est inutile et même plutôt déraisonnable; la rue Sainte-Catherine, le Forum un jour de hockey, le parc Lafontaine une nuit sans lune, à sa pénible apparition, drapé de noir et solitaire et toujours s'esclaffant, se videraient, ou bien prenant la parole au carré Dominion, lui disant d'une voix de tonnerre tandis que sa salive s'écoule en flots d'argent : « vous avez fait ce que je suis, payez donc maintenant la terreur que j'incarne, vous n'avez plus besoin d'aller au Strand, le voici devant vous Dracula, Frankenstein, le professeur Echo, le comte Mora, Bela Lugosi, Boris Karloff, Vincent Price, tout le cirque Barnum, l'homme tatoué, le gommeux squelette, la dame aux longs cheveux, le calculateur éclair, l'homme à tête incassable, l'homme mastodonte, l'homme télescope, l'homme caoutchouc, l'homme chien, et nous pour échapper à sa vue nous réfugiant dans des cavernes. »

C'est si facile un petit robinet qu'on ferme, je détourne la tête, je me mets un peu à genoux, j'invoque les saints, les vierges, les martyrs, j'entends des voix qui me disent à l'oreille que Dieu accueillera volontiers ce nouveau petit ange, que personne là-haut ne remarquera son double bec de lièvre, dans l'ouate des nuages où il sera bientôt quand son borborygme respiratoire s'arrêtera, quand sa grande bouche enfin close ne bavera plus, quand il sera tout bleu se confondant avec le ciel alors, peut-être, aura-t-il pour cela une place particulière, j'énumère les joyaux du monde, les plus durs, les plus éternels : rubis, émeraudes, bracelets d'or, d'argent, de platine, perles, grenats, opales, topazes, jades, saphirs, améthystes, agates, thomsonites, turquoises, diamants, chiastolites, staurolites, lapislazulis, feldspaths, cornalines, le grand Moghol taillé en rose, béryls, quartz, alexandrites, pyropes, péridots, kunzites, spinelles, zircons, tourmalines, coraux, obsidiennes, jaspes, rhodonites, onyx styx, ptyx phoenix, nixe, fixe, aigues-marines, les trois « J », Judith brune à reflets rouges, Jérémie blond, Jonathan tout noir, les fruits du marché Atwater, Montréal sertissant ses gratte-ciel dans des anneaux d'hiver, l'île où nous sommes, que l'on dit de terre ferme, le nid d'aigle de la rue Peel, mon terrier de la rue Prince-Arthur, Halifax, ses steamers, les palmiers de Vancouver, les Indiens dont nous sommes les derniers des enfants à plumes, la mort est aujourd'hui pour le fils de Jérémie plus étincelante que cela, alors que l'oubli va plus loin que l'oubli, nous aurons simplement une nostalgie supplémentaire ensemble; c'est fini, ce ne fut pas si long, il rit, le miracle n'a pas eu lieu, nous ne jouons pas Claudel, je m'éponge le front, comme lui maintenant le sourire.

Jérémie dit : « Alors. » Moi : « Alors. » Lui : « Est-

ce bien affreux. » Moi : « Peut-être. » Il dit : « Anne
veut te parler. » Moi : « Je ne tiens pas à la voir. »
Lui : « Sois gentil. » Moi : « C'est fait. » Lui : « Ne
serait-ce que pour moi. » Moi : « Je n'ai pas envie
d'écouter des confidences d'amoureuse déçue. » Lui :
« Elle insiste pour que tu ne repartes pas sans la voir. »
Moi : « Je n'ai rien à lui dire. » Lui : « Pour une fois,
sois charitable. » Moi : « Elle ne m'aime pas. » Lui :
« Qu'est-ce que tu vas chercher là. » Moi : « Je ne
l'aime pas. » Lui : « Qu'est-ce que cela peut faire. »
Moi : « En effet. » Anne couchée : un ramassis de
cheveux, de sueur, de nerfs en boule, pourtant tendue
et paraissant supporter le poids du monde comme la
voûte, une pierre angulaire. Elle dit : « Merci d'être
venu me parler, il y a des choses que je dois dire,
mais à qui, à Jérémie, non pas à Jérémie, elles sont
trop injustes, trop affreuses. » Je dis : « Pourquoi
moi. » Elle : « Parce que je sais que vous pouvez tout
écouter. » Elle dit : « Est-ce vraiment un accident. »
Moi : « Mais oui. » Elle : « J'ai si peur que ce soit
une tare biologique. » Moi : « Mais non. » Elle : « Je
veux la vérité. » Moi : « Je ne suis pas un spécialiste. »
Elle dit : « Vous ne pouvez pas savoir ce que je ressens; parfois j'en veux à Jérémie, parfois à moi-même;
à qui la faute. » Je dis : « Il n'y a pas de faute. »
Elle : « Alors pourquoi une telle monstruosité. » Moi :
« Le hasard. » Anne : « Vous ne croyez pas qu'une
ancienne syphilis avec la vie qu'il a menée; je suis
injuste, Jonathan, mais il y a des secondes où je le
hais. Vous comprenez, je suis arrivée pure au mariage;
ça ne veut rien dire peut-être. » Moi : « En effet. »
Elle : « J'avais fait pour cet enfant de si jolis rêves. »

Moi : « Qui vous empêche de les faire. » Elle : « Mais c'est un monstre. » Je dis : « Un bec de lièvre ne rend pas idiot, je suppose. » Anne : « Je ne veux même pas le regarder; ce n'est pas de ma faute, comprenez-moi; si vous saviez, excusez-moi d'être vulgaire mais maintenant je n'ose même plus uriner tellement je crains qu'il ne sorte de moi encore une autre horreur. Si j'osais. » Je dis : « Osez. » Elle : « Jérémie est si lâche ; ne me jugez pas mal Jonathan mais Jérémie devrait avoir le courage de le supprimer. » Je dis : « Il y a des institutions. » Anne : « Non, le tuer. » Moi : « Pourquoi ne pas le faire vous-même. » Anne : « Mais je suis une femme. » Je dis : « Raison de plus, c'est en vous qu'il a prospéré. » Anne : « Jérémie devrait le faire, il devrait au moins y penser; il ne le soupçonne pas mais c'est peut-être la seule chance pour que je puisse continuer à l'aimer; Jonathan, ce que je vous demande est abject mais je vous le demande sans honte, s'il y a faute je la prends pour moi, vous ne m'aimez pas mais vous aimez Jérémie, faites-le pour lui et ne pensez plus à vous venger de moi. » Je dis : « Ne comptez pas sur moi. »

Jérémie me disant merci, nous marchons sous un ciel haut et sans nuage, la tête baissée et lui encore merci, merci. Je dis : « je me juge mal. » Mes chaussures sont mal cirées et mon coeur bat la chamade. Je dis : « Je te demande pardon. » Il dit : « Non non; tu as bien fait, pour lui, moi je n'en ai même pas eu le courage, là non plus je n'en ai pas eu le courage. » Je dis : « Je me juge mal. » Jérémie dit : « Ce n'est pas une question de mal; même le docteur a bien compris, j'étais là avec des espèces de larmes; il a cru que c'était moi, il n'a rien dit : tu vois. » Moi : « Et maintenant que comptes-tu faire. » Jérémie : « Je ne sais pas, continuer comme si de rien n'était, on oubliera, peut-être on oubliera. » Je dis : « Laisse-la croire que c'est toi. »

Et comme enfant j'avais eu la vision que ma vie était destinée à un ordre, que tout, tôt ou tard, s'y subordonnerait dans l'espèce d'une mélodie ineffable dont enfin je profiterais, cela s'appelant peut-être la sagesse, la lie, la mousse réduites à l'état de scories, que dans cet ordre établi il n'y a de place que pour ce qui est juste et vrai, retenu après des pesées innombrables, imaginant alors que le diable me visitait, qu'il me donnait à choisir celle de ces trois choses que je désirais le plus, la gloire, la richesse, la beauté, et aujourd'hui encore ne pouvant pas choisir, soupçonnant cependant que ces trois choses rendent le même son de cloche, Judith riche, Jérémie beau et moi glorieux, or le diable ne m'avait pas dit que renoncer aux autres c'était en même temps renoncer à moi-même et le déchirement est grand de voir ainsi Jérémie s'enfonçant dans la nuit ou plutôt : je l'imagine, comme au cinéma, ce que l'on appelle un fondu enchaîné quand se superpose une image sur l'autre avec un fort contraste, je le vois et je me vois non pas vraiment comme des êtres de chair, et tellement différents, mais bien comme des allégories complètes, chacun de nous dès un moment donné de notre vie, Judith à la mort de son père d'un cancer de l'estomac et éloignée de lui, tellement aimée par une mère voulant lui épargner les affres des derniers instants, elle croyant au contraire qu'on l'éliminait, qu'on la retranchait d'un monde auquel la naissance lui avait donné droit, un peu comme une duchesse son tabouret et toute sa vie courant comme une folle après ce tabouret, Jérémie dès l'instant qu'il fut beau et eut conscience de sa beauté, acceptant les hommages rendus à cette beauté, par là même devenant comme un centre du monde unique et condamné à ne pas avoir d'enfant, devant rester de ce qu'il est, l'exemplaire sans copie par une volonté secrète et vivant ardemment en lui, moi peu à peu innocemment, mon roman terminé, écrivant que j'écris, décris, aménage, sublime rythme fugué, délaie, resserre, rapporte, imagine nos trois vies comme une symphonie, vif-lent-vif, à la fin du dernier mouvement, reprise, on recommence ainsi éternellement à la centième fois croyant jouer par coeur mêlant les notes, inventant sans savoir de nouvelles harmonies. Mais tout va trop vite d'un seul coup, le monde existe, je le vois bien à ces dieux qui arrivent perchés sur leurs machines.

Adélaïde dit : « Mais non, Anne a tort, quelle sotte, ce n'est pas une question d'hérédité; c'est un accident comme il en arrive tous les jours, voilà tout; un tel être est parfaitement viable. » Moi à peine arrivé ayant une tasse de thé à la main, assis face au philosophe de Rembrandt qui plaît tant à Adélaïde parce que son turban ressemble à un pansement et que son teint est vert comme un cadavre en décomposition, Adélaïde déambule sur ses pieds patriciens, faisant mouvoir avec simplicité ses six cent trois muscles divers, ses deux cent six os, ses sept glandes endocrines, ses neuf organes vitaux, son système lymphatique, ses soixante-cinq millilitres de sang pour un kilo de chair fraîche et toute sa merde là dedans. Elle dit : « Un bec de lièvre bilatéral c'est assez rare tu aurais dû m'appeler, j'aurais bien voulu voir ça. » Je dis : « Il faudra bien qu'un de ces jours on fasse l'amour ensemble. » Elle dit : « C'est sain pour un homme d'utiliser parfois son corps spongieux. » Je dis : « Cent trente millilitres de sang, c'est un commencement. » Adélaïde : « Bonne moyenne; écoute, il ne faut pas se faire d'illusion, nous nous voyons tels que nous sommes et nous nous connaissons; moi, je trouve que ça peut faire une bonne association. » Je dis : « Ce n'est pas tellement romantique, moi qui croyais que tu étais amoureuse de moi. » Adélaïde : « Bon, si ça peut te flatter, je le suis, mais je ne suis pas folle; en tout cas, je ne suis pas bonniche, je me connais, je n'ai rien de Brigitte Bardot. » Je dis : « Et moi rien de Rock Hudson. » Adélaïde : « Quand on tripote toute la journée des cadavres comme je fais, on se fait une drôle d'idée de Rock Hudson, tu sais; anatomiquement c'est le genre de type qui n'a aucun intérêt, toi au moins tu as de beaux os, puis je ne vais jamais au cinéma. » Je dis : « Ce n'est pas l'amour qui t'aveugle. » Elle : « Rien ne m'aveugle; autrefois quand je me regardais dans la glace, je sanglotais parce que je croyais que j'étais trop laide pour qu'on m'aime et que personne ne voudrait faire l'amour avec moi ; penses-tu que tu y arriverais. » Je dis : « Je ne sais pas. » Elle : « Je suis donc si moche que ça. » Moi : « C'est autre chose. » Elle : « Quoi. » Je dis : « D'abord, tu n'es pas plus moche que moi et puis on s'habitue à tout ce qui est physique, n'est-ce pas; une question de liberté peut-être. » Elle : « Je ne t'ai pas parlé de mariage. » Moi : « De renoncement, tu sais, deux solitudes qui s'additionnent, je trouve que ça a quelque chose de lamentable. » Elle : « Je ne trouve pas puisque nous ne sommes pas dupes. » Moi : « Dans cette histoire qui y gagne. » Elle : « D'accord tu me plais comme tu es et moi je ne te plais pas mais tu veux écrire, je t'aiderai. » Moi : « Comment. » Elle : « C'est simple, tu te ramènes avec ta machine à écrire, ton papier, quand tu voudras. » Moi : « J'ai quitté mon travail. » Adélaïde : « Qui te parle de travail. » Je dis : « Ça m'emmerde d'être entretenu. » Adélaïde : « Tu as du talent ou tu n'en as pas, et puis, s'il-te-plaît, pas d'inutile morale. » Moi : « Pas d'inquiétude de ce côté-là, je suis amoral et non freudien. » Elle : « Vive Pavlov. » Moi : « C'est ça qui m'inquiète, la cloche et la mangeaille. » Elle : « Tu me connais assez pour savoir que je n'en abuserai pas. » Moi : « On verra. » Elle : « C'est mauvais de trop réfléchir. » Moi : « Je ne réfléchirai pas, le temps de m'organiser, je suppose. » Elle : « Tu ne t'en repentiras pas. »

Lettre de Jérémie : « Mon cher Jonathan, tu sais (ou plutôt non, tu ne sais pas car je te l'avais toujours caché pour ne pas te faire de la peine, te formaliser, pour ne pas te décourager, quelle barbe, il faut toujours revenir sur ses mensonges, ça m'apprendra à en faire) que je n'aimais pas beaucoup les petites crottes poétisantes que tu faisais autrefois; cela me semblait un peu superflu, marginal, en somme peu digne de toi bien que prometteur mais je voyais tellement de murs à abattre, de portes à ouvrir que je me demandais si jamais tu y arriverais. Cet aveu fait, tu vas être furieux mais tant pis, si je te dis que j'ai aimé le roman dont tu viens de m'envoyer le manuscrit, non pas aimé le mot n'est pas assez fort, disons enthousiasmé, tu me croiras sincère. Je ne sais donc pas par où commencer pour te dire mon admiration. Il me semble d'abord et surtout que tu as trouvé là ton genre; ton roman ne doit rien à personne, ni à Monsieur Durrell, ni à aucun tenant du nouveau roman, ni même à Proust ou à Prokosch, ce qui n'était pas tout à fait le cas pour tes essais précédents. Et non content de ne rien devoir à personne, tu vas jusqu'à te faire un style, une atmosphère, une psychologie qui te sont particuliers. Parlons un peu de ce style; il est très élaboré et je ne t'apprendrai rien en te disant cela. Je dis élaboré et non artificiel. On sent que tu l'as travaillé, que tu as mis un point d'honneur à ce qu'il fût nouveau. Ces phrases longues, très, ce manque voulu de syntaxe et de ponctuation, ce mépris fréquent de la clarté ou de la logique, tout cela est bien nouveau. Bien séduisant aussi. Ces longues phrases coulent, on se sent charmé par elles jusqu'à ce que l'on bute sur une obscurité qui nous fait hésiter. Le tout est assez étrange, musical, avec une sorte d'acidité de temps en temps; tu es comme ces cuisinères qui savent mettre un peu de citron ou de canelle dans une cuisine qui, à force de perfection, finirait par lasser. Tu n'as pas su résister de te livrer à deux ou trois morceaux de bravoure. L'un tout au début de ton livre, les autres lorsque tu décris Montréal du haut de la montagne ou que tu parles de ta (ou de ma) bibliothèque. Ce style ample, coulé, au souffle large, ces descriptions minutieuses, les énumérations fréquentes donnent un ensemble proprement baroque et je te connais assez pour savoir qu'il est recherché. Ou du moins je te connaissais, ou encore je croyais te connaître, car je te retrouve parfois difficilement dans ce style et tes personnages. T'ai-je toujours méconnu, as-tu changé à ce point en si peu de temps. Je dois avouer avoir eu de fréquentes difficultés à te suivre. Que je te parle un peu de ces personnages. J'aime leurs côtés multiformes, leur mobilité, la facilité avec laquelle ils passent du registre frivole au grave. Celui qui parle à la première personne, toi probablement, encore qu'il m'ait fréquemment semblé que ce n'était pas tout à fait toi, que tu t'amusais à brouiller les pistes en incorporant un peu de ce qui n'est pas toi. Il y a des choses merveilleuses dans ce Jean, une certaine tendresse pour l'humain, de la pudeur, une mélancolie bien sûr, mais aussi des choses qui ne s'expliquent pas, qui ne sont pas des traits de caractère, comme cette façon de faire vivre cet autre personnage masculin, ces twists sur Bach mais, qui sont très belles, très révélatrices. Est-ce fatuité mais j'ai cru reconnaître quelqu'un que je connais bien dans les personnages de Francine et de Claude. Après tout, je ne suis pas le seul au monde à m'accrocher désespérément à l'érotisme (de moins en moins maintenant) et à vivre de velléités narcissiques, à être grand et blond, bien foutu avec un petit nez. Quels que soient les inspirateurs, ces personnages sont beaux. Francine surtout car l'autre fille m'a semblé avoir moins de profondeur. Elle est bien émouvante dans sa recherche douloureuse de l'âme soeur. Comparée à elle, l'autre femelle m'a semblé un peu falote. L'as-tu voulu et ne l'as-tu mise là que pour faire un pendant au personnage de Francine ou as-tu voulu en faire une sorte de petit animal uniquement guidé par le ventre et les instincts. Ce n'est guère qu'à la fin, avant sa mort qu'elle prend un peu d'envergure, réagit et encore, tu masques sa mort. Le dénommé Jean, ton je, est celui que tu as traité, avec le moins de tendresse. Je ne sais pas si tu as désiré la chose ou si c'est instinctif ou si ce Jean n'est mesquin que parce qu'on ne peut que le comparer à Claude. Je n'ai pas très bien compris où tu voulais en venir avec l'anecdote qui sert de trame à ton roman et je ne sais si sa minceur vient de ce que tu la considères comme secondaire et négligeable, point de vue qui se défend très bien. Mais peut-être manques-tu d'imagination. As-tu vraiment cru à cette histoire ou ne l'as-tu mise là que pour servir de ressort à tes héros. Il est évident que tu refuses à attacher de l'importance aux événements, soit pudeur devant le tragique, soit indifférence, même le plus grave te laisse froid et occasionne à tes personnages des réactions curieuses. Tu auras deviné que je veux parler de l'indifférence et de la curieuse cérémonie qui accompagne la mort de la jeune fille. Je sais, pour lire parfois les ethnologues, que certaines peuplades primitives agissent ainsi et que le tintamarre n'est produit que pour éloigner les mauvais esprits, donc l'angoisse qui accompagne quelque chose qui nous dépasse. En est-il de même pour tes héros. Je dois avouer ne pas être resté insensible à deux ou trois moments; celui où ton héros verse une larme sur ce vers d'Aragon, Le Vers, m'a ému (tu devines que moi aussi j'y fus de ma larme). Voilà, je crois ce qui est le plus rare et merveilleux dans ton roman, une certaine façon de nous émouvoir par des choses qui ne sont pas tristes en elles-mêmes, mais qui supposent un certain caractère chez tes héros. Je ne parviens à te dire pourquoi je trouve si belle cette fête pour les trente ans de Claude où tout le monde danse sur Bach. Peut-être parce que l'on se sent toujours au bord des larmes, larmes que ta pudeur te refuse mais qui transparaissent à des détails qui, chez d'autres, paraîtraient anodins et qui ici sont lourds de sens. (J'ai en lisant ton roman eu mille idées, plus ou moins subtiles ou profondes mais elles ne viennent pas parce que je n'arrive pas à dormir et que je suis las comme ces bébés qui se mettent à confondre la nuit et le jour au grand désespoir de leurs parents). Je voudrais quand même te dire combien ton roman est rare et précieux en ce qu'il forme un tout homogène. Ah ! il y a des moments presque frivoles et qui soudain, en trois mots et sans cependant que tu interrompes ta phrase, sont comme ces andantes de Mozart, disons celui du 24e concerto de piano par Lily Kraus. Je voudrais enfin te dire combien je suis fier de ce qu'un monsieur qui au travers de quelques mots ou de quelques situations a pu me laisser croire qu'il était mon ami ait écrit ce roman. Je n'ai plus la force de parler de moi ce sera pour une autre fois. PS : Voilà l'autre fois, il doit bien être trois heures du matin et Anne dort comme un ange, dans notre grand lit, ce n'est plus le temps où je retrouvais Monique collée à Francine ... J'étais en compagnie d'une assez belle fille que je vois de temps en temps, pour me distraire sans qu'Anne le sache lorsque je me rappelle que j'ai dans ma poche la lettre que tu as jointe au manuscrit et que je n'avais pas voulu lire avant l'oeuvre de crainte de me laisser influencer ou pire encore qu'elle ne m'agace, tu sais comme je suis. Le code des convenances interdisant de lire sa correspondance plutôt que de faire l'amour avec une assez jolie fille, nous nous mettons aussitôt au travail. Lorsque tout fut consommé comme dirait la Bible, la voilà qui s'endort, je mets la radio qui donne un enregistrement de la Missa Solemnis de Beethoven et j'ouvre ta lettre. Ah ! comment te dire l'émotion où elle m'a mis. Voilà une larme qui me vient puis deux; ce sont bientôt deux filets humides qui coulent sur mes joues et enfin j'éclate en sanglots. La fille s'éveille, se croit responsable de mon chagrin, veut me consoler en me faisant de grands serments. Plus elle parlait et plus je pleurais; c'en était trop. Ta lettre, les cris de Beethoven, l'amour et l'amitié. Je parviens cependant à me calmer et j'explique à la fille que c'est ta lettre qui est responsable de mon chagrin. Elle me dit alors : « Ah !, c'est quelqu'un dont tu es amoureux. » Et moi comme un imbécile, je ne lui dis même pas que tu es un homme, je lui laisse croire que tu es une fille comme si le sentiment que tu avais provoqué en moi, et qui était bien de l'amour dans le fond, ne pouvait me pénétrer que venant de quelqu'un de sexe opposé. Francine quand elle voulait me mettre en rage prétendait toujours que j'étais amoureux de toi. Non, mon cher, même si je dois te décevoir, il faut bien que je te dise que je ne suis pas amoureux de toi. Peut-être (peut-être seulement) l'ai-je été à une époque de mon existence, vers les quinze seize ans mais tout cela est si lointain que je crois qu'il doit s'agir d'un autre. Libre à toi de dire maintenant que je te fais des déclarations...

Ceci mis au point, je voudrais également te dire qu'il n'entre rien de sentimental dans mon admiration pour ton machin. Tu me dis dans ta lettre que ton truc est bourré de défauts. Et me crois-tu assez sot au point de ne pas les avoir perçus. Mais ce sont des défauts spécifiques, de ceux qui forment un caractère. Cependant, avec les plus perverses intentions, dès que je suis rentré à la maison, je me suis mis à relire ton affaire. Hélas, je n'y ai pas trouvé toutes ces imperfections que tu m'annonçais et dont, en méchant petit camarade que je suis, je me réjouissais d'avance. Tout le contraire, comme dirait Saint-Simon, ce qui m'avait semblé faible la première fois s'ordonne mieux à la seconde et prend de la force et de l'ampleur. Je voudrais te redire, même si je passe pour gâteux, combien j'admire ta phrase. Ah! ce souffle, cette souplesse, cette aisance, ces formes sinueuses, quand je lis ça, j'en bave de plaisir. Et puis ces descriptions (la rue Saint-Laurent, où as-tu pêché ça, toi qui ne nous accompagnais jamais, tu devais faire semblant de dormir et nous suivre, vieil hypocrite, l'appartement, les jeunes gens qui jouent de la musique en plein air) ça me fait jouir. Et puis cette désinvolture, ce côté libertin du 18ième siècle, l'humour qui se fait soudain gravité, tu sais comme dans Mozart, une plainte de temps à autre dans les allégrettos. Enfin, tu peux imaginer combien tout ce que je retrouve de la rue Peel dans ton bouquin m'émeut. Je me disais : « Jean est loin, cette époque qui fut si importante pour moi ne compte plus pour lui. Il s'est fait une nouvelle vie, son travail, des amis, des habitudes et il se moque bien maintenant de nos soirées, de nos repas, de nos discussions plus ou moins littéraires, de notre vie un peu inconsciente et de Lily Kraus jouant Mozart. Mais non, je retrouve tout cela décanté, exalté, élevé à la hauteur des institutions et je ne peux pas me souvenir sans larmes de ce jour où nous te disions Francine et moi de tenir notre journal et que tu nous avais envoyés paître. Mais surtout, tu connais ma vanité, ce que je retrouve de moi dans ton roman me bouleverse. C'est plus que moi que je retrouve ici et là, dans le personnage évidemment mais surtout dans les choses. C'est un peu comme si Proust venait dîner demain chez moi et me disait entre le potage tout prêt et les haricots verts en conserve : « Mais le baron Charlus, c'est vous. » Je rougis, je m'étrangle en chantonnant un peu pour cacher mon trouble. C'en est trop. Ton livre, Beethoven, la fille dont la belle bidoche se prélassait à côté de moi; j'éclate en sanglots. Tu connais la suite. Le plus triste de tout c'est Monique. Anne croit que je n'y pense plus. Cela lui est facile car, dans le fond, elle la méprisait sans doute parce qu'elle la connaissait mal. Et comme moi aussi je la méprisais un peu, je l'avais oubliée aussi un peu. Mais la retrouver tamisée dans la passoire de ta cervelle, plus belle qu'elle n'était, plus sotte qu'elle n'était et d'autant plus attachante, cela me crève le coeur et d'autant plus que je sais que cela est fini. Mon Jean, je ne sais pas et je ne saurai jamais quel est le degré respectif de la faute que nous avons tous commises envers elle. J'en prends ma part, note-le bien, et je ne veux pas revenir sur de mauvais souvenirs mais, si faute il y a de ton côté, tu l'as rachetée par ton livre et je me dis que tu es le seul à ne pas avoir démérité d'elle. Quand mon fils naîtra, je le consacrerai muettement au souvenir de Monique comme autrefois on offrait des colombes à Vénus, ainsi, elle en sera dans son paradis un peu la mère. C'est tout ce que je puis faire mais ton livre, mon fils, et Dieu sait ce que Francine inventera, nous aurons racheté sa mort par une descendance, par la seule descendance, au fond, pour laquelle elle était faite. Je t'embrasse, Jérémie. »

Cependant que Judith, vue à travers les avatars que je veux, ou bien encore par le truchement de Jérémie, autrefois courant et parcourant la Main, un bouquet d'oeillets à la main, les narines ouvertes, palpitantes, prêtes à recevoir, comme celles d'un jeune Arabe, une fleur de jasmin, en souliers plats, robe de lainage, les cheveux presque aussi courts que les miens, ou bien en robe de soie puce vautrée sur le sofa, la larme à l'oeil, conjurant Jérémie de l'embrasser, l'appelant « mon chéri », lui se dérobant, elle prenant la ville à témoin de son indélicatesse, se tassant dans ses bras, jurant Dieu qu'elle n'aime que lui pour toujours, ou bien Diane chasseresse toujours une lune au-dessus de la tête qui la suit comme un chien, Judith en quête de chair brune, élastique, beaux mollets et épaules rondes, et les aimant vraiment d'amour pour l'espace de quelques secondes dans un tourist room, nous racontant ensuite, par le détail, combien, comment ils étaient beaux, ou bien se taillant elle-même les cheveux pour ressembler à Jeanne d'Arc et se faisant la tête de poil de carotte jouée par Berthe Bovy au temps de sa grandeur, ou bien se maquillant comme une star du cinéma, achetant des chaussures à talon bobine et s'enchaînant dans des sautoirs, ou bien disparaissant pour une semaine entière, ayant donc trouvé un amant, nous l'abjurant de l'épouser peut-être, elle refusant, un beau soir revenant repue mais l'air désespéré, seule comme devant, ou bien couchée dans sa petite voiture sport décapotée, roulant comme une folle, se levant brutalement de son siège pour insulter une femme mauvais conducteur, ou bien muette, ou bien bavarde, Judith au petit nez, le visage rond, avec plus ou moins sous ses jupes fendues un air de boxeur, aujourd'hui maigrissant à vue d'oeil, idéale sectatrice de la diète sans hydrocarbones, ni sucres, ni féculents d'aucune sorte, mais de l'alcool, si l'on veut, à foison, désormais elle nage dans ses chandails trop grands, les joues enfin hâves, la peau par le fait même un peu flasque, elle retrouve son regard inquiet d'enfant avec un je-ne-sais-quoi de sournois par dedans, ses iris jaunes et le grand cerne bleu des paupières inférieures qui doucement commencent de se friper en cent minuscules rides concentriques. Victor disait : « Quand Judith sera vieille, elle ressemblera à un vieux Chinois malade. » Elle aujourd'hui qui veut mourir pour de bon, elle prend Adolphe pour Roméo, elle-même pour Juliette, trop de signes s'accumulent pour que ce ne soit pas un peu sérieux, sa maigreur, sa pâleur ne sauraient être tout à fait une comédie nouvelle et dérisoire, ni ses phrases fatiguées, son agressivité morte, nos soirées devenues longues et mornes, elle si gaie ou furieuse mais vivante quand nous allions au restaurant ou courions nous acheter du curry en pâte chez Dionne, à moins que ce ne soit pour visiter le rayon d'antiquités d'Ogilvy's, elle répond à mes questions inquiètes que ça va et, soupirant à perdre haleine, toute réponse devenue lasse, courte, allusive, des « rien », des « mais » des « quoi encore », de « je ne sais pas », des « n'insiste pas », trois mots à la fois jamais plus ne sortent de sa bouche tendre. Je dis : « Ça va durer longtemps cet air de dame au camélia. » Elle rit un peu, me dit « hein hein » elle tousse pour me donner le change, lève le bras comme Edwige Feuillère, ses seins montent et retombent d'un petit air las comme elle, elle susurre la fameuse réplique « j'aime les raisins glacés parce qu'ils n'ont pas de goût, les camélias parce qu'ils n'ont pas d'odeur et les hommes riches parce qu'ils n'ont pas de coeur. » Je dis : « Adolphe n'est pas riche, c'est même toi qui le fais vivre. » Elle : « Non, pas ça, ne recommence pas à être odieux, je suis assez furieuse comme ça. » Mais de furie point sous le rouge du fard bien plutôt la blancheur de la langueur. Je dis : « Ce qu'il te faudrait, c'est un beau mâle bien monté, pas une lavette. Si tu veux un conseil, fais-toi donc ramoner. C'est comme cela qu'on devient une autre femme. » Judith dit : « Il n'y a plus de feu. Plus de feu, plus de suie et plus de suie, à quoi peut bien servir un ramonage. » Je dis : « Si tu n'aimes plus les petits Auvergnats, leurs grosses mains calleuses, leurs sourires éblouissants derrière leurs lèvres noires, leurs hanches un peu larges, nous sommes tous foutus. Judith dit : « Foutus. »

Et ceci : Judith elle même (est-ce un leurre) en personnage de Melville, sombre marin, Billy Bud, peut-être Achab enfant, Starbuck, Stubb, Flask, sur le Pequod ou le Rachel à la voilure passionnée et sur l'océan brun aux lames glissantes, parmi les récifs de roc rouge ou les icebergs irisés dans le crépuscule du matin ; que Montréal soit un port de mer, je veux, pour la distraire, inventer des histoires qui la décriront à elle-même, dans un nuage de bulles marines et d'embruns, comme une femme devenue un bon jour un beau marin de la marine marchande en habit de croisière, contre les vents, le froid, les lames, le brouillard, le crachin, elle en jeans et caban bleu à col ouvert, chandail blanc tricoté main, une petite casquette de cuir sur la tête si jolie que la moindre frégate, elle à bord, serait presque en révolution des soutes à la hune et dans les cales, la nuit, les hamacs s'effondreraient à la vue de ce mousse aux cils vibratoires par devant attendrissant, par derrière affolement notoire, y compris le vieux commandant, la nuit coincée dans les coursives, le matin lavant le pont baissée en deux à la hauteur du ventre, les fesses nettement relevées sous le nez qui se baisse des vieux loups de mer, et riant aux anges pour ne pas paraître bête, le jeune révolté de Baltimore, de Liverpool ou de Dunkerque récemment embarqué, saisi devant ce corps d'une terreur sacrée mais trop jeune pour oser porter la main sur Judith, mousse de ce bateau corsaire, se relevant et regardant, les yeux remplis d'étoiles, le gars solide sur ses jambes, les muscles de ses bras, biceps, triceps, les grands obliques de sa poitrine, or lui il se balance légèrement, porté par le roulis des vagues ou le tangage, la main tendue timidement en avant, la bouche gonflée et entrouverte, il avale difficilement ce qui lui reste de salive, se sachant observé par une longue théorie immobile, silencieuse, de corps camarades, comme le sien plus que nus sous leurs toiles, et tout le monde prêt à se battre ou à pleurer, elle tendant les bras dans le but de provoquer ce miracle d'un Adolphe aptère tombant du ciel ou surgissant des flots comme Moby Dick pour l'avaler.

Mais ceci qui est vrai : elle à New York parcourant Times Square la nuit, sitôt aimée par les Adirondacks sous le soleil d'été, le visage recouvert de crème Nivea contre les coups de soleil, elle postée détaille les marins dans leur uniforme de coutil blanc, leur sexe se pressant contre leur jambe droite, eux-mêmes attentifs et déambulatoires, sans but précis sinon de bière, Judith sans s'approcher à partir d'eux qui édifie un rêve, poursuivi fébrilement et tenu comme une gemme volatile dans sa main, le moindre mot, le moindre souffle, le moindre regard appuyé un peu trop et d'un seul coup tout disparaissant dans l'éther.

Je dis : « Votre révolution ne vaut rien ; va donc voir le « Cuirassé Potemkine » ou « Mourir à Madrid, » vos révoltés n'ont pas le visage de ces Russes ou de ces Espagnols en colère ; il vous manque une dimension esthétique, vous fabriquez vos bombes dans des cuisines. » Judith dit : « J'aime les hommes bêtes; ce n'est pas étonnant que j'aie fini par tomber sur un révolutionnaire. » Adolphe n'est pas bête pourtant, son petit visage et sa minceur de nymphe aux jambes poilues, il est même trop malin pour elle et sinon serait-elle aujourd'hui ici même, corps pâle couché, dans la chambre aux murs vert d'eau, sur un lit mécanique, recouvrant ses poignets des bandages plus blancs encore que les draps, elle abandonnée, la tête ployée, trop lourde pour un front languide, recouverte jusqu'au menton de couvertures, mais les deux bras pendants hors du lit, non pas posés, mais lâchés jusqu'à terre dans un mouvement de pieuvre fatiguée au sortir d'une tragédie classique et ces fleurs d'un rouge vif que je viens d'apporter pour cette fausse noce avec la mort.

Lettre d'Adolphe : « Chère Judith, nous avons eu ensemble trop de nuits affreuses pour que j'en puisse supporter davantage. Il n'y a pas trois jours, ces longues heures passées à agoniser à tes côtés, non ce n'est plus possible, je me détraque et toi tu te fusilles, pardonne-moi. Tu sais bien qu'il n'y a que toi que j'aime mais je ne t'aime pas comme il faudrait t'aimer, comme tu veux que je t'aime. Mes mensonges t'agacent, je le sens bien mais j'aime mentir. J'ai l'impression que personne n'est dupe, que c'est un jeu, quoi, comme un autre, alors pourquoi m'en priver. Et puis ce ridicule double voyage, toi qui sort de ma chambre chargée des cadeaux que tu m'avais faits, que je t'avais rendus, partant furieuse, je n'ai pas encore compris pourquoi et revenant deux heures après me rapportant tout en te traitant d'infecte voleuse. J'en frissonne encore et moi qui pleurais une fois de plus sur ton épaule. Vois-tu, Judith, je ne suis pas fait pour toi dans le fond. Je suis plutôt un être mesquin et sans envergure, tu le sais bien ; tu t'es fait sur mon compte trop d'illusions. A la fin, ça aurait fini par devenir grotesque. Alors voilà, j'ai longuement réfléchi ; je crois que c'est bien mieux que nous nous quittions. Pas que je te quitte, mais que nous nous quittions. Tu sais, ma chère Judith, c'est moi qui perds le plus d'illusions. Je suis sûr que tu t'en tireras très bien après un moment de colère passée, moi je ne m'en tirerai pas trop mal, je crois. On s'ennuiera un peu l'un de l'autre. On s'habitue à tout dans la vie. C'est toi-même qui me l'as dit ; évidemment tu vas me dire que je pourrais aussi bien m'habituer à ton amour et dans une certaine mesure c'était fait. Le drame, je crois, c'est que je suis trop homme et que tu n'es pas assez femme. Dans un certain sens, c'est pour cela que tu m'as plu mais le manège tourne d'une autre façon maintenant. Je me sens le désir de choisir et comme, selon toi, il ne faut pas se refuser à ses désirs. Tu vois, tu m'as donné de vilaines leçons et moi je les emploie trop bien et trop vite, c'est ce que tu vas dire. Bon. Ça doit te paraître la lettre d'un pauvre type que celle-là. Mais j'en suis un. Sans guère d'ambitions, médiocre et plus encore. Et puis aussi, je t'ai trop menti. Tu sais, c'est dans la psychologie des menteurs de ne plus pouvoir supporter un beau jour, quand c'est trop, la victime de leurs mensonges. Il n'y a plus de risques, on n'y prend plus de plaisir. Tu dois croire que tu n'étais pas dupe mais moi je sais bien que je ne t'ai jamais dit la vérité. Voilà. Alors je vais te la dire. Ce n'est pas que ça m'amuse et même c'est un peu cruel mais je te dois ça. Rien qu'un menteur professionnel, tu sais, pour avoir besoin de temps en temps d'asséner quelques brutales vérités. Depuis que je te connais, je suis amoureux d'une fille à peu près de mon âge. On couche ensemble mais elle ne m'aime pas. Du moins elle me le dit. Ça dure depuis toujours. Voilà la raison pour laquelle je te laissais croire que j'aimais les garçons en secret. Comme cela pas d'enquête. Chaque fois que tu m'as vu de mauvaise humeur, brutal, indifférent, c'était à cause de l'autre. L'autre a rompu définitivement avec moi parce qu'elle ne m'aime pas de la façon que je l'aime alors j'en fais autant avec toi. Donnant donnant mais pas avec les mêmes personnes. Tout le monde a son lot, tout le monde est dupe. Tant pis. J'en prends pour mon grade moi aussi. Et puis, il y a quelque chose de pire que ça. Je ne sais pas si tu te souviens, mais un jour après une scène, je ne sais plus pourquoi, nous avons été manger chez Pam-Pam et je t'ai dit, mais c'est toi qui m'interrogeais avec une de ces hargnes patientes, que dans le fond, physiquement tu n'étais pas tellement à mon goût. Tu as ri et tu m'as répondu que tu ne mettais pas ton amour ni le mien à la hauteur d'un vague comportement sexuel. Je n'ai rien dit de plus et j'ai fait semblant de croire que tu avais compris. Mais ce n'était pas exactement ça que je voulais te dire. D'ailleurs dans un restaurant, en mangeant ce goulasch graisseux, ce n'était peut-être pas tellement le moment de rentrer dans les détails et puis cet endroit me dégoûte assez sans en rajouter. Alors, je vais te le dire aujourd'hui et j'espère que ça va te dégoûter de moi pour le restant de tes jours et que tu vas bien rire parce que, bien entendu, je crois que c'est moi qui suis un imbécile paranoïaque et pas toi, au contraire. Alors voilà. Ce n'est pas toi, physiquement qui ne plais pas, je veux dire ta tête ou tes seins, ton corps, je te trouve même pas mal du tout. C'est ton sexe, exactement, précisément ton sexe. Sa forme, sa manière, son existence entre les jambes quoi, impossible, je ne l'aime pas. Tu ne peux pas savoir le problème que ça m'a posé. Et, dans le fond, il est absolument irrésoluble. Qu'est-ce qu'il me reste à faire. J'aurais peut-être dû te le dire avant mais je n'en avais pas le courage. Bon, maintenant tu le sais. Bien entendu, je compte sur toi pour ne pas me relancer. C'est dur pour moi aussi, je te prie de le croire. Mais ça vaut mieux. Je t'embrasse une dernière fois. Je te renverrai tes affaires par la poste. Et puis de loin, on reste quand même bons amis. Tu me comprendras, j'en suis sûr. Cette histoire ne pouvait pas durer et moi, enfant, je suis pour les histoires qui durent toujours. Il faut que je les sente ainsi de mon côté. C'est égoïste mais c'est comme ça, qu'est-ce que je peux y faire. Adolphe. »

Mourir de ne pas mourir en somme, ou plutôt j'imagine assez bien cette scène bouffonne : Judith reçoit, lit une lettre de rupture sous le grand tableau blanc et bleu de Tousignant, elle s'écroule sur le tapis orange, les larmes dans les yeux, la stupidité d'Adolphe ne lui saute pas aux yeux immédiatement, ni sa mesquinerie, ni son ton comique qui en d'autres temps, d'autres lieux, auraient dû la distraire, elle va comme une somnambule dans une longue robe blanche sur le chemin de ronde de son château sentimental, une bougie phallique à la main, ne pensant pas « il ne m'aime pas » mais bien « il ne me désire plus et mon sexe le dégoûte, » c'est grotesque, elle se retrouve par hasard dans la salle de bain, elle prend délicatement du bout de son pouce et de son index

le rasoir à Adolphe appartenant par comble d'ironie, très délicatement s'entaille un poignet et puis
l'autre, cet affreux mouvement de la lame pénétrant
dans la peau, enfoncée, retenue et enfoncée encore,
elle travaille peu à peu et non pas d'un seul coup,
Judith terrifiée de voir l'épiderme se fendre tout
doucement, puis apparaître enfin un peu de gras
blanc rose jusqu'à la veine qui roule sous le fil, d'un
seul coup le sang qui gicle en mince filet pourpre,
le trou ainsi fait agrandi peu à peu tandis que son
âme s'envole vers les arbres, les maisons, ce ciel
qu'elle ne veut plus voir, ces odeurs qu'elle ne sentira
plus, les bruits divers de la rue entendus autrefois sans
les entendre, le chant des oiseaux désormais suave,
toute la terre enfin découverte par elle comme pour
la première fois et la grandeur et la beauté du monde en balance avec son amour déçu, les mille questions qui alors se posent.

Dans cette chambre d'hôpital, je ris un peu de
voir la tragédienne allongée dans son lit de souffran-
ce, jouant pour elle, pour moi, jouant pour toutes les
infirmières le dernier acte de « La Bohème », Judith
morte d'amour comme dans les romans à trois sous,
l'hilarité me gagne à la seule pensée que cela, aussi
bien, aurait pu se terminer mal et nous retrouver
tous dans une Cadillac noire. Je dis : « Tu n'as pas
honte. » Judith se tait, je la vois qui bâille longuement, ses traits, après le long étirement, reprennent
tout aussitôt la même place ni gais ni tristes, absents.
Je dis : « Et puis tu es priée de ne pas nous faire une
dépression nerveuse, c'est agaçant à la fin toutes ces
simagrées maussades. » Elle dit : « Non, non, ne t'in-

quiète pas, il n'y aura pas de dépression nerveuse ; tu sais, une bonne saignée comme dans les farces de Molière ça remet les choses en place, voilà tout, mais je suis un peu fatiguée quand même, c'est normal. » Je dis : « Et puis, tu sais, ne va pas croire que je suis encore cruel, que je ne te comprends pas ; je saisis très bien ce que tu peux ressentir au contraire. » Elle dit : « Oui, oui, je suppose, tu saisis tout très bien. » Moi : « Ecoute, il ne faut pas se faire d'illusion quand même ; tu te souviens des lettres d'Adolphe, autrefois. » Elle : « Oui, oui... Je les ai relues, c'était de belles lettres quoiqu'un peu littéraires mais ce n'est pas un défaut pour te déplaire. » Je dis : « Ridicules, voilà ce qu'elles étaient; tout dans ses lettres indiquait qu'il ne voulait pas, dès le premier jour, que ça marche. » Elle dit : « Bien sûr, je le savais, mais j'aurais bien voulu que ça marche quand même. » Je dis : « Tu déplaces le problème ; il t'échappe sans ton autorisation, c'est ça que tu ne lui pardonnes pas. » Elle dit : « Puisque tu le crois. » Moi : « De toute façon, ce n'était pas un type pour toi. Je te préfère encore nymphomane, tu es plus amusante dans ces occasions-là. » Elle: « J'avais pour lui une grande tendresse, nymphomane ou pas. » Moi : « Je témoignerai dans les siècles à venir de ta grande âme. » Judith : « C'est trop facile, aujourd'hui, de se moquer de moi. » Moi : « Je n'oserais pas. » Elle : « Tu me diras que tu voulais par là me remonter le moral. » Moi : « Car il y aura un demain. » Judith : « Bien entendu, qu'est-ce que tu crois, que je vais moisir éternellement dans mes états d'âme. Moi: « Je préfère ça. » Judith : « Le docteur m'a dit que je n'avais jamais couru de danger véritable, que je ne m'étais pas entaillée profondément ; je ne suis pas une spécialiste des suicides, tu vois. » Moi : « Il fallait le laisser saigner, pourquoi m'avoir téléphoné. » Elle : « Je ne t'ai pas téléphoné. » Moi : « C'est ta petite soeur peut-être ou bien je dormais, c'était un rêve prémonitoire. » Elle : « Je ne t'ai pas vraiment téléphoné ; on prend le téléphone, on compose un numéro mais ce n'est pas quelqu'un que l'on connaît qu'on appelle dans ces cas-là, c'est quelque chose au bout du fil, Dieu ou le diable. » Je dis : « Tu me flattes. »

Montréal, vue de la fenêtre de l'hôpital, me semble comme une ville des mille et une nuits, les arbres prosaïques du parc Lafontaine, des palmiers, les enfants patinant l'hiver, des chameaux, les promeneurs nocturnes et peu rares, des marchands d'olives noires, des brigands, peut-être même des génies au nez rouge à cause du froid, cette chambre est la caserne d'Ali Baba, le sang de Judith versé pour ce qu'elle croit l'amour un amas de rubis, dans la minute suivante le rideau se lèvera sur un nouveau théâtre, l'enchantement continuera au fil des actes, l'extase me prend de voir Judith mourant, Judith ressuscitant, comme moi je l'ai fait en secret cent fois face à ces îles d'Amérique, les Iroquois, les Montagnais, les Micmacs alignés en dernier hommage prétexte pour prétexte, elle, Adolphe et moi, au son des tambours et des clairons prendre Hochelaga à la charge, invoquer Montcalm, Wolfe, Christophe-Colomb, Cartier, sa mise en scène vaut la mienne, ici rien n'est faux, rien n'est vrai, des délires de mon roman ; les fleurs printanières sur la montagne, les arbres en pot de la rue

Sherbrooke, les étudiants de McGill, ou partir pour Québec par la route numéro 9, Montréal, sa crotte éternellement hivernale, les guillotines des fenêtres, moi la voulant redécouvrir, Morgan sous un autre visage, sans contrainte transformer les tours de Notre-Dame en minarets, situer au Square Dominion la bataille de Cannes, trompettes d'argent, éléphants blancs, faire du quai Victoria, de Jo Beef un forum pour Héliogobale chantant nu les bienfaits de la catholicité, tout est Afrique pour qui le veut, ou Bagdad, ou Venise et moi Montréalais, surgeon grec au milieu d'un continent romain, donnant à New York des leçons de grammaire, lui vanter les mérites d'Homère, jeter dans le cirque des Giants une bordée d'Alouettes, chiant néanmoins sur le fait français, vomissant sur les accords de participe, tout pour une page de livre écrit enfin aisément à partir d'un gros titre de Midnight : une mère fait violer sa fille aînée par ses frères cadets non pubères, ce qu'il faut toutes les nuits dit la nonne de Trois-Rivières, c'est un homme ou une carotte, la plus belle des élégies sur l'amour imaginée par Judith se doit d'être considérée comme une chose dérisoire et Montréal un asile de fous impuissants isolés sur cette motte de terre coincée entre ses fleuves puants l'été, figés l'hiver, je regarde Judith sur son lit, je vois à travers elle dans les humeurs de son oeil tout ce qui est et tout ce qui n'est pas, je l'imagine tout aussitôt se suicidant selon un mode différent et bien féminin, beaucoup plus drôle en littérature : un rasoir d'homme farfouillant jusqu'à une veine majeure dans le vagin, crevant au passage les membranes, les ovaires.

Ecrire pourquoi et pourquoi donc payer tout le prix demandé par ce Vulcain terrible, m'enfermer, moi qui aime les fruits, dans le cratère d'un volcan d'acier et ce métal en lave qui me brûle, tout sacrifier et faire de ma vie, de Judith et de Jérémie une vivisection ambulante alors qu'il serait agréable de ne rien dire et de ne rien vouloir, simplement enfiler les rues, monter les escaliers sur un mode lyrique, regarder la façade de la Sun Life transformée en sucre par la nuit, l'armure géante de la place Ville-Marie, découvrir de nouvelles places, n'en rien dire, regarder assis sur le trottoir de la rue Notre-Dame la longue file des trains immobiles et noirs du CPR, gagner de l'argent à Radio-Canada, vendre du savon, des bas de laine, de la vaisselle en or ou en ivoire, des clous, être gérant du Loew's, représenter une compagnie fabriquant du papier de toilette avec incrustations d'émail pour les fesses des hommes politiques, lire le journal, épouser Adélaïde, bridger une fois par semaine, dire que tout est bien, le Vatican, Pékin, le contrôle des naissances, la revanche des berceaux, ne pas se demander si Rome eût existé admettant que la Vierge Marie eût connu la pilule. Je dis : « Tout cela n'est pas bien sérieux. » Judith : « Non. » Alors pourquoi le faire. » Judith : « Il faut que toute chose meure; ce n'est pas moi qui me suis tuée mais quelque chose en moi ; j'ai suicidé quelque chose en moi. » Moi : « C'est pire encore. » Elle : « Oui. » Je dis : « Te voir ainsi, c'est un peu moi qui meurs ; je te remercie de m'avoir averti. » Judith : « Inutile. » Je dis : « As-tu prévenu Jérémie. » Elle : « Inutile. » Moi : « De toute façon, il ne serait pas venu. » Judith :

« Pourquoi. » Moi : « C'est si simple, parce qu'il a autre chose à faire. » Elle dit : « Et ton roman. » Moi : « Le contrat est signé » Elle : « Vous êtes tous deux sortis d'affaire, il n'y a que moi qui patauge, c'est immoral. »

Elle rugit, se lève soudain, la voilà nue au milieu de la pièce se tournant, se retournant, croisant les bras sous ses seins. Elle dit : « Quand même je ne suis pas si mal foutue ni si laide. » Je dis : « Non, pas du tout. » Elle dit : « Si tu étais un homme, est-ce que tu me baiserais. » Je dis : « Depuis quand je suis une femme. » Judith : « Pour moi tu n'es ni un homme ni une femme. » Moi : « Quoi alors. » Elle : « Sexe indéterminé, écrivain, impuissant. » Je dis : « On essaie. » Aussitôt ses mains se dépêchent à cacher son sexe. Elle dit : « Tu es complètement fou, je ne suis pas Armande. » Je dis : « Cela te va bien de faire la mijaurée. » Elle : « Je me demande pourquoi je m'inquiète dans le fond, tu n'en es pas capable. » Elle va devant moi provocante en faisant balancer ses hanches, elle s'approche, je fais des tresses avec les poils de son pubis. Elle dit : « C'est tout. » Je dis : « Tu as le cul comme une tête de négresse. » Judith : « C'est malin, tu les emmêles tous, je ne pourrai plus les peigner. » Moi : « C'est symbolique quand ils sont emmêlés, il ne faut jamais tenter de peigner ses poils. » Judith : « Passe-moi mes vêtements, je sors. » Moi : « Tu n'en as pas le droit. » Judith : « Je le prends. »

Vite, passé sans difficulté le seuil de la chambre, nous nous retrouvons elle et moi dans le parc Lafontaine au beau milieu des frondaisons, tout est calme, nous nous couchons sur la pelouse immense.

Judith dit : « J'ai froid aux fesses, je n'ai pas mis de culotte. » Je dis : « C'est indécent. » Elle : « C'est symbolique, aux premiers amoureux qui passent, je me retrousse la jupe jusqu'au nombril, de quoi les complexer pour le reste de leurs jours. » Vite relevés, nous repartons jusqu'aux courts de tennis éclairés de lanternes, sur lesquels s'agitent encore quelques joueurs et joueuses en tenue blanche, la balle voltige, fend les airs avant de s'aplatir à terre, relancée de plus belle, propulsée par des bras musculeux, je me convulse submergé de tendresse, bientôt la terre sera gelée, nous marcherons sur un craquant linceul. Judith dit : « Combien de fois ne l'ai-je pas fait la nuit ce parc à la recherche quand, lassée des Anglais, je voulais me jeter dans les bras des petits Canadiens français. » Je dis : « Des paysans. » Judith : « Oui, mais les plus séduisants de la terre. » Portrait du Canadien français selon Judith : petit, plutôt trapu, large d'épaules, noir ou brun de cheveux souvent bouclés, la hanche horizontale, la cuisse épaisse, la jambe parfois légèrement arquée, le nez en virgule, le teint bistre, le visage oblong, méditerranéen par la bande, la taille mal marquée, le corps des épaules à l'articulation du bassin rectangulaire, la lourdeur d'un jeune cheval de labour avec de gros pieds bien posés sur la terre, l'oeil sombre dans le genre espagnol, les sourcils arqués se confondant sur la racine du nez, un peu voyou et paysan ou plutôt populaire non pas vulgaire, mais savoureux, s'habillant mal en parodiant les modes françaises et italiennes toujours un peu en retard, exagérant, faisant de la qualité un défaut, la chaussure trop pointue, le pantalon

trop large, la veste à martingale juste un peu trop
cintrée ou bien imitant les Beatles mais jamais vraiment élégant, pour cela sexuellement attirant, conservant sans malice une sensualité toute proche de
celle des champs, prompt à l'extase maussade, ratio-
cineur, riant peu sur ses fausses dents, aimant instinctivement tout ce qui brille comme des sauvages
enfants et son goût pour la pacotille, plus à l'aise et
redevenant soudain ce qu'il est vraiment, non pas
tourneur ni plombier mais chasseur à l'affût du ca-
nard ou de l'orignal ou bien chaussé de skis, de patins. Je vois, surajoutant à cette description, Judith
debout appuyée sur la barricade de bois, les pieds
au froid, regardant les elfes s'élancer sur le miroir
rayé, courir plus que glisser, parfois en couple, la fille
au bras de son garçon, le plus souvent chacun est
solitaire dans sa veste de nylon capitonnée, la petite
calotte de laine multicolore sur la tête, tournant en
rond et revenant, s'esseyant à quelques nouvelles
prouesses et elle tâchant de deviner sous le pantalon
de flanelle la courbe de la cuisse, cette ronde glacée
par les soirs d'hiver non pas effrénée ni joyeuse mais
un peu triste, tandis que les haut-parleurs déversent
leur musique de genre du style « My Fair Lady »
arrangée par André Kostelanetz ou les violons magi-
ques de Helmut Zacharias; à moins que ce ne soit l'été
mais il faut alors traverser la rue Christophe-Colomb,
passer vite devant le jardin des merveilles, descendre un raidillon et traverser le pont enjambant les
étangs aux fontaines lumineuses nuitamment blanches, vertes, jaunes, bleues, les jets sont comme des
arrosoirs de pelouses mobiles montant et descendant

dans un mouvement de vertige, juste avant le théâtre de verdure, de l'autre côté le chalet, en contrebas duquel par beau temps les barques glissent sur le plan d'eau au milieu des canards tandis que les amoureux où les vieux se reposent, ou rêvent à l'avenir sur les bancs en suçant un cornet de glace. Mais ce soir entre les deux saisons, trop tôt pour le patinage et trop tard pour les barques ou pour les couples allongés sur le gazon, tout est ici presque désert et, sinon le bruit des voitures qui nous arrivent violemment, le calme serait parfait, seulement troué par le bruit sec de la balle au moment de l'impact sur les boyaux tendus de la raquette, devant nous rien que nous puissions imaginer de vraiment intéressant sinon une mère de famille assise sur un banc en dessous d'une lanterne observant en souriant son fils qui joue, puis regardant les pages de publicité de « La Presse, » organisant ses achats futurs de casseroles, de lingerie, de mixers, de chaussures pour enfants, de pâte dentifrice, de Kleenex, de sirop Nectarol, se heurtant à une croisière aux Bahamas ou au Mexique l'hiver pour pas cher, ses haricots sauteurs, ses tortillas, ses beaux ténébreux à moustache, son Continental Hilton, ses lacs de boue, son Acapulco, ses crevettes mangées rôties devenues rouges par la cuisson sur les plages du Pacifique, ses poteries, son argent en gourmettes et boucles d'oreilles, en médailles, ses paniers de raphias, ses Indiens quatre générations en retard sur les Canadiens français, puis revenant plus sagement, non sans soupir profond, aux boîtes géantes de savon, un torchon à l'intérieur enveloppé dans une pochette de plastique pour prime à la place du soleil et pour restaurants exotiques les Chinois de Montréal, les Grecs et le Kon-tiki une fois dans sa vie pour oublier son quadrilatère de l'Est, Dupuis Frères, le cinéma Amherst, Valiquette, Archambault, le coin de la rue Saint-Denis, le C-Si-Bon, Woodhouse, Kresge, tout le théâtre national de son village où son fils jouera au tennis et parlera français.

Judith dit : « Dans le fond, ce qui me désespère, ce n'est pas tant qu'Adolphe m'ait quittée, cela devait finir, je le savais bien après tout, c'est un peu ridicule ce garçon de vingt ans avec une pouffiasse de mon espèce qui, peu ou prou, se prenait pour sa mère, je n'ai qu'à me faire faire des enfants et si je ne veux qu'il ait de père, il reste encore l'insémination artificielle; non, ce qui me choque c'est d'avoir raté mon affaire, je n'ai pas décidément la vocation de l'échec et plus encore d'avoir raté là où précisément Jérémie réussit car il réussit. » Moi : « A quel prix. » Judith : « Le prix, mais qu'est-ce que ça peut faire ; toi avec ton roman, est-ce que tu penses au prix. » Je dis : « Ça peut être sordide, la moyenne. » Elle : « Alors je donnerais dix ans de la vie de ma concierge pour être sordidement dans la moyenne. » Moi : « Ce n'est pas cela réussir. » Elle : « J'en ai assez de rater les grands rêves ; je prends exemple sur Jérémie, le prochain qui me tombe dans les bras et qui m'aime, il est cuit et moi avec. » Moi : « Je vous plains. » Elle : « J'en ai assez d'être l'imbécile victime de mon soi-disant sens esthétique. » Le petit lac est là vert et glauque entre le monde et nous, je suis debout à côté de Judith, nous nous penchons, je sens dans mon corps tous les mus-

cles qui se rebellent pour rétablir un équilibre satisfaisant. Je dis : « Je sais depuis longtemps qu'Adolphe
voulait te quitter; il s'en était ouvert à moi. » Judith :
« Tu aurais pu quand même me le dire, j'aurais pris
quelques précautions. » Moi : « Je voulais être le témoin de sa chute, non de la tienne. » Je m'envole,
poussé par une rude bourrade, je plane un instant, je
me retrouve assis dans l'eau dont le contact me sur-
prend et me glace, je me relève, émerge à moitié
les deux pieds dans la vase, considérant immobile Judith qui m'insulte, pliée en deux sur le rivage de béton, les deux mains posées sur ses cuisses, j'entends
comme une drôle de musique ces « sales cons » n'osant
pas remuer le petit doigt de crainte que cet instant
de grâce mouillée ne s'envole. Elle dit : « Ne reviens
jamais plus me voir. » Je dis : « Qu'est-ce que tu veux
que ça me fasse. » Elle dit : « Et puis je souhaite que
tu attrapes froid et que tu crèves comme un chien. »
Moi : « Comme un chien si tu veux, tout m'est égal
si je règne. »

Quant à la grande tentation, rentré chez moi
dégoulinant, toussant, crachant, me précipitant sur le
poêle pour faire un bon café chaud, c'est plutôt une
chose simple à condition de ne pas y penser trop, de
surcroît la fatigue, les frissons, le temps maussade de
l'automne, ma chambre de la rue Prince-Arthur aidant,
il suffit de mettre ma machine à écrire dans sa boîte
recouverte de moleskine noire, y adjoindre le papier
qui traîne partout, regarder pour la dernière fois,
et sans larme, le décor d'une vie qui ne sera plus jamais à l'image de ce déprimant soubassement, le bruit
des tuyaux, en dehors près de la fenêtre, à hauteur du

nez, les boîtes à ordures, dedans encore le carrelage noir et blanc, le placard cuisine, la bibliothèque de bois blanc, la table et sa chaise, le lit toujours défait aux draps plus ou moins propres, les cendriers remplis et les cendres jusque par terre, la vaisselle empilée, oubliée un peu partout, les bouteilles de bière, tout cela est bientôt fini ; je vais encore un peu, traînant les pieds sans souci de trouer mes chaussettes, je regarde d'un air plutôt attendri tout cela, je me souviens, des bruits, des odeurs, demain je n'y penserai plus puisque s'entrouvent enfin les portes du confort et de la gloire littéraire, Adélaïde pour le premier quant à la gloire un éditeur me l'a promise.

La nuit est belle dans mon quartier tout près du centre de la ville, tout y est calme dix heures passées, sans camions pour ébranler les murs des maisons ainsi que cela est sur la rue Notre-Dame, chez Judith ; les rues à l'asphalte crevé, le dernier acacia de la ville, le Stade des Alouettes, le Campus Market où, chaque jour, je vais acheter mon lait, comme c'est bon de se sentir presque seul et d'être mal organisé, ma machine sous le bras, j'avance lentement grignotant chichement l'espace, dix ans à cette cadence, j'irai plus loin que Pointe-aux-Trembles, plus loin que Rivière-des-Prairies, plus loin que Saint-Paul-l'Ermite : jusqu'au pays où l'air est frais comme une source et l'eau pure comme l'air, là où il n'y a plus de gratte-ciel, où il n'y a plus de restaurants tenus par les Grecs, où le vice même ne sent pas le hot dog ou le club sandwich, là où croissent les gadelles poilues et les viornes, là où sur les crans austères brillent les rubis de la canneberge, les jardins mystérieux, les retraites inviolées, où sur le silence des mousses, sans crainte, le caribou mène la vie limpide des cimes, tout sera calme et tendre, je parlerai des récoltes, des labours d'automne, la terre se fera belle exprès en de lumineux matins de printemps, jeune draveur je tournerai mes yeux vers l'en bas, vers les champs beiges dont les rectangles semblent se raidir contre l'envahissement des bois, vers les vieilles maisons grises où l'on danse les bons soirs avec les filles l'automne, je gaulerai mes truites vers les filets à l'image des grands hardis, des grands musclés, des grands libres d'autrefois quand ils défilaient dans les musiques de l'eau guerrière, du vent de plaine et du vent de montagne, tout chantera que je suis d'une race qui ne sait pas mourir, enfin très vieux portant les cheveux blancs, sortant comme par hasard des agates énormes de mes poches, dessinant d'étranges dessins sur la nappe de papier de chez Pierre entre le filet d'aiglefin et le ragoût de boulettes, j'inviterai les étudiants de l'université de Montréal à venir me voir là-bas, nous patinerons tous ensemble sur la glace rose des lacs, j'admirerai secrètement leur beauté retrouvée quand ils surgiront soudain au milieu d'un envol de canards, eux pensant à Saint-Thomas, riant de moi dans leur jeune barbe ils diront que je suis un ancien Canadien.

Je vais mal, trop vite, trop loin, la nature m'appelle et je n'ai pas encore dépassé la rue du Parc, où sont donc mes jambes pour me conduire si loin, je m'arrête et m'assois sur le bord du trottoir, je pose ma machine à terre et prends ma tête entre les mains, je sens mon front lourd qui s'y pose, mon univers c'est sur ce coin : les pharmacies, l'épicerie juive, le restaurant, le réparateur de radio qui sait l'Enéide en latin, sur leur vélocipède les livreurs en pantalons de toile, ces visages connus et dont je ne sais rien, le poste de taxi, l'arrêt des autobus 129, 84, 80, en provenance du nord et dont le terminus est Craig, la buanderie automatique et son tableau d'affichage au service des clients, moi le lisant en attendant que soient propres mes caleçons n'ayant pourtant besoin de rien, ni de leçons d'anglais, ni d'une machine à coudre d'occasion, le vendeur de journaux où j'achète Midnight, le teinturier qui repasse mon veston. Je n'ai rien réussi moi non plus : Adélaïde habite au bout du monde, il n'y aura pas de lacs roses mais le fleuve Saint-Laurent, les jeunes draveurs ce sont les étudiants de McGill, je ne patinerai pas, je danserai le soir à l'Association espagnole, je ne m'appelle que Jonathan qui sort de sa poche non pas une agate de Gaspé mais un paquet de cigarettes, le cinéma Loew's est mon jardin mystérieux. Je me relève portant ma machine sous le bras comme son enfant débile une mère folle; chez moi ce n'est pas loin et, parcourant les quelques pas qui m'en séparent, l'air brave mais quand même obligé de faire un effort pour ne pas pleurer, je m'imagine un jour lointain dans un grand avion blanc, en dessous Montréal comme Ithaque s'engloutissant dans la mer ionienne, à mon aile gauche Jean XXIII sur le Saint-Siège d'un nuage, à ma droite Judith et Jérémie s'éloignant, s'éloignant, auréolés d'orages, au-dessus, attirant mon regard habité d'astres de feu, là où j'irais, où je disparaîtrais dans un crépitement d'insectes qui explosent : l'azur, l'azur, l'azur, l'azur.

FIN DU « GRAND KHAN »